Marco de referencia europeo

BITÁCORA 4 NUEVA EDICIÓN

Curso de español

Neus Sans Baulenas
Ernesto Martín Peris
Jaume Muntal Tarragó
Rosana Acquaroni Muñoz
Emilia Conejo López-Lago

Libro del alumno

Créditos

Fotografías

Cubierta Alexsalcedo/Dreamstime, ppart/istockphoto, Pablo Caridad/ Dreamstime **Unidad 0** pág. 22 Manuel Menchón; pág. 24 e_rasmus / istockphoto; pág. 25 Eva-Katalin/istockphoto; pág. 25 martin-dm/ istockphoto; pág. 27 Speak Easy **Unidad 1** pág. 29 Julia Lazarova/ Dreamstime; pág. 30 Óscar García; págs. 30-31 Óscar García; pág. 33 Violeta de Lama; pág. 34 Mimagephotography/Dreamstime; pág. 34 Stillkost/AdobeStock; pág. 37 Bowie15/Dreamstime; pág. 37 Xavier Gallego Morell/Dreamstime; pág. 38 Phanuwatn/Dreamstime; pág. 38 www.casadellibro.com; pág 39 Professor Film; pág. 39 Professor Film; pág. 43 Violeta de Lama, iofoto/AdobeStock **Unidad 2** pág. 45 psicologiadelconsumo.wordpress.com; págs. 46-47 Iakov Filimonov/ Dreamstime; pág. 47 Igor Zakharevich/Dreamstime; pág. 50 www. libertaddigital.com; pág. 50 elpais.com; pág. 50 233grados.lainformacion. com; pág. 50 www.peonesnegros.info; pág. 50 elpais.com; págs. 50-51 Oleg Dudko/Dreamstime; pág. 51 Wittayapapa/Dreamstime; pág. 53 Zerbor/Dreamstime; pág. 54 www.revistainteriores.es; pág. 54 Typhoonski/Dreamstime; pág. 55 Marian Mydlo/Dreamstime; pág 55 Professor Film; pág. 57 Tommy Lee Walker/istockphoto; pág. 57 Lightkeeper/Dreamstime; pág. 57 medium.com/@marvin.soto; pág. 57 Enriquecalvoal/Dreamstime; pág. 57 elpais.com; pág. 57 Pedro Antonio Salaverría Calahorra/Dreamstime; pág. 59 Violeta de Lama; pág. 59 Cineberg Ug/Dreamstime **Unidad 3** pág. 61 Matt Ireland/AdobeStock, Jorge Anastacio/Adobestock, Pablo/Adobestock, powerbold/Adobestock; pág. 62 Professor Film; pág. 64 es.wikipedia.org; pág. 65 Maxriesgo/Dreamstime, Donyanedomam/Dreamstime, Donyanedomam/Dreamstime; pág. 66-67 Yurasova/Dreamstime; pág. 67 Martinmark/Dreamstime; pág. 69 Freesurf69/Dreamstime; págs. 70-71 Blvdone/Dreamstime; pág. 73 JenKedCo/Adobe Stock; pág. 75 Violeta de Lama, lucag_g/Adobe Stock, Joanna Zaleska/ Dreamstime, Richard Gunion/Dreamstime **Unidad 4** pág. 77 Odyssei/ Dreamstime; pág. 82 Professor Film; pág. 85 Studio3dplus/Dreamstime; pág. 86 Photographee.eu; pág. 89 Lenanet/Dreamstime, Koszubarev/ Dreamstime, fotogestoeber/Adobe Stock, Junyan Jiang/Dreamstime; pág. 90 Konstantin Egudin/Dreamstime, Microvone/Dreamstime, Emilia Conejo; pág. 91 Violeta de Lama, Anton Ignatenco/Dreamstime, Jgade/Adobe Stock, Tirrasa/Dreamstime, nito/Adobe Stock, Alexander, Raths/Dreamstime, Alexandr Kornienko/Dreamstime, dziewul/ Adobe Stock **Unidad 5** pág. 94 Antonio Guillem/Dreamstime, Juan Moyano/Dreamstime, Enriscapes/Dreamstime.com, Natalia Nazarenko Vladimirovna/Dreamstime; pág. 95 colors0613/Adobe Stock, elcorteingles.es, Fernando Gómez Fernández/Dreamstime; pág. 97 Innaastakhova/Dreamstime; pág. 98 Emilia Conejo; pág. 99 Professor Film, James Steidl/Dreamstime; pág. 106 www.hotelespanya.com; pág. 107 Violeta de Lama **Unidad 6** pág. 110 Professor Film; pág. 111 Violeta de Lama; pág. 113 Michael Gray/Dreamstime; pág. 114 Tomas Griger/ Dreamstime, Juanmonino/istockphoto, ajr_images/istockphoto; pág. 115 ajr_images/istockphoto, alynst/istockphoto; pág. 118 Imgorthand/ Istockphoto; pág. 119 ViktorCap/Istockphoto, olgavolodina/Adobe Stock, SensorSpot/Istockphoto, doble-d/Istcokphoto, Violeta de Lama; pág. 121 Ilkercelik/Dreamstime; pág.122 Violeta de Lama; pág. 123 Violeta de Lama **Unidad 7** pág. 125 hoycomoayer.over-blog.com, www. laregioninternacional.com, enlos50y60.blogspot.com; pág. 126 Mediaset, filmaffinity.com; pág. 127 Mediaset; pág. 128 elpais.com; pág. 129 www.youtube.com, es.wikipedia.org; pág. 130 www.latinoleadersmagazine.com, remezcla.com; pág. 131 diariote.mx, www.bizjournals.com; pág. 133 flickr/Oregon State University; pág. 134 marioelescribidor.blogspot.com, biblioteca-paris.blogs.cervantes.es; pág. 135 jcoaguila.blogspot.com, commons.wikimedia.org; pág. 138 Emilia Conejo; pág. 139 Violeta de Lama, artnau.com, www.museoreinasofia.es **Unidad 8** pág. 141 Alfonsodetomas/ Dreamstime; pág. 142 www.nube-cam.com; pág. 143 www.nube-cam.com, www.nube-cam.com; pág. 145 Kobby Dagan/Dreamstime, Rafał Cichawa/Dreamstime, Carlos Mora/Dreamstime; pág. 146 Diego Grandi/Dreamstime, Anton Samsonov/Dreamstime; pág. 147 maogg/ Istockphoto, Kobby Dagan/Dreamstime, Florin Seitan/Dreamstime; pág. 149 Millaus/Dreamstime; pág. 150 © Remedios Varo, VEGAP, Barcelona, 2018; pág. 151 commons.wikimedia.org; pág. 153 www.museoreinasofia.es, Violeta de Lama; pág. 154 espacio. fundaciontelefonica.com, Lagui/Adobestock, commons.wikimedia. org, es.wikipedia.org, luzymirada.wix.com; pág. 155 Violeta de Lama, theartstack.com, Vitalyedush/Dreamstime, www.educathyssen.org, 21floren/Dreamstime **Unidad 9** pág. 157 Antikainen/Dreamstime; pág. 158 Valarti/Dreamstime, Michał Rojek/Dreamstime, Adrián Gálvez; pág. 159 Adrián Gálvez; pág. 161 Sebnem Ragiboglu/Dreamstime; pág. 162 D-Keine/Istockphoto, metamorworks/Istockphoto, Monsit Jangariyawong/Dreamstime; pág. 165 Kathryn Sidenstricker/ Dreamstime; pág. 166 Neosiam/Dreamstime, www.taringa.net / Hansell Medoza; pág. 168 Haiyin/Dreamstime; pág. 169 Violeta de Lama; pág. 171 Violeta de Lama, Cea Study Abroad **Sección de preparación al DELE** pág. 227 pixelheadphoto/Adobe Stock; pág. 228 shapecharge/ Istockphoto, Juanmonino/istockphoto; pág. 229 SensorSpot/IstockPhoto, ajr_images/Istockphoto; pág. 231 Violeta de Lama; pág. 236 Violeta de Lama; pág. 240 Violeta de Lama; pág. 242 www.timeoutmexico.mx; pág. 244 jon11/Adobestock; pág. 246 svetlkd/Istockphoto

Sección de preparación al DELE
Textos orales adaptados de:
Prueba 2 Tarea 3: cienciauanl.uanl.mx
Prueba 2 Tarea 5: asep.pe
Prueba 3 Tarea 1: hwww.dna.gob.ar

Autores

Neus Sans Baulenas
Ernesto Martín Peris
Jaume Muntal Tarragó
Rosana Acquaroni Muñoz
Emilia Conejo López-Lago

Sección de preparación al DELE
Ana Martínez Lara

Revisión pedagógica
Agustín Garmendia, Pablo Garrido

Coordinación editorial
Emilia Conejo

Diseño gráfico
Grafica

Maquetación
Pedro Ponciano, Pablo Garrido

Ilustraciones
Juanma García Escobar
(www.juanmagarcia.net)
excepto Riki Blanco (pág. 41),
Lena Seiferth (págs. 23 y 33)
y www.flacticon.com (pág. 107)

Corrección
Sílvia Jofresa

Producción audiovisual
Professor Film, Nube-Cam

Locutores
Ana Aznárez, Agnès Berja, Sergi Bautista, Antonio Béjar, Agnès Berja, Iñaki Calvo, Julio César Chamorro, Emilia Conejo, Silvia Dotti, Luis García Márquez, Verónica Lahitte, Carmen Laroche, Noemí Martínez, Carmen Mora, Núria Murillo, Edith Moreno, Rafael Parra, Neus Sans, Clara Serfaty, Josefina Simkievich, Ximena Tello

Agradecimientos
Ayuntamiento de Alcalá de Henares, Gema Ballesteros, Agnès Berja, Laura Cano, Beatriz Casanova, Laura Caviedes, CEA Study Abroad, Elsa del Pozo, Soraya Díaz, Carolina Domínguez, María Espinar Cuadra, Adrián Gálvez, Óscar García, Pablo Garrido, Beatriz Garvía, Marta González, Irene González-Carbajal, Guillermo Lampatzer, Carlos López de Arenosa, Mediaset, Yoram Malka, Eduardo Martín de Pozuelo, Manuel Menchón, María Jesús Pantoja, Matías Pastor González, Pepo Paz, Juan Vicente Piqueras, Miguel Sánchez, Lena Seiferth, Clara Serfaty, Speak Easy, Manex Urruzola

C/ Trafalgar, 10, entlo. 1ª
08010 Barcelona
Tel. (+34) 93 268 03 00
Fax (+34) 93 310 33 40
editorial@difusion.com

www.difusion.com

ISBN: 978-84-16347-82-7
Impreso en España por Novoprint
Reimpresión: octubre 2018

CÓMO ES BITÁCORA NUEVA EDICIÓN

Un cuaderno de bitácora es el libro en el que los marinos anotan el estado de la atmósfera, los vientos, el rumbo, la fuerza de las máquinas con que se navega o las velas que se utilizan, la velocidad del buque y las distancias navegadas, observaciones astronómicas para la determinación de la situación del buque, así como cuantos acontecimientos de importancia ocurran durante la navegación.

BITÁCORA es un manual moderno e innovador que permite trabajar al mismo tiempo y de manera sencilla en torno a tres ejes: el **enfoque léxico**, el **enfoque orientado a la acción** y el **desarrollo de la autonomía** del aprendiz.

Para la nueva edición hemos contado con el **asesoramiento de profesores de centros educativos de todo el mundo** que han compartido su experiencia con nosotros.

Fruto de esta **reflexión conjunta**, surge una **nueva estructura para las unidades**, con un **itinerario muy claro**, **nuevas secciones** y **referencias al material complementario** que se puede utilizar en cada momento. Todo ello facilita el uso del Libro del alumno y la integración de todos los componentes a lo largo de la secuencia didáctica.

Al final del manual encontrarás además un **resumen gramatical**, un **diccionario de construcciones verbales**, una **sección de preparación al DELE** y las transcripciones de los vídeos y de los audios.

EN CADA UNIDAD VAMOS A ENCONTRAR:

- **PUNTO DE PARTIDA**
- **DOSIER 01**
- **AGENDA DE APRENDIZAJE 01**
- **TALLER DE USO 01**
- **DOSIER 02**
- **AGENDA DE APRENDIZAJE 02**
- **TALLER DE USO 02**
- **DOSIER 03**
- **AGENDA DE APRENDIZAJE 03**
- **TALLER DE USO 03**
- **ARCHIVO DE LÉXICO**
- **PROYECTOS**

LOS ICONOS

Actividad con audio

Material proyectable de apoyo

Actividad con vídeo

Transcripción

Descárgate los audios en
http://bitacora.difusion.com/audios4.zip

LAS UNIDADES DE BITÁCORA
PUNTO DE PARTIDA

La sección **Punto de partida** comprende dos páginas. La página de la izquierda incluye una portadilla con el **título de la unidad** y una **nube de palabras**. En la página derecha se encuentran el **índice de contenidos** de la unidad y las **actividades para trabajar con las nubes**.

YO Y MIS CIRCUNSTANCIAS

UNIDAD 7

DOCUMENTOS
DOSIER 01
Se buscan valientes
DOSIER 02
Romper el techo de cristal
DOSIER 03
Recuerdos de infancia

LÉXICO
- Datos y hechos biográficos
- Circunstancias determinantes en la vida de una persona
- Condicionar: **afectar a**, **influir en**, **ser crucial para**, **marcar**, etc.
- **Conseguir**, **intentar**, **lograr**, etc.
- Problemas sociales y discriminación
- Relaciones de parentesco

GRAMÁTICA
- Subordinadas en un relato con indicativo y subjuntivo
- Relativas en pasado
- **Me gustaría** + oraciones de relativo
- Sustantivas con subjuntivo: **conseguir**, **intentar**
- Punto de vista y tiempos verbales en el relato
- El condicional como futuro del pasado

COMUNICACIÓN
- Hablar de la propia biografía
- Hablar de factores que condicionan la existencia
- Hablar de logros y fracasos
- Valorar acciones y logros
- Familiarizarse con textos literarios

CULTURA
- Valores asociados a la familia
- El Langui
- Pablo Pineda
- Mujeres profesionales de Latinoamérica
- Memorias de Mario Vargas Llosa

PROYECTOS
- Hacer un cadáver exquisito

PUNTO DE PARTIDA

Nube de palabras
Vidas y circunstancias

A
"Yo soy yo y mi circunstancia" es una famosa frase del filósofo español José Ortega y Gasset (1883-1955) que muchos hispanohablantes conocen. ¿Qué creemos que significa?

B
¿Cuáles son los factores que más influyen en la vida de una persona? Lo comentamos utilizando palabras o expresiones de la nube.

—Un factor importante es la época en la que naces.
—Sí, pero también influye mucho el origen social, ¿no?

C
Pensamos en un miembro de nuestra familia o de nuestro entorno. ¿Qué circunstancias concretas marcaron su vida? Se lo contamos a nuestros compañeros.

Pienso en mi abuelo... Cuando era niño, estalló la guerra y su padre estuvo cuatro años preso. Y eso marcó totalmente su infancia y su vida.

ciento veinticinco | 125

Nube de palabras

Contiene el **vocabulario esencial de cada unidad**. En la página derecha se proponen actividades para utilizar las nubes en clase y que los estudiantes puedan **recuperar conocimientos previos**, **activar estrategias de inferencia** ante vocabulario nuevo y, en definitiva, tener un **primer contacto con los contenidos léxicos y temáticos de la unidad**.

Los estudiantes se enfrentan a la comprensión de los textos con una preparación previa del vocabulario.

LAS UNIDADES DE BITÁCORA
DOSIERES 01, 02 Y 03: TEXTOS

Cada unidad incluye tres **dosieres**. Cada uno ocupa dos páginas e incluye **uno o varios textos** (escritos, orales y audiovisuales) **y sus actividades** correspondientes.

Los textos escritos

- Textos interesantes y actuales: documentos que el alumno querría leer en su propia lengua.
- Una visión moderna y plural del mundo de habla hispana.
- Temas variados y para todos los gustos.
- Textos equiparables a los auténticos, pero adecuados al nivel de los alumnos.

Los textos orales

- Diferentes variedades y acentos.
- Documentos divertidos e interesantes.
- Audiciones que no suenan artificiales.
- Españoles e hispanoamericanos hablando con naturalidad.

Los textos son variados e interesantes, y, a partir de ellos, el estudiante puede desarrollar sus competencias receptivas. Las imágenes lo van a ayudar a entender y a acercarse a la realidad hispanohablante.

El imperio de la falsedad

Marius Carol La Vanguardia

La consultora Garner, especializada en tecnología informática, advierte que las noticias falsas superarán a las verdaderas en cuatro años. Ciertamente, resulta terrible pensar que los usuarios de las sociedades maduras del planeta consuman más información falsa que cierta en el 2022, porque equivale a decir que la manipulación, tanto de las conciencias individuales como de la democracia, será la gran amenaza del mundo. La consultora considera que la inteligencia artificial impulsará la creación de esta realidad falsificada con representaciones convincentemente realistas de cosas que nunca ocurrieron o que jamás existieron exactamente como se representan.

Nada es lo que parece, incluso la mentira la hemos maquillado con el término "posverdad" para hacerla más digerible. Las noticias falsas igual sirven para las guerras comerciales o para las batallas políticas. El Brexit o Donald Trump no se entienden sin tener presente este fenómeno. No es fácil defenderse ante este tsunami. Incluso los medios rigurosos estamos amenazados por los ciberataques a la verdad. Es más, a menudo un medio serio puede caer en la trampa y dar por buena una noticia falsa en las redes y blanquear así la mentira. El problema ha llegado a la Comisión Europea, que tiene un plan de acción para abordar la propagación de noticias inciertas. Colectivos de periodistas han creado webs –la Buloteca o Maldito Bulo– para denunciar noticias de las redes que no lo son. El buen periodismo es el que está hecho con rigor, que jerarquiza la información, que tiene detrás una firma que lo avala.

54 cincuenta y cuatro

LAS UNIDADES DE BITÁCORA
DOSIERES 01, 02 Y 03: ACTIVIDADES

Descárgate los audios en
http://bitacora.difusion.com/audios4.zip

LOS CINCO BULOS MÁS EXTENDIDOS SOBRE EL CAMBIO CLIMÁTICO

El 97 % de los científicos están convencidos de que las actividades humanas están cambiando el clima. Sin embargo, los bulos sobre este tema se hacen rápidamente virales en la red.

1. El calentamiento global no es importante porque ha habido épocas en las que la Tierra estaba varios grados más caliente que ahora.

2. No hay consenso científico sobre el calentamiento global.

3. El calentamiento global no es malo. Las épocas cálidas han sido las más prósperas.

4. Hay una conspiración internacional para imponer las energías renovables.

5. El calentamiento global es imparable. No hay nada que hacer.

03 NO ME LO CREO

Antes de leer
La posverdad

¿Circulan muchas noticias falsas en nuestro entorno? ¿Sobre qué temas? ¿Por qué canales? ¿Conocemos algún caso reciente?

Texto y significado
El imperio de la falsedad

Leemos el artículo de Marius Carol. ¿Creemos que su predicción es correcta?

— Yo estoy segurísimo de que....
— Estoy absolutamente convencido de que...
— No hay duda de que...
— Es obvio que...

Volvemos a leer el segundo párrafo y lo resumimos en una frase. Comparamos nuestro resumen con el de nuestro compañero. ¿Qué opinamos nosotros?

Texto e imágenes
Noticias falsas

Vemos la segunda parte de la entrevista. Anotamos las razones por las que, según Eduardo Martín, circula tanta información falsa. Compartimos nuestras notas con dos compañeros y las formulamos por escrito.

Leemos la transcripción de la entrevista y completamos las notas que hemos tomado en C.

Texto y lengua
Cinco bulos

Buscamos las cinco palabras, expresiones o combinaciones de palabras imprescindibles para hablar del cambio climático. Las compartimos con dos compañeros y completamos nuestras listas.

Reducir la contaminación

Leemos los cinco grandes bulos que circulan en las redes sociales y en los medios de comunicación sobre el cambio climático. ¿Qué pensamos nosotros?

— Es verdad que....
— Es cierto que...
— Es obvio que...
— No hay duda de que...
— Yo (eso) sí me lo creo...

— No es verdad que...
— No es cierto que...
— Es falso que...
— Yo (eso) no me lo creo...

Yo no me creo eso de que haya una conspiración internacional para imponer las energías renovables.

cincuenta y cinco | **55**

Antes de leer
Se trata de actividades que preparan al estudiante para la lectura o la escucha de un determinado texto.

Texto y significado
Se incluyen actividades que ayudan a comprender los textos orales y escritos, proporcionando objetivos para su lectura o audición y estrategias para enfrentarse a ellos.

Texto y lengua
Se analiza el uso de la lengua en los textos para centrar la atención en algunos fenómenos léxicos, gramaticales o discursivos.

Los andamiajes son recursos lingüísticos o segmentos de lengua que se ponen a disposición del alumno para que construya su propio discurso.

Las muestras de lengua proporcionan ejemplos de producciones orales que se pueden generar en la realización de una actividad.

LAS UNIDADES DE BITÁCORA
DOSIER DE COMPETENCIA AUDIOVISUAL

Uno de los dosieres está dedicado a la **competencia audiovisual**. En él se incluye **un vídeo** de tipología variada que puede ir acompañado de un texto escrito. Ambos textos tienen **sus actividades** correspondientes.

Los vídeos

- Formatos frescos y actuales: documentos que el alumno querría ver en su propia lengua.
- Una visión moderna y plural del mundo de habla hispana.
- Temas variados y para todos los gustos.
- Diferentes variedades y acentos.
- Variadas tipologías textuales: relato de ficción, entrevista, documental, cámara oculta, anécdotas, videoclip musical, vídeo de divulgación científica.
- Documentos divertidos e interesantes.
- Audiciones que no suenan artificiales.
- Españoles e hispanoamericanos hablando con naturalidad.

Los vídeos presentan una tipología textual variada: reportajes, cortometrajes de ficción, entrevistas, documentales, vídeos de divulgación, etc.

COMPETENCIA AUDIOVISUAL

UN PASEO POR LA SIERRA DE GUADARRAMA

La sierra de Guadarrama es una cadena montañosa que pertenece al sistema Central, una cordillera situada en el centro de la península Ibérica. La sierra se extiende a lo largo de 80 km en dirección suroeste-noreste y atraviesa las provincias de Madrid, Segovia y Ávila. Su pico más alto es Peñalara, con 2428 m.
En ella predomina el clima de montaña, con inviernos muy fríos y veranos secos y frescos. La flora se caracteriza por la abundancia de robledales, encinares y bosques de pino silvestre, cuya explotación ha sido fundamental para el desarrollo económico de la región.
En cuanto a la fauna, abundan los mamíferos, como ciervos, jabalíes, gamos, gatos monteses, zorros y liebres. Asimismo se encuentran grandes rapaces, como el águila imperial o el buitre negro, y una gran cantidad de especies de aves acuáticas en los embalses.
Al estar atravesada por numerosos puertos de montaña y por vías ferroviarias, la sierra recibe una gran cantidad de montañeros y turistas. En el sur de la sierra destaca La Pedriza, por ejemplo, cuyos bloques de roca son ideales para practicar la escalada.
De hecho, las asociaciones ecologistas alertan sobre el peligro de masificación, ya que se calcula que algunos lugares del parque serán visitados por más de 2,5 millones de habitantes al año.
El 25 de junio de 2013 fue declarada Parque Nacional.

¿SABÍAS QUE...?

- El granito con el que se construyó el Museo del Prado procede de la sierra de Guadarrama.
- En el Parque hay 58 especies de mamíferos, de las cuales seis se encuentran solo allí (la liebre ibérica, por ejemplo).
- Desde el 2016 se ha detectado la presencia de ejemplares de lobo ibérico, que estaba en peligro de extinción desde hace unas décadas.
- El Tejo de Barondillo, cuyo tronco mide más de diez metros de diámetro, tiene más de 1200 años y es uno de los árboles más antiguos de España.

62 | sesenta y dos

LAS UNIDADES DE BITÁCORA
DOSIER DE COMPETENCIA AUDIOVISUAL: ACTIVIDADES

Antes de leer
Se trata de actividades que preparan al estudiante para la lectura o la escucha de un determinado texto.

Texto y significado
Se incluyen actividades que ayudan a comprender los textos orales y escritos, proporcionando objetivos para su lectura o audición y estrategias para enfrentarse a ellos.

Antes de ver
Se trata de actividades que preparan al estudiante para el visionado de un determinado vídeo.

Texto e imágenes
Se incluyen actividades que ayudan a comprender los vídeos, proporcionando objetivos para su visionado y estrategias para enfrentarse a ellos.

Texto y lengua
Se analiza el uso de la lengua en las transcripciones para centrar la atención en algunos fenómenos léxicos, gramaticales o discursivos.

Para facilitar el análisis de la lengua oral, a partir de este nivel se incluye un anexo al final del libro con las transcripciones de los textos orales, tanto audio como vídeo. El icono de transcripción indica que para realizar una actividad es necesario consultar dicho anexo.

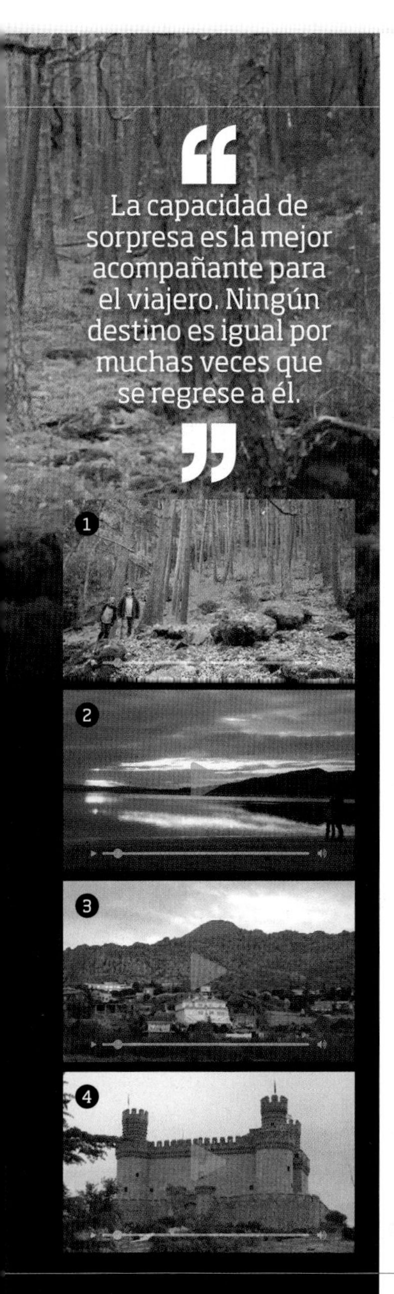

01
UN PASEO POR LA SIERRA...

Antes de ver
Un parque natural

A
Pensamos en un parque natural que conocemos. ¿Cómo lo describiríamos?

Texto y significado
Información interesante

B
Leemos el texto. ¿Qué temas aparecen? Los anotamos y comparamos nuestra lista con la de un compañero.

C
¿Cómo se expresa en el texto la siguiente información? Buscamos individualmente y comparamos nuestras respuestas con las de un compañero.

- La sierra de Guadarrama está en el centro de España.
- La sierra de Guadarrama va de suroeste a noreste.
- Su clima es de montaña.
- La Pedriza tiene un perfil característico.
- En esta sierra hay muchas especies de árboles.
- Hay muchos tipos de mamíferos.
- Tiene puertos de montaña y las vías de tren pasan por ella.
- Muchos turistas la visitan.

Antes de ver
Un documental

D
Pepo Paz nos acompaña a dar un paseo por la sierra de Guadarrama. En grupos, comentamos su afirmación: "La capacidad de sorpresa es la mejor acompañante para el viajero. Ningún destino es igual por muchas veces que se regrese a él".

Texto e imágenes
Mi lugar en el mundo

E
Vemos el vídeo y tomamos notas sobre la información más importante de los lugares que se visitan.

Texto y lengua
Léxico y registro

F
Leemos la transcripción del vídeo y subrayamos las palabras que conocemos relacionadas con las categorías del asociograma y lo completamos entre todos.

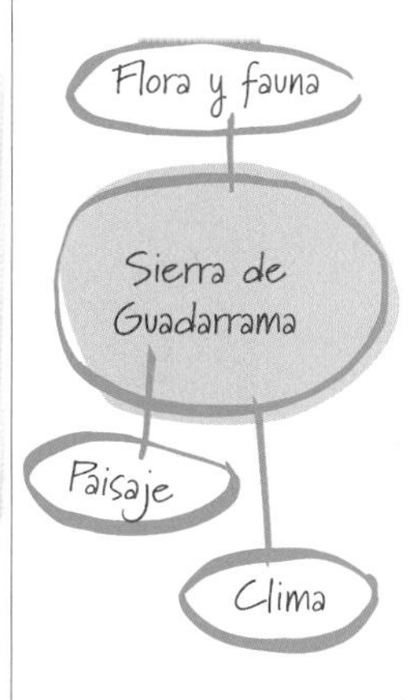

sesenta y tres | 63

LAS UNIDADES DE BITÁCORA
AGENDA DE APRENDIZAJE (01, 02 Y 03)

Las agendas son un espacio para la gestión personalizada del aprendizaje que permite **comprender y fijar** los contenidos lingüísticos de cada dosier, así como **dirigir y controlar los progresos y necesidades propios**.

Las agendas constituyen una herramienta que, a diferencia de las tradicionales explicaciones gramaticales magistrales, **permite al grupo reflexionar activamente** sobre el funcionamiento y los aspectos formales objeto de aprendizaje en la unidad. ¿Cómo? Observándolos, descubriendo reglas y realizando pequeñas experiencias de aplicación.

Reglas y ejemplos
Espacio para la observación y el descubrimiento de reglas gramaticales. En muchos casos, el estudiante se entrenará en la producción de enunciados que ejemplifiquen las reglas.

Palabras para actuar
Fórmulas y expresiones muy codificadas para realizar ciertos actos de habla muy usuales en situaciones concretas de la vida cotidiana.

En español y en otras lenguas
Propuestas que permiten reflexionar sobre las semejanzas y las diferencias entre el español y otras lenguas que el estudiante pueda manejar.

Palabras en compañía
Presentación de campos léxicos y de las agrupaciones más frecuentes y útiles del vocabulario de la unidad.

Construir la conversación
Conceptualización gráfica de las diversas maneras en las que los hablantes pueden articular una interacción a partir de diferentes actos de habla.

Se incluyen remisiones al material proyectable y a las explicaciones del resumen gramatical.

La gramática de las palabras
Espacio en el que se presentan cuestiones léxico-gramaticales destinado tanto a la comprensión del funcionamiento de determinadas unidades léxicas como a su activación en pequeñas producciones.

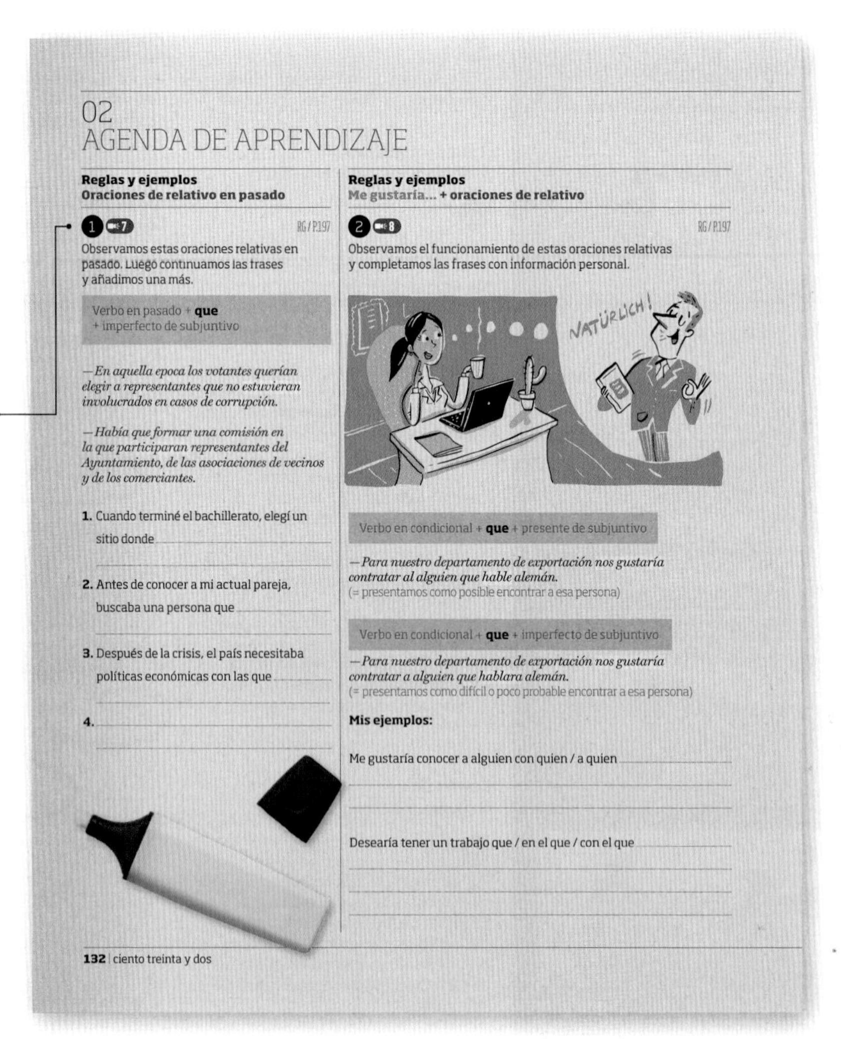

02
AGENDA DE APRENDIZAJE

Reglas y ejemplos
Oraciones de relativo en pasado

1 7 RG / P.197

Observamos estas oraciones relativas en pasado. Luego continuamos las frases y añadimos una más.

Verbo en pasado + **que** + imperfecto de subjuntivo

—En aquella epoca los votantes querían elegir a representantes que no estuvieran involucrados en casos de corrupción.

—Había que formar una comisión en la que participaran representantes del Ayuntamiento, de las asociaciones de vecinos y de los comerciantes.

1. Cuando terminé el bachillerato, elegí un sitio donde ...
2. Antes de conocer a mi actual pareja, buscaba una persona que ...
3. Después de la crisis, el país necesitaba políticas económicas con las que ...
4. ...

Reglas y ejemplos
Me gustaría... + oraciones de relativo

2 8 RG / P.197

Observamos el funcionamiento de estas oraciones relativas y completamos las frases con información personal.

Verbo en condicional + **que** + presente de subjuntivo

—Para nuestro departamento de exportación nos gustaría contratar al alguien que hable alemán.
(= presentamos como posible encontrar a esa persona)

Verbo en condicional + **que** + imperfecto de subjuntivo

—Para nuestro departamento de exportación nos gustaría contratar a alguien que hablara alemán.
(= presentamos como difícil o poco probable encontrar a esa persona)

Mis ejemplos:

Me gustaría conocer a alguien con quien / a quien ...

Desearía tener un trabajo que / en el que / con el que ...

132 | ciento treinta y dos

LAS UNIDADES DE BITÁCORA
TALLER DE USO (01, 02 Y 03)

En esta **nueva sección** de cada dosier se proponen **actividades significativas** que deben resolverse en parejas, en pequeños grupos o entre toda la clase **sin dejar de atender a la forma**. En ellas, de manera colaborativa pero muy guiada, **se ponen en práctica recursos lingüísticos** sobre los que el alumno acaba de reflexionar en la Agenda. Pueden realizarse en parejas, en grupo o entre toda la clase.

Dictado cooperativo
Se trata de propuestas a partir de audiciones breves que los alumnos deberán reconstruir íntegramente de forma cooperativa. En el proceso, trabajando en parejas y en grupos, deberán prestar atención tanto al contenido como a las formas lingüísticas que aparecen en el texto.

Mediación
En este nivel se incluyen algunas actividades de mediación: el alumno ha de captar el significado fundamental de un texto determinado y ser capaz de explicarlo en su propia lengua, utilizando sus palabras, en un contexto significativo.

Con lápiz o con ratón
Bajo este epígrafe se proporcionan actividades de escritura (individual o cooperativa) o de búsqueda de información en internet.

En algunos casos se ofrece la posibilidad de compartir las actividades en un espacio digital común (una red social, un grupo de chat de un dispositivo móvil, un blog de aula, una plataforma de aprendizaje, etc.).

02
TALLER DE USO

En parejas y en grupos
Un debate televisivo

A
¿En nuestro país hay medios de comunicación **realmente independientes**? Vamos a simular un debate.

Los participantes
- El moderador
- Un bloguero
- El director de un gran periódico
- El representante de un partido político minoritario
- El representante de una asociación de consumidores
- Otro personaje: (lo decide el grupo)

Nos preparamos
- Decidimos quién es el sexto invitado.
- Nos distribuimos los papeles.
- Individualmente anotamos cuáles son las ideas que vamos a defender.

Reglas del debate
- El debate comienza con una primera ronda de opiniones.
- Cada vez que intervengamos, tenemos que referirnos a lo que han dicho otras personas.
- El moderador gestionará los turnos de palabra y tomará notas para resumir al final el punto de vista de cada uno.

Mediación
Noticias frescas

B
Cada uno de nosotros elige una noticia de esta semana, algo que ha sucedido en nuestra ciudad, en nuestro país o en el mundo, y trata de resumir lo esencial, con las aclaraciones necesarias, en español. Se lo cuenta al resto de la clase, que puede hacerle preguntas.

cincuenta y tres | 53

LAS UNIDADES DE BITÁCORA
ARCHIVO DE LÉXICO

El **Archivo de léxico** incluye actividades para trabajar con las **colocaciones** y las **unidades léxicas** de la unidad y propuestas con las que **el alumno hace suyo el vocabulario** propio de cada ámbito temático.

Como en la Agenda, se propone una **reflexión o activación personalizadas** y se incluyen remisiones a los ejercicios correspondientes del Cuaderno y referencias al material proyectable.

Palabras en compañía
Se sistematizan aquellos campos léxicos y colocaciones que tienen especial peso en la unidad, al mismo tiempo que se proponen actividades de fijación y memorización.

Mis palabras
Espacio para detectar y trabajar aquellas necesidades léxicas propias de cada alumno que han surgido como fruto de las actividades personalizadas. Así, el estudiante construye su léxico personal: el que necesita y desea aprender.

La gramática de las palabras
Espacio en el que se presentan cuestiones léxico-gramaticales destinado tanto a la comprensión del funcionamiento de determinadas unidades léxicas como a su activación en pequeñas producciones.

En español y en otras lenguas
Propuestas que permiten reflexionar sobre las semejanzas y las diferencias entre el español y otras lenguas que el estudiante pueda manejar.

Las palabras y sus metáforas
Propuestas que permiten reflexionar sobre las imágenes conceptuales asociadas a determinadas palabras.

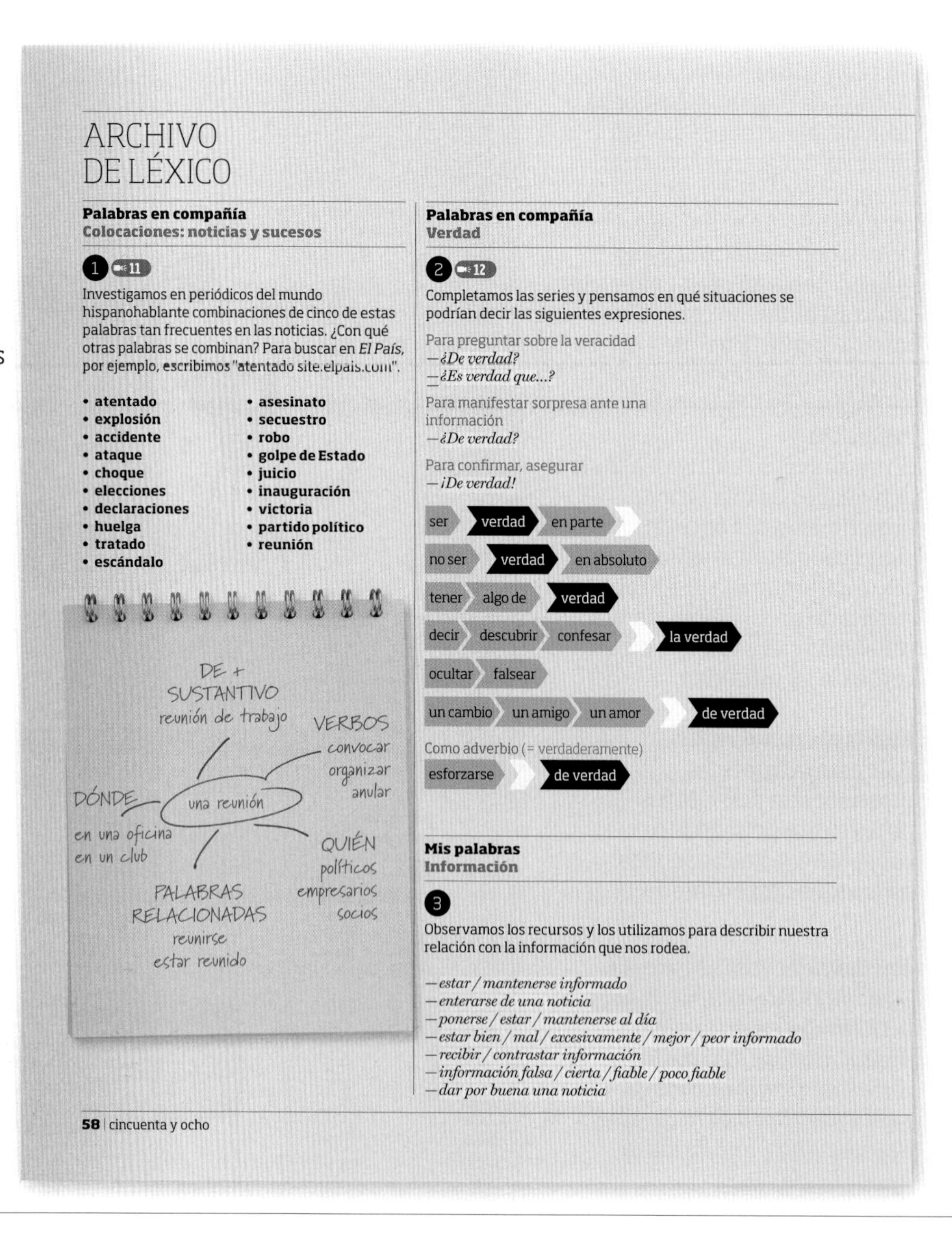

ARCHIVO DE LÉXICO

Palabras en compañía
Colocaciones: noticias y sucesos

1 11

Investigamos en periódicos del mundo hispanohablante combinaciones de cinco de estas palabras tan frecuentes en las noticias. ¿Con qué otras palabras se combinan? Para buscar en *El País*, por ejemplo, escribimos "atentado site:elpais.com".

- **atentado**
- **explosión**
- **accidente**
- **ataque**
- **choque**
- **elecciones**
- **declaraciones**
- **huelga**
- **tratado**
- **escándalo**
- **asesinato**
- **secuestro**
- **robo**
- **golpe de Estado**
- **juicio**
- **inauguración**
- **victoria**
- **partido político**
- **reunión**

Palabras en compañía
Verdad

2 12

Completamos las series y pensamos en qué situaciones se podrían decir las siguientes expresiones.

Para preguntar sobre la veracidad
—*¿De verdad?*
—*¿Es verdad que...?*

Para manifestar sorpresa ante una información
—*¿De verdad?*

Para confirmar, asegurar
—*¡De verdad!*

ser / verdad / en parte
no ser / verdad / en absoluto
tener / algo de / verdad
decir / descubrir / confesar / la verdad
ocultar / falsear
un cambio / un amigo / un amor / de verdad

Como adverbio (= verdaderamente)
esforzarse / de verdad

Mis palabras
Información

3

Observamos los recursos y los utilizamos para describir nuestra relación con la información que nos rodea.

—*estar / mantenerse informado*
—*enterarse de una noticia*
—*ponerse / estar / mantenerse al día*
—*estar bien / mal / excesivamente / mejor / peor informado*
—*recibir / contrastar información*
—*información falsa / cierta / fiable / poco fiable*
—*dar por buena una noticia*

58 | cincuenta y ocho

LAS UNIDADES DE BITÁCORA
PROYECTOS

Esta sección proporciona dos tareas finales que permiten actuar significativamente generando textos o participando en interacciones grupales. Algunas de ellas se realizan de manera cooperativa y otras, de manera individual.

Proyecto en grupo
Se proponen tareas colaborativas orientadas a la elaboración de un producto. Con ellas se propicia el uso significativo de los aspectos más importantes trabajados en la unidad, el desarrollo de la competencia comunicativa y la integración de destrezas.

Proyecto individual
Se proponen tareas en las que el alumno puede poner en práctica de manera significativa los aspectos más importantes de la unidad. Tiene como objetivo primordial el desarrollo de la expresión escrita.

Como en la sección Taller de uso, en muchos casos se ofrece la posibilidad de trabajar directamente en un espacio virtual compartido (una red social, un chat, mensajería de móvil...), con el objetivo principal de desarrollar la fluidez en la interacción escrita.

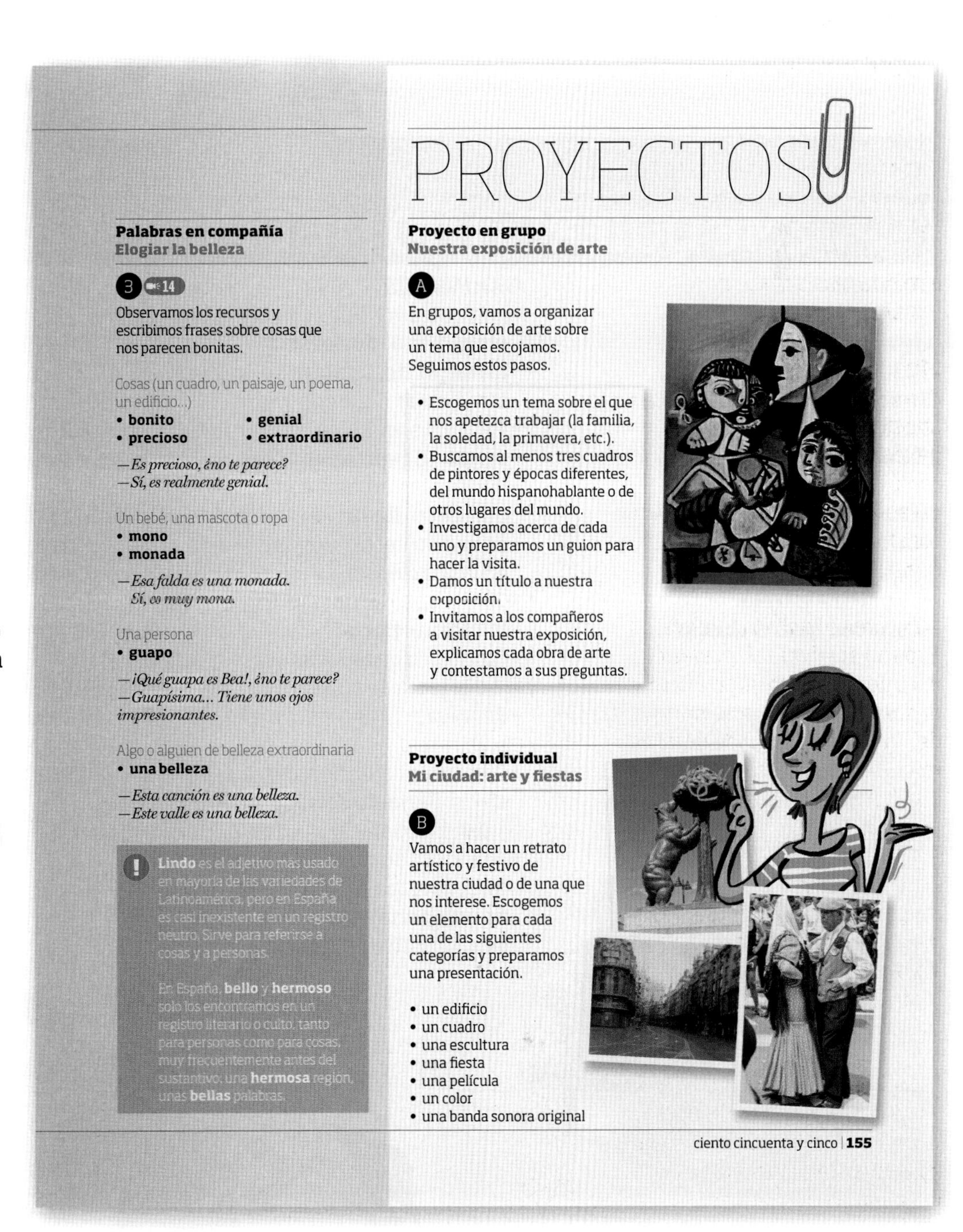

Palabras en compañía
Elogiar la belleza

3 14

Observamos los recursos y escribimos frases sobre cosas que nos parecen bonitas.

Cosas (un cuadro, un paisaje, un poema, un edificio...)
- **bonito**
- **precioso**
- **genial**
- **extraordinario**

—Es precioso, ¿no te parece?
—Sí, es realmente genial.

Un bebé, una mascota o ropa
- **mono**
- **monada**

—Esa falda es una monada.
Sí, es muy mona.

Una persona
- **guapo**

—¡Qué guapa es Bea!, ¿no te parece?
—Guapísima... Tiene unos ojos impresionantes.

Algo o alguien de belleza extraordinaria
- **una belleza**

—Esta canción es una belleza.
—Este valle es una belleza.

! **Lindo** es el adjetivo más usado en mayoría de las variedades de Latinoamérica, pero en España es casi inexistente en un registro neutro. Sirve para referirse a cosas y a personas.

En España, **bello** y **hermoso** solo los encontramos en un registro literario o culto, tanto para personas como para cosas, muy frecuentemente antes del sustantivo: una **hermosa** región, unas **bellas** palabras.

PROYECTOS

Proyecto en grupo
Nuestra exposición de arte

A

En grupos, vamos a organizar una exposición de arte sobre un tema que escojamos. Seguimos estos pasos.

- Escogemos un tema sobre el que nos apetezca trabajar (la familia, la soledad, la primavera, etc.).
- Buscamos al menos tres cuadros de pintores y épocas diferentes, del mundo hispanohablante o de otros lugares del mundo.
- Investigamos acerca de cada uno y preparamos un guion para hacer la visita.
- Damos un título a nuestra exposición.
- Invitamos a los compañeros a visitar nuestra exposición, explicamos cada obra de arte y contestamos a sus preguntas.

Proyecto individual
Mi ciudad: arte y fiestas

B

Vamos a hacer un retrato artístico y festivo de nuestra ciudad o de una que nos interese. Escogemos un elemento para cada una de las siguientes categorías y preparamos una presentación.

- un edificio
- un cuadro
- una escultura
- una fiesta
- una película
- un color
- una banda sonora original

ciento cincuenta y cinco | 155

PERIÓDICOS
ESCUCHAR LA RADIO
PRENSA DIGITAL
VER LA TELEVISIÓN SEGUIR
RECIBIR

GRACIAS A LAS NUEVAS TECNOLOGÍAS, ME INFORMO AL SEGUNDO Y LO OLVIDO AL INSTANTE

EL PAIS
derrota a Rajoy en
lectoral sin precedentes
20 minutos Madrid
11-M: fue Al Qaeda
Un vídeo y 5 detenciones confirman la autoría del terrorismo islámico
El Correo Gallego
EL PAIS
Infierno terrorista en Madrid:
192 muertos y 1.400 heridos
¿ETA O AL QAEDA?
ABC
Masacre en Madrid
ETA asesina a más de 130 personas

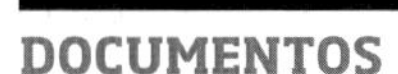

UNIDAD 4
EN CUERPO Y ALMA

P. 70

DOCUMENTOS
DOSIER 01
Ojo, cuidado
DOSIER 02
¿Te encuentras mal?
DOSIER 03
¿Somos lo que comemos?

LÉXICO
- Salud y enfermedad
- Sensaciones físicas
- Partes de la casa
- Nutrición y dieta
- **Sentirse**, **sentarle**, **sentarse**
- **Poner**, **meter**, **colocar**
- **Tener**
- **Doler**, **hacer**(**se**/**le**) **daño**
- Partes del cuerpo y órganos
- Postura y cambios de postura
- Especialidades médicas
- Componentes de los alimentos
- Registros formal e informal

GRAMÁTICA
- Nexos condicionales: **a no ser que**/ **siempre y cuando** + subjuntivo, **excepto si** + indicativo...
- Verbos con pronombres: **me**, **te**, **se**
- Imperativo y pronombres
- Futuro simple y compuesto con significado de probabilidad
- **Que** + subjuntivo: **Que descanses**...
- Nexos comparativos: **mejor** / **peor que**, **más de lo que**, etc.

COMUNICACIÓN
- Hablar del estado de salud
- Hacer recomendaciones
- Condiciones poco probables y excepciones
- Avisar de un peligro
- Especular sobre las causas de algo
- Expresar buenos deseos
- Hablar de hábitos alimentarios
- Excusarse y reaccionar
- Hacer comparaciones

CULTURA
- Hábitos alimentarios actuales

PROYECTOS
- Hacer una guía para unas vacaciones sin disgustos

UNIDAD 5
INCREÍBLE, PERO CIERTO

P. 92

DOCUMENTOS
DOSIER 01
Tierra, trágame
DOSIER 02
El cliente siempre tiene razón
DOSIER 03
Camping La cucaracha feliz

LÉXICO
- Servicios de hostelería
- Sentimientos y emociones
- El verbo **pasar**
- Léxico para valorar una situación: **absurda**, **divertida**, **extraña**, **un poco tensa**, etc.

GRAMÁTICA
- Contraste de pasados
- Uso del presente en el relato
- Oraciones exclamativas
- Estilo indirecto y correspondencias temporales
- Subordinadas sustantivas para valorar en pasado: **no me pareció bien que**, **me quejé de que** + imperfecto de subjuntivo
- Condicional para especular sobre el pasado

COMUNICACIÓN
- Relatar una anécdota y reaccionar
- Expresar emociones: **¡Qué** + adjetivo / sustantivo**!**
- Referir una conversación
- Expresar quejas y protestar
- Formular peticiones
- Especular sobre el pasado
- Pedir disculpas

CULTURA
- Como gestionar una conversación informal en España

PROYECTOS
- Concurso de anécdotas

UNIDAD 6
JÓVENES Y NO TAN JÓVENES

DOCUMENTOS
DOSIER 01
La edad del pavo
DOSIER 02
Treintañeros
DOSIER 03
Soy mayor... ¿y qué?

LÉXICO
- Etapas de la vida
- Verbos de cambio: **volverse**, **hacerse**, **llegar a ser**, **quedarse**, **ponerse**...
- **Decidir**

GRAMÁTICA
- Condicional compuesto
- Infinitivo compuesto
- Pluscuamperfecto de subjuntivo
- **Me gustaría que** + imperfecto de subjuntivo
- **Me gustaría** + infinitivo
- **Como si** + imperfecto de subjuntivo
- Condiciones no cumplidas en el pasado: **si hubiera** / **hubiese**..., **habría**...
- **Debería** / **tendría que** + infinitivo compuesto

COMUNICACIÓN
- Mecanismos de cohesión en una conversación
- Expresar deseos
- Evocar una época del pasado y describirla
- Opinar y hacer recomendaciones
- Hablar de expectativas sociales
- Expresar condiciones incumplidas en el pasado
- Formular reproches: **debería haber**...
- Hablar de estereotipos
- Corregir y ampliar informaciones: **no es que**..., **es que**...; **no solo**..., **sino que además**...
- Hacer propuestas y sugerencias

CULTURA
- Adolescentes en España
- Treintañeros en Latinoamérica
- La tercera edad en la actualidad

PROYECTOS
- Dar consejos para superar una crisis vital

UNIDAD 7
YO Y MIS CIRCUNSTANCIAS

DOCUMENTOS
DOSIER 01
Se buscan valientes
DOSIER 02
Romper el techo de cristal
DOSIER 03
Recuerdos de infancia

LÉXICO
- Datos y hechos biográficos
- Circunstancias determinantes en la vida de una persona
- Condicionar: **afectar a**, **influir en**, **ser crucial para**, **marcar**, etc.
- **Conseguir**, **intentar**, **lograr**, etc.
- Problemas sociales y discriminación
- Relaciones de parentesco

GRAMÁTICA
- Subordinadas en un relato con indicativo y subjuntivo
- Relativas en pasado
- **Me gustaría** + oraciones de relativo
- Sustantivas con subjuntivo: **conseguir**, **intentar**
- Punto de vista y tiempos verbales en el relato
- El condicional como futuro del pasado

COMUNICACIÓN
- Hablar de la propia biografía
- Hablar de factores que condicionan la existencia
- Hablar de logros y fracasos
- Valorar acciones y logros
- Familiarizarse con textos literarios

CULTURA
- Valores asociados a la familia
- El Langui
- Pablo Pineda
- Mujeres profesionales de Latinoamérica
- Memorias de Mario Vargas Llosa

PROYECTOS
- Hacer un cadáver exquisito

RESUMEN GRAMATICAL Y DICCIONARIO DE CONSTRUCCIONES VERBALES P. 172

PREPARACIÓN AL DELE P. 220

TRANSCRIPCIONES P. 246

MÁS FLUIDEZ Y MENOS ERRORES

VOCABULARIO NIVEL MÁS ALTO
EXPRESARME CONVERSAR
COMUNICARME
ESCRIBIR ACENTO
VOCABULARIO ENTENDER
FLUIDEZ MÁS SEGURO
NIVEL MÁS ALTO
MÁS SEGURO COMO UN NATIVO ESCRIBIR
COMPRENDER FLUIDEZ
CONVERSAR SEGURIDAD MEJOR
CONOCIMIENTOS CULTURALES
ERRORES GRAMATICALES COMO UN NATIVO
SEGURIDAD
MEJORAR MI ESPAÑOL
EXPRESARME ACENTO COMO UN NATIVO MEJOR COMPRENDER
NIVEL MÁS ALTO
ENTENDER
COMUNICARME

ERRORES GRAMATICALES
CONOCIMIENTOS CULTURALES
COMPRENDER SEGURIDAD
CONOCIMIENTOS CULTURALES
NIVEL MÁS ALTO
COMUNICARME
COMUNICARME
CONVERSAR
FLUIDEZ ESCRIBIR
ENTENDER EXPRESARME
MÁS SEGURO MEJOR
NATIVOS DIFICULTADES
ENTENDER
FLUIDEZ NATIVOS
ERRORES GRAMATICALES
ACENTO DIFICULTADES
COMUNICARME
NIVEL MÁS ALTO CONVERSAR SEGURIDAD

COMO UN NATIVO
SEGURIDAD
COMPRENDER ACENTO
CONVERSAR
MEJOR
ESCRIBIR
FLUIDEZ
ACENTO
COMUNICARME ENTENDER DIFICULTADES COMO UN NATIVO
EXPRESARME
NATIVOS
CONVERSAR
EXPRESARME
ERRORES GRAMATICALES
NATIVOS
MEJORAR MI ESPAÑOL

UNIDAD 0

DOCUMENTOS
DOSIER 01
Si yo fuera...
DOSIER 02
¿Hay buenos estudiantes?

LÉXICO
- Aprendizaje de idiomas
- Dificultades y objetivos
- Sentimientos, emociones, actividades mentales

GRAMÁTICA
- Condicionales con **si**
- Imperfecto de subjuntivo del verbo **ser**
- Repaso de los usos del subjuntivo

COMUNICACIÓN
- Hablar de situaciones hipotéticas
- Hablar de objetivos, dificultades y logros
- Hablar de los requisitos para ser un buen estudiante

PUNTO DE PARTIDA

Nube de palabras
Mejorar nuestro español

¿Qué nos sugiere el título de la unidad? Formamos las frases al respecto con estas construcciones verbales y palabras o expresiones de la nube.

—*Respecto a mi nivel de español, quiero / me gustaría...*

- **ganar**
- **llegar a**
- **perfeccionar**
- **mejorar**
- **ampliar**
- **corregir**
- **hacer**
- **cometer menos**
- **poder**
- **comunicarme con más**
- **sentirme más**
- **tener menos**
- **tener más**
- **profundizar en**

Con un pequeño juego, vamos a hacer la radiografía de nuestra clase en relación con el estudio del español. El profesor anotará el número de alumnos que escoge cada opción.

- Establecemos en la clase cuatro espacios, A, B, C y D.
- Nos agrupamos según la respuesta con la que nos identificamos más. El profesor señalará cuando cambiamos de tema (1, 2, 3...).
- Explicamos y comentamos con los compañeros nuestras experiencias u opiniones.

1. Lo que me resulta más difícil actualmente es...
a. ampliar mi vocabulario.
b. mejorar mi acento.
c. corregir los errores gramaticales que todavía cometo.
d. comunicarme con fluidez.

2. Estudio español...
a. desde la escuela, pero no he aprendido lo suficiente.
b. desde hace más de dos años, pero no me siento muy seguro.
c. desde hace tiempo. No hablo mal, pero quiero aprender mucho más.
d. desde hace años y ya tengo un nivel bastante alto, pero quiero llegar a hablar casi como un nativo.

3. Sigo estudiando español porque...
a. es una lengua que me encanta.
b. quiero profundizar mis conocimientos sobre las culturas española e hispanoamericanas.
c. necesito llegar a tener un nivel muy alto para mi profesión.
d. me divierte mucho aprender idiomas. Lo hago por placer.

4. Lo que más me gusta en clase es...
a. hacer tareas en las que tenemos que comunicarnos.
b. leer textos y comentarlos.
c. que el profesor explique y hacer ejercicios.
d. hacer un poco de todo.

SI YO FUERA...

Manuel Menchón (Málaga, 1977) es un director de cine español. Su carrera comienza en la publicidad y el área documental, que realiza para Médicos del Mundo, Intermón Oxfam o la Candidatura Olímpica de Madrid en 2012 y 2016, entre otros. Hasta la fecha, ha dirigido dos largometrajes. El primero es *Malta Radio* (2009), un documental sobre el rescate por parte de un barco pesquero de un grupo de personas que se encontraban a la deriva en una patera en las costas de Malta. Este documental recibió el premio al mejor documental en CineSpaña (Toulouse), el Festival Buñuel de Calanda y el DocsDF en México. El segundo es un largometraje de ficción, *La isla del viento* (2016), centrada en la figura de Miguel de Unamuno. Esta película, de la que Menchón es guionista y director, ha obtenido el premio al mejor guion y la mención especial del Jurado en varios festivales internacionales y la mención especial de la crítica en el Festival de Mar del Plata. En la actualidad, el director prepara una nueva película.

Si yo fuera una estación del año, sería... porque...

Sería el otoño. Me gusta la combinación de colores en esta época del año: los tonos ocres y rojizos, los amarillos y pardos. Y la alfombra de hojas de árboles en la calzada. Me gusta el aire húmedo. Invita a la introspección.

Si yo fuera un paisaje, sería... porque...

Sin duda, el mar. El mar Mediterráneo. Es un mar sin mucho oleaje y su visión no se modifica con el cambio de las mareas. Es de una horizontalidad constante, una franja inmensa azul y sólida. Es el mar de mi infancia.

Si yo fuera un animal, sería... porque...

Intentaría seguir siendo un animal humano. La humanidad requiere no bajar la guardia y en estos tiempos a veces puede ser complicado.

Si yo fuera un instrumento musical, sería... porque...

La flauta. Su sonido me parece casi robado a la naturaleza. Me parece un instrumento puro.

Si yo fuera una emoción, sería... porque...

El entusiasmo. Viene del griego *En-Theos*, y significa "tener un dios dentro de sí". Lo asocio con la intuición y cómo transmitirla. Es una parte esencial de mi trabajo.

Si yo fuera un objeto, sería... porque...

Una cerilla o una linterna. Poder dar luz al que lo necesita, cuando lo necesita, es una de las funciones más importantes que un objeto puede tener.

Si yo fuera un país, sería... porque...

Sinceramente, ninguno. No me identifico con ningún lugar. Siempre me siento extraterrestre allá donde voy. Aunque camine por mi calle. Comparto con Rilke la idea de que la infancia es la verdadera patria.

Si yo fuera una comida, sería... porque...

El gazpacho. ¿Hay una comida más completa, sabrosa y saludable?

Si yo fuera una canción, sería... porque...

Imposible. No puedo decidir una única canción.

Si yo fuera una prenda de vestir, sería... porque...

Un pañuelo para el cuello o una bufanda. Un enfriamiento de garganta o unas anginas le amargan a uno cualquier situación. Tengo tendencia a pillarme cualquiera de estas dolencias.

Si yo fuera una película o una serie, sería... porque...

Fresas salvajes (*Smultronstället*), de Ingmar Bergman. Tiene uno de los finales más hermosos y reconfortantes de la historia del cine. Y es raro, viniendo de una personalidad tan atormentada como Bergman. Cuando la veo me reconcilio con la humanidad, aunque antes haya visto los informativos.

Si yo fuera un medio de transporte, sería... porque...

El tren. Es como un infinito *travelling*. Los paisajes desde un tren, aunque sean los mismos que los que se pueden ver desde un coche, parecen diferentes.

01 SI YO FUERA...

Texto y significado
Si Manuel fuera...

¿Cómo nos parece que es Manuel según sus respuestas?

Tomando como modelo el test que le hemos hecho a Manuel, lo respondemos de forma individual.

—Si yo fuera un paisaje, sería una playa porque...

En una hoja de papel dibujamos de forma simple nuestras respuestas. ¡No importa que no sepas dibujar!

Trabajamos en grupos de tres y tratamos de descifrar el significado de los dibujos de los compañeros. Cada uno, cuando los demás lo hayan adivinado, explica su elección.

—Dices que, si fueras un animal, serías... No entendemos bien qué animal es...
—Un delfín, porque me encantaría vivir en el mar y ser totalmente libre.

Con los miembros de nuestro grupo, escribimos una entrada más del test. Cada grupo se la plantea al profesor.

Texto y lengua
Si...

Subrayamos los verbos del test. ¿Sabemos en qué tiempo están?

¿HAY BUENOS ESTUDIANTES?

Es obvio que hay gente a la que le resulta fácil o divertido aprender idiomas extranjeros. A otras personas, en cambio, les parece difícil y dicen cosas como "no se me dan bien los idiomas". ¿A qué se debe? Naturalmente hay aspectos biográficos que cuentan: el contacto que cada uno ha tenido con otras lenguas, las ocasiones que ha tenido para practicarlas, la motivación, etc., pero parece ser que, además, hay actitudes o rasgos personales que ayudan o dificultan esa tarea de aprender a manejarse en un nuevo idioma. Hemos recopilado algunas ideas que han formulado los especialistas.

Características de los buenos estudiantes de idiomas

1. No tienen miedo a intentar comunicarse: aunque tengan lagunas, intentan hacerse entender. Asumen que no es fácil aprender un idioma y no tienen miedo a cometer errores. No tienen miedo al ridículo y se arriesgan.

2. Tienen una actitud positiva ante la nueva lengua y sienten interés, admiración e incluso simpatía por las personas que la hablan. No tienen prejuicios.

3. Buscan todas las ocasiones posibles para practicar la lengua y disfrutan "sumergiéndose" en ella.

4. Analizan con atención las reglas en los textos y las frases que leen o escuchan, y reflexionan sobre las diferencias con su lengua.

5. No se desaniman ni se asustan si notan que hay muchas cosas que no se explican perfectamente con reglas. Aceptan que hay aspectos arbitrarios o excepciones, y que la mayoría de las cosas se aprenden de forma inconsciente.

6. Se fijan sobre todo en el significado global de lo que leen o escuchan. Aceptan que lo importante es comunicarse.

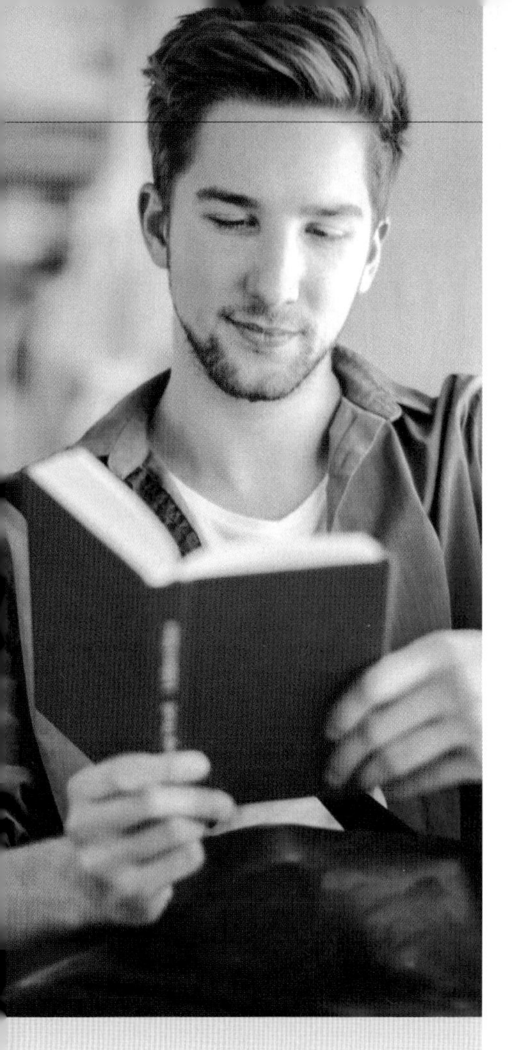

02
¿HAY BUENOS ESTUDIANTES?

Antes de leer
Aprender un idioma

¿Qué creemos que ayuda a la hora de aprender un idioma? ¿Cuáles son los principales obstáculos? ¿Lo vemos todos igual? Hacemos una lluvia de ideas.

Texto y significado
Buenos aprendices

Leemos los textos. ¿Hay ideas que nos parecen especialmente interesantes o, al revés, ideas con las que no estamos de acuerdo?

—A mí me parece interesante lo que dice en el punto 3.
—Pues yo no veo del todo claro lo del punto 5. Creo que...

Reflexionamos individualmente sobre cada una de las características de los "buenos estudiantes". Por cada rasgo que nosotros mismos creemos tener, nos apuntamos un punto. Comentamos con un compañero nuestras puntuaciones y nuestras coincidencias o diferencias.

—Yo tengo 12 puntos...
—Pues yo solo 6.

7 Se observan a sí mismos y tienen en cuenta las estrategias que los ayudan a aprender mejor y más rápido: tienen sus propios trucos.

8 Participan activamente en clase y piden ayuda a los nativos o al profesor cuando encuentran dificultades.

Texto y lengua
Acciones y actitudes mentales

D 

Clasificamos en la tabla estos verbos de los textos. Comentamos nuestra clasificación con otros dos compañeros.

- **resultarle difícil (algo a alguien)**
- **no dársele bien (algo a alguien)**
- **asumir**
- **no tener miedo al ridículo**
- **arriesgarse**
- **tener una actitud positiva**
- **sentir interés**
- **no tener prejuicios**
- **disfrutar haciendo algo**
- **reflexionar**
- **desanimarse**
- **asustarse**
- **notar**
- **aceptar**
- **fijarse**
- **observar**
- **tener en cuenta**
- **encontrar dificultades**
- **pedir ayuda**
- **participar**
- **practicar**
- **analizar**

sentimientos y emociones	actitudes	actividades mentales	acciones

01 / 02
AGENDA DE APRENDIZAJE

Reglas y ejemplos
Imperfecto de subjuntivo: ser

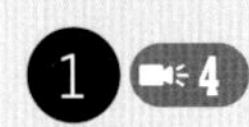

RG / P.188

Observamos el paradigma del pretérito imperfecto de subjuntivo del verbo **ser** y completamos las formas que faltan. ¿A partir de qué forma verbal creemos que se construye?

	ser
Yo	....
Tú	....
Él/ella/usted	**fuera**
Nosotros/nosotras	**fuéramos**
Vosotros/vosotras	**~~fuéramos~~**
Ellos/ellas/ustedes	**fueran**

Reglas y ejemplos
Condicionales con si

2 ▶5

RG / P.195

Observamos los ejemplos y contestamos la pregunta.

—*Si eres un hombre o una mujer de negocios, necesitas hablar inglés.*
estudia idiomas.

—*Si fuera más joven, empezaría a estudiar chino.*

¿Qué combinación de tiempos sirve para lo siguiente?

tiempos

Establecer condiciones reales o posibles: .... + ...

Imaginar condiciones hipotéticas o irreales: .... + ...

Reglas y ejemplos
Repaso de indicativo y subjuntivo

RG / P.191

Recordamos estas reglas en las frases subordinadas y clasificamos las construcciones de la lista.

1. Valorar

Es bueno que + subjuntivo

—*Es bueno que los niños estudien idiomas.*

2. Expresar certeza, seguridad

Es evidente que + indicativo
Creer que + indicativo

—*Es evidente que los idiomas son importantes.*

3. Desmentir, negar

No es cierto que + subjuntivo
No creer que + subjuntivo

—*No es cierto que el español sea fácil.*

4. Expresar probabilidad

Es probable que + subjuntivo

—*Es probable que me suspendan. Lo he hecho bastante mal.*

5. Influir

Querer que + subjuntivo

—*¿Quieres que vaya contigo?*

6. Transmitir órdenes o peticiones

Decir que + subjuntivo

—*Elvira dice que leamos este texto.*

7. Expresar gustos

Gustar que + subjuntivo

—*Me gusta que la gente diga lo que piensa.*

- [3] no ser verdad
- [ ] estar claro
- [ ] ser necesario
- [ ] pedir
- [ ] preferir
- [ ] ser posible
- [ ] no ser seguro
- [ ] tener ganas de que
- [ ] ser bueno
- [ ] ser evidente
- [ ] estar demostrado
- [ ] encantar
- [ ] opinar
- [ ] ser importante
- [ ] pensar
- [ ] aconsejar
- [ ] odiar

01 / 02
TALLER DE USO

En parejas
Sobre el aprendizaje de idiomas

Estas son afirmaciones que a veces se oyen sobre el aprendizaje de idiomas. Con un compañero intentamos ponernos de acuerdo para formular una reacción ante cada una. Usamos recursos de la agenda.

	Totalmente de acuerdo	Nada de acuerdo	Depende
1. Los idiomas solo se aprenden yendo al país donde se hablan.	☐	☐	☐
2. Hay gente que tiene una facilidad innata para los idiomas.	☑	☐	☐
3. Aprendes más si estás motivado.	☑	☐	☐
4. Si la lengua que aprendes se parece a la tuya, todo es más fácil.	☐	☐	☐
5. Hay gente que puede leer y escribir en otro idioma, pero no puede tener una conversación en él.	☑	☐	☐
6. Para hablar bien, hay que hacer muchos ejercicios de gramática.	☐	☐	☑
7. Una cosa es saber gramática y otra, saber comunicarse.	☐	☐	☐
8. Hay que memorizar palabras para tener mucho vocabulario.	☐	☐	☐
9. La clase de idioma puede ser muy divertida.	☐	☐	☐
10. Se aprende mucho leyendo y utilizando internet en español.	☐	☐	☐
11. No hay que tener vergüenza.	☐	☐	☐

—Es evidente que los idiomas solo se aprenden yendo al país...
—Pues yo pienso que también se pueden aprender sin salir de casa. ”

¿ME QUIERE O NO ME QUIERE?

UNIDAD 1

DOCUMENTOS

DOSIER 01
Ligar desde el sofá
DOSIER 02
Buscando a tu media naranja
DOSIER 03
El reencuentro

LÉXICO

- Carácter y personalidad
- Relaciones sentimentales
- La palabra **pareja**
- **Conocer, querer, besar...**

GRAMÁTICA

- Perífrasis verbales con infinitivo: **empezar a, ponerse a, no dejar de, acabar de, seguir sin, llevar** + tiempo + **sin**
- Perífrasis verbales con gerundio: **seguir, llevar, acabar, ir**
- Perífrasis verbales con participio: **llevar**
- Situación del pronombre en las perífrasis
- Gradativos: **demasiado, bastante, poco**
- Construcciones recíprocas
- Imperfecto de subjuntivo
- Relativas con indicativo y subjuntivo
- Oraciones condicionales: **si** + imperfecto de subjuntivo + condicional
- Oraciones sustantivas de valoración con imperfecto de subjuntivo: **es una pena que** + imperfecto de subjuntivo

COMUNICACIÓN

- Hablar de emociones y sentimientos
- Describir caracteres, actitudes y sentimientos
- Valorar hechos pasados
- Formular hipótesis poco probables
- Interpretar textos literarios

CULTURA

- Un relato de Rosa Montero
- Un relato de Leo Masliah
- Relaciones amorosas en diferentes generaciones

PROYECTOS

- Buscar compatibilidades sentimentales entre diferentes personajes

PUNTO DE PARTIDA

Nube de palabras
Relaciones amorosas

Clasificamos el léxico de la nube.

Cosas positivas

....

....

....

....

....

....

Cosas negativas

....

....

....

....

....

....

B

Añadimos otras palabras y expresiones que tienen que ver con las relaciones de pareja. Luego las compartimos con los demás.

....

....

....

....

....

Nube de palabras
Relaciones de pareja

¿En qué se nota que una pareja tiene una buena relación o que, en cambio, tiene problemas?

Buena relación de pareja

tratarse con cariño

....

....

....

....

....

Problemas de pareja

discutir por tonterías

....

....

....

....

....

“Se nota en que se tratan con cariño, van de la mano por la calle...”

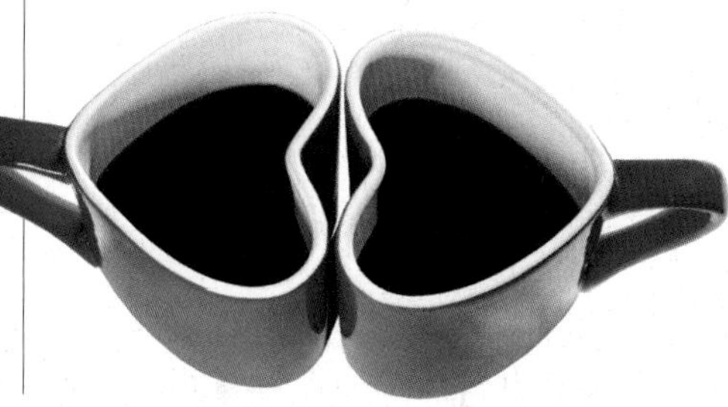

LIGAR DESDE EL SOFÁ

Desde que existen las redes sociales, los que no tienen pareja no necesitan dedicar mucho tiempo a arreglarse para ir a un local de moda a ligar o a encontrar el amor de su vida. Para muchos, una buena opción es descargarse una aplicación en el móvil, subir una foto de perfil y rellenar una ficha con sus datos.

Las estadísticas afirman que entre los jóvenes (15-17) son muy populares las redes sociales para establecer el primer contacto y conocerse, enviando, por ejemplo, una solicitud de amistad. Sin embargo, la mayoría de ellos son reacios a iniciar una relación romántica en este entorno, y muy pocos han conocido a su pareja por internet. Por otro lado, la mitad de los usuarios de las aplicaciones de contactos más conocidas son jóvenes, entre los 18 y los 28 años, con mayor proporción de hombres que de mujeres. A partir de los 30, son muy populares también las webs o aplicaciones de citas para buscar pareja estable.

Hemos preguntado a tres parejas de tres generaciones diferentes cómo fue su historia de amor. Y esto es lo que nos han contado.

TRES GENERACIONES, ¿TRES FORMAS DE ENAMORARSE?

JOAQUÍN. 54 AÑOS
Mi mujer y yo nos conocimos en el instituto y llevamos más de 30 años casados. Y la verdad: seguimos queriéndonos como al principio. Nos conocimos el primer día de clase, nos gustamos y muy pronto empezamos a salir juntos. Luego, fuimos también juntos a la universidad, así que nos veíamos casi cada día. Como vivíamos en casa de nuestros padres, todas las noches hablábamos por teléfono. Lo más duro fue cuando yo dejé de estudiar, me puse a trabajar en una empresa con horario nocturno y durante dos años no pudimos vernos todos los días. Bueno, eso fue hace mucho tiempo… Ahora, acabamos de ser abuelos por primera vez. La verdad es que, incluso ahora, mi mujer no deja de sorprenderme; reconozco en ella a la chica de la que me enamoré. O sea, que lo nuestro fue muy tradicional y supimos enseguida que era para siempre. Supongo que esto suena muy exótico, ahora que las relaciones son tan superficiales y duran poco con todo eso de conocerse por internet.

SERGIO. 30 AÑOS
Yo llevaba dos años saliendo con una chica, pero no teníamos una buena relación y discutíamos constantemente. Al final, ella conoció a otro chico y lo dejamos. Yo lo pasé fatal. De hecho, seguimos sin hablarnos. El caso es que, unos meses después, entré en un portal para buscar pareja, aunque no estaba muy seguro de si sería una buena idea. Encontré el perfil de una chica que encajaba con

el mío, pero no me atreví a escribirle... ¡Y de pronto me escribió ella! Luego hablamos por teléfono y una tarde quedamos para tomar un café; estuvimos hablando más de dos horas y nos caímos genial. A partir de ahí, empezamos a vernos a menudo y nos fuimos conociendo. A los dos meses nos fuimos a pasar un fin de semana juntos a la montaña y desde entonces no nos hemos separado. O sea que, aunque los portales de contactos no tienen buena fama, yo encontré a la mujer de mi vida gracias a uno.

ALBERTO. 20 AÑOS
Yo estoy con una chica que es bastante activa en las redes sociales; de hecho, tiene bastantes seguidores. Yo solía poner "me gusta" a sus fotos y una día empecé a seguirla. Aunque yo no dejaba de poner comentarios en sus fotos, ella no me hacía ni caso, la verdad. Pero resulta que teníamos amigos comunes y un día coincidimos en una fiesta, y, por fin, acabamos conociéndonos. Al principio, nos veíamos con frecuencia, pero ahora llevamos ya dos semanas sin quedar. Quizá no tengamos tantas cosas en común. La verdad es que ella siempre ha tenido dudas y sigue sin estar segura. Tampoco me obsesiono; no quiero hacer demasiados planes. Dentro de tres meses, me voy de Erasmus a Polonia y no voy a tener mucho tiempo para una relación "seria". Además, hay muchas chicas interesantes por ahí... Aunque, eso sí, hay que ir con cuidado con los falsos perfiles.

01
LIGAR DESDE EL SOFÁ

Antes de leer
Formas de conocerse

Leemos el título y miramos la imagen. ¿De qué puede tratar el texto introductorio?

En tu generación, ¿qué se suele hacer para conocer a una persona o buscar pareja? Hacemos una lluvia de ideas.

— Acercarse a alguien en un bar con cualquier pretexto.
— Apuntarse a un curso de baile.

Texto y significado
Ligar en zapatillas

Leemos el texto introductorio. ¿Hay alguna información que te sorprenda? ¿Cómo es en tu entorno?

Leemos los tres testimonios. ¿Serían representativos de su generación en tu entorno? Hablamos en pequeños grupos.

Texto y significado
Sus parejas

Escuchamos a las parejas de las personas anteriores. ¿De quiénes son pareja?

1. Raquel: ....
2. Julieta: ....
3. Laura: ....

Texto y lengua
Perífrasis verbales

Nos fijamos en las siguientes frases con perífrasis. ¿Qué creemos que significan? ¿Cómo lo podríamos decir de otro modo?

—*Llevamos más de 30 años casados.*
—*Muy pronto, empezamos a salir juntos.*
—*Me puse a trabajar en una empresa con horario nocturno.*
—*Acabamos de ser abuelos por primera vez.*
—*Mi mujer no deja de sorprenderme.*
—*Yo llevaba dos años saliendo con una chica.*
—*Seguimos sin hablarnos.*
—*Yo no dejaba de poner comentarios en sus fotos.*
—*Acabamos conociéndonos.*
—*Llevamos ya dos semanas sin quedar.*
—*Sigue sin estar segura.*

AGENDA DE APRENDIZAJE

En español y en otras lenguas
Perífrasis verbales con infinitivo, gerundio y participio

RG / P.190

Observamos la historia de Ana y Gabriel, traducimos las frases a nuestra lengua y clasificamos las perífrasis en la tabla.

Ana y Gabriel se conocieron a los tres años, en 1990, cuando **empezaron a ir** a la guardería.

Dejaron de verse en 1998 cuando él se fue con su familia a Canadá y perdió el contacto con ella.

Siguieron sin verse durante mucho tiempo, pero él **no dejó de pensar** en ella durante todos esos años.

En 2005, cuando ya **llevaba** siete años **viviendo** en Canadá, **se puso a buscar** en internet hasta que la localizó: también se había mudado y vivía en Galicia.

Contactó con ella y desde ese momento **fueron conociéndose** mejor: se escribían y hablaban por videoconferencia.

Llevaban diez años sin verse cuando se encontraron de nuevo en Santiago.

Acabaron casándose en 2010.

Llevan siete años **casados** y **acaban de tener** su segundo hijo.

> ! **Llevar** + gerundio / **Llevar sin** + infinitivo: no se puede usar en indefinido
> ~~**Llevé** dos años estudiando.~~
> ~~**Llevé** tres meses sin ver a Iván.~~

Con infinitivo	Con gerundio	Con participio
empezar a		

Reglas y ejemplos
Perífrasis y pronombres

RG / P.181

Observamos estos posibles diálogos y escogemos la opción o las opciones adecuadas para completar la regla.

– ¿Cuánto hace que cuidas **a los hijos de tus vecinos**?

– Pues, a ver... llevo unos tres años cuidándo**los**.
– Pues, a ver... **los** llevo cuidando unos tres años.
– Pues, a ver... ~~llevo **los** cuidando~~ unos tres años.

– ¿Cuándo **me** enviarán **la tarjeta de crédito**?

– **Se la** acabamos de enviar hace un momento.
– Acabamos de enviár**sela** hace un momento.

En las perífrasis con infinitivo o gerundio, los pronombres pueden ir:

☐ antes del verbo conjugado.
☐ detrás de la forma impersonal.
☐ entre el verbo conjugado y la forma personal.

01 TALLER DE USO

Dictado cooperativo
La historia de mis abuelos

Vamos a escuchar a César contando la historia de amor de sus abuelos.

- Primero leemos el texto incompleto de la transcripción.
- Escuchamos, tomamos notas y las comparamos con las de un compañero.

Mi abuelo paterno, después de la guerra civil española, ... Aunque era estudiante de música, al principio trabajó como mesero en un café de Ciudad de México, pero pronto .... Mientras estuvo trabajando en el café .... y ....

Mi abuela era hija de una familia adinerada que quería casarla con un señor muy rico. Una tarde, ..., mi abuela asistió a uno de los conciertos. Allí se conocieron y se enamoraron. Él no era rico; por eso los padres no estaban de acuerdo con la relación y, como mi abuela ...., ... con el otro señor.

Mi abuelo decidió irse a Estados Unidos para ganar dinero y poder regresar para pedir la mano de mi abuela.

Como era difícil que mi abuelo consiguiera mucho dinero, ella les pidió a sus papás que la invitaran a un viaje a Estados Unidos con dos amigas para comprar todo el ajuar de novia y casarse con el señor rico. Mis bisabuelos al principio se negaron, pero como ella ...., al final dijeron que sí y mi abuela pudo ir a buscar a mi abuelo.

Al llegar a Estados Unidos, mi abuela encontró a mi abuelo, que trabajaba para la radio, y los dos se casaron en secreto. Sus amigas regresaron a México y contaron lo que había pasado. Mis bisabuelos .... Mis abuelos estuvieron viviendo un rato en Estados Unidos donde tuvieron a su primera hija y, ..., regresaron a México, donde mi abuelo trabajó de compositor y director de orquesta y tuvieron cuatro hijos más.

En parejas
Dibujamos una historia

B

En parejas, uno le cuenta al otro una historia de amor, propia o ajena.

- El que cuenta debe usar un mínimo de cuatro perífrasis verbales.
- El otro va a ir dibujando esquemáticamente la historia.
- Al terminar, entre los dos hacemos un cómic añadiendo detalles o palabras clave (fechas, lugares, nombres, etc.).
- Se lo enseñamos a otra pareja, que debe intentar reconstruir la historia utilizando perífrasis.

—empezar a...
—dejar de...
—seguir sin...
—no dejar de...
—ponerse a...
—ir...
—llevar... sin...
—acabar...
—llevar...
—acabar de ...

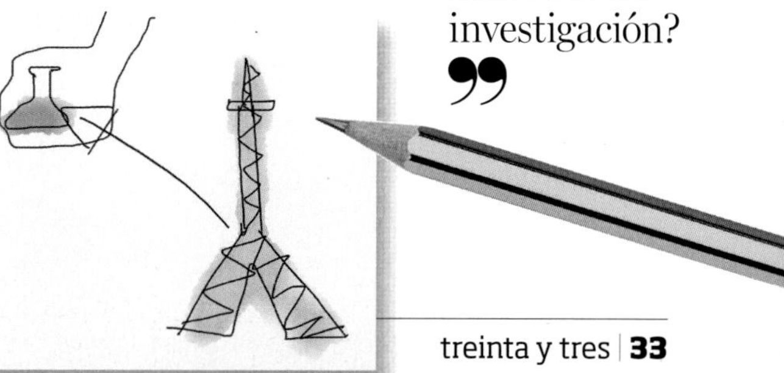

“¿Acababas de llegar a España con una beca de investigación?”

BUSCANDO A TU MEDIA NARANJA

José Luis

1. Valora del 0 (nada) al 3 (completamente) si te identificas con estas afirmaciones.

0 1 **2** 3 **Soy** una persona segura de mí misma.
0 1 **2** 3 **Me resulta** difícil hablar de mis emociones.
0 1 2 **3** **Sé** escuchar.
0 1 2 **3** **Me cuesta** relacionarme.
0 1 **2** 3 **Me dejo llevar** por mis sentimientos.
0 1 **2** 3 **Me dejo guiar** por la intuición.
0 1 2 **3** **Me adapto a** los cambios.
0 **1** 2 3 **Soy un** maniático del orden.

2. Lo más importante en la pareja es... (elige solo tres aspectos)

- [x] **1.** tomar decisiones juntos.
- [ ] **2.** tener las mismas aficiones.
- [x] **3.** compartir las mismas opiniones.
- [x] **4.** tener los papeles bien definidos.
- [ ] **5.** ser honesto y decir las cosas a la cara.
- [ ] **6.** tener amigos comunes.
- [x] **7.** mantener la libertad.

3. Marca la opción con la que te identificas.

Si mi pareja me propusiera cambiar de país por razones de trabajo,
- [ ] aceptaría si fuera realmente una oportunidad para mi pareja.
- [x] no me iría con él / ella.
- [ ] aceptaría la idea, pero pondría algunas condiciones.

Si mi pareja quisiera cenar con su ex,
- [x] me opondría rotundamente, soy muy desconfiado/a.
- [ ] no me importaría, confío totalmente en él / ella.
- [ ] no me gustaría, pero lo aceptaría.

Si quisiera sorprender a mi pareja para demostrarle mi amor,
- [ ] le prepararía una cena romántica.
- [x] la invitaría a un viaje sorpresa de fin de semana.
- [ ] le compraría algo muy caro.

Si mi pareja invitase a sus padres a pasar las vacaciones con nosotros,
- [ ] no me importaría, si eso es lo que quiere.
- [x] me enfadaría con él / ella, no me gusta pasar las vacaciones con la familia.
- [ ] sería estupendo, podríamos invitar también a los míos.

4. **Marca las características que mejor te definen.**

Soy una persona:
- introvertida
- despistada
- sociable
- tolerante
- exigente
- flexible
- pesimista
- optimista
- perfeccionista
- sincera
- insegura
- empática
- sociable
- extrovertida
- sensible
- activa
- alegre
- nerviosa
- seria
- impulsiva
- cariñosa
- creativa
- tranquila
- organizada
- directa
- espontánea
- atenta
- generosa

Tengo:
- sentido del humor
- paciencia
- mucho tacto
- facilidad de palabra
- confianza en mí mismo/a

Tengo un carácter:
- fuerte
- brusco
- tranquilo
- difícil

Estoy abierto/a a:
- nuevas culturas
- nuevos retos
- nuevas experiencias

Estoy dispuesto/a a:
- asumir riesgos
- cambiar de vida

02 BUSCANDO A TU MEDIA...

Antes de leer
Buscando a tu media naranja

¿Creemos que se puede conocer a una persona a partir de un cuestionario? ¿Qué tipo de preguntas haríamos nosotros para saber si alguien puede ser nuestra "media naranja"? Lo comentamos entre todos.

Texto y significado
Cuestionario de compatibilidad

Observamos la parte del cuestionario respondida por José Luis (1, 2 y 3), un usuario de medianaranja.bit. ¿Cómo creemos que es? En parejas, marcamos los rasgos que pensamos que lo definen mejor (4).

—*Es una persona algo...*
—*Es poco...*
un poco...
bastante...
demasiado...
—*No es nada...*

¿Creemos que nos llevaríamos bien con José Luis? ¿Por qué?

¿Qué tipo de persona creemos que necesita?

—*Necesita una persona que sea...*
que tenga...
que pueda...

Texto y lengua
Adjetivos

Clasificamos los adjetivos de carácter según nos parezcan positivos, negativos o que dependa el contexto. Comentamos nuestra clasificación en pequeños grupos.

Texto y lengua
¿Qué harías...?

Leemos las siguientes frases. ¿Cuál de ellas expresa una situación más improbable? Luego las traducimos a nuestra lengua.

1. Si mi pareja me propusiera cambiar de país, no me iría con él / ella.

....

2. Si mi pareja me propone cambiar de país, no me iré con él / ella.

....

Reglas y ejemplos
Imperfecto de subjuntivo

RG / P.188

Observamos cómo se forma el pretérito imperfecto de subjuntivo y escribimos el paradigma de cinco verbos del texto.

	hablar	
Yo	habl**ara**	habl**ase**
Tú	habl**aras**	habl**ases**
Él/Ella/Usted	habl**ara**	habl**ase**
Nosotros/nosotras	habl**áramos**	habl**ásemos**
Vosotros/vosotras	habl**arais**	habl**aseis**
Ellos/ellas/ustedes	habl**aran**	habl**asen**

tener > **tuviera**, saber > **supiera**, estar > **estuviera**, querer > **quisiera**, poder > **pudiera**, ser > **fuera**, ir > **fuera**, decir > **dijera**.

Reglas y ejemplos
Si + imperfecto de subjuntivo, condicional

RG / P.177

Observamos cómo funciona esta construcción condicional. Luego relacionamos cada situación con su interpretación más lógica.

Si + imperfecto de subjuntivo, condicional

—*Si tuviera más tiempo libre, aprendería a tocar un instrumento.*

! ~~Si tendría~~ ~~Si tendré~~ ~~Si tenga~~

1. Soy extremadamente tímido y no hablo con casi nadie. Me gustaría vencer mi timidez y hablar con la gente. **2.** Soy un poco tímido y esta noche voy a una fiesta con un montón de gente que seguro que es muy interesante.	**a.** Si venciera mi timidez, hablaría con la gente. **b.** Si venzo mi timidez, hablaré con la gente.
3. Le he pedido a mi jefe un aumento de sueldo y creo que me lo va a dar. **4.** Le he pedido a mi jefe un aumento de sueldo, pero sé que va a ser difícil.	**a.** Si me aumenta el sueldo, podré comprarme otro coche. **b.** Si me aumentara el sueldo, podría comprarme un coche.

Reglas y ejemplos
Frases relativas: indicativo y subjuntivo

RG / P.197

Relacionamos cada ejemplo con la situación correspondiente y escribimos ejemplos en nuestro cuaderno.

1. Tengo una amiga que me **comprende**.

2. Quiero conocer a alguien que me **comprenda**.

A. Describimos personas o cosas concretas, que conocemos o sabemos que existen. ....

B. Describimos características de personas o cosas desconocidas, no concretas o hipotéticas. ....

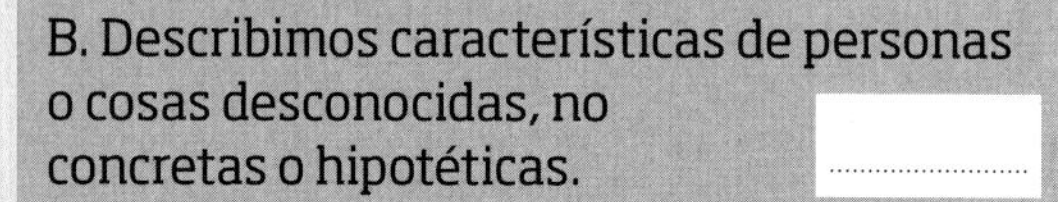

! En frases con **pocos**, **nadie**, **ningún**, etc., el verbo va siempre en subjuntivo.

No conozco a **nadie** que **piense** como yo.

! Si las oraciones se refieren al pasado, se construyen con imperfecto de subjuntivo.

Ramón **necesita** tener un trabajo en el que **pueda** desarrollar su creatividad.

Ramón **necesitaba** tener un trabajo en el que **pudiera** desarrollar su creatividad.

Reglas y ejemplos
Gradativos

RG / P.175

Observamos los recursos. Luego describimos a alguien de nuestro entorno utilizando todos los gradativos.

demasiado despistado
muy organizado
bastante interesante
poco generoso
nada egoísta

algo reservado
un poco arrogante

Un poco siempre va con cualidades que consideramos negativas (en un determinado contexto).

Santiago es **un poco** competitivo; se molesta cuando pierde.

~~Es **un poco** inteligente.~~

Poco siempre va con cualidades que consideramos positivas en un determinado contexto (= no lo bastante).

Santiago es **poco** competitivo para participar en torneos.

02
TALLER DE USO

En parejas
Situaciones imaginarias

Relacionamos los elementos de las dos columnas de manera lógica para plantear situaciones imaginarias y terminamos las oraciones.

Si pudiera	nacer de nuevo...,
Si tuviera	leer los pensamientos...,
Si tuviera que	gobernar el mundo por un mes...,
Si me dejaran	un superhéroe...,
Si fuera	una guerra mundial...,
Si me encontrara	qué va a pasar mañana...,
Si volviera a	una lámpara mágica...,
Si supiera	irme a vivir a otro país...,
Si hubiera	viajar en el tiempo...,
Si fuera capaz de	hablar con un personaje histórico...,

Escribimos la primera parte de dos frases como las anteriores y se la planteamos a un compañero. Él la termina.

—¿Si tuvieras de nuevo 15 años?
—No dejaría de estudiar música...

En grupos
Necesito gente que...

¿Qué tipo de persona necesitamos para hacer las siguientes cosas? Escribimos ideas individualmente y las comparamos con las de dos compañeros. Entre todos, elegimos las tres mejores para cada situación.

- **trabajar en equipo**
- **ir de viaje**
- **compartir casa**

Yo, para trabajar en equipo, necesito gente con la que pueda estar en desacuerdo, pero que se no se enfade. O sea, con la que pueda discutir libremente.

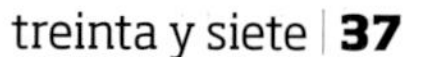

EL REENCUENTRO

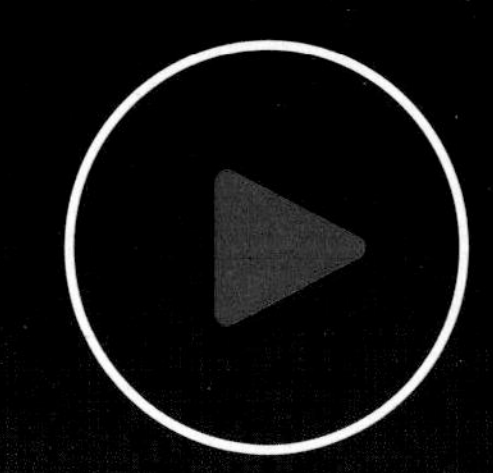

EL REENCUENTRO

Iba mirando el periódico que acababa de comprar y por eso casi chocó contra ella.

–Perdone –dijo él, aún distraído.

–Vaya, pero si eres tú –dijo ella.

Tomás alzó la vista. Rosario estaba frente a él, con gesto sorprendido, sonriente. Tenía exactamente el mismo aspecto de siempre: Tomás incluso creyó reconocer la chaqueta que llevaba. Qué bárbaro, cinco años sin verse y vestía la misma chaqueta que antes. Con lo mucho que se cambiaba de ropa por entonces y la cantidad de dinero que se gastaba en trapos.

–Pues sí, soy yo.

Se quedaron unos instantes sin saber qué decirse.

–Estás igual –dijo él.

–Tú también –dijo ella.

Tomás se pasó disimuladamente una mano por el pelo, mucho más ralo que antes, y metió tripa.

–Acabo de llegar –explicaba Rosario–. Hace un par de días. Y ya no me voy más. Se acabó la aventura americana.

Era verdad, sí. Ahora Tomás recordaba vagamente que Rosario le había escrito que pensaba regresar a Madrid. Pero eso había sido muchos meses atrás.

–Te debo carta, por cierto –recordó de pronto Tomás, sintiéndose culpable.

–No te preocupes: ahora ya me podrás decir las cosas cara a cara. O por teléfono.

Pero ¿qué cosas? ¿Qué cosas podría decirle? ¿De qué podría hablarle? Ni por carta, ni por teléfono, ni cara a cara: no se le ocurría nada que contarle a esa mujer estupenda con la que había vivido cuatro años.

–¿Qué tal te va la vida? –preguntó ella.

–Bien. Bueno... Sí, bien. ¿Y a ti? –titubeó él.

–Muy bien. Ya ves. En pleno cambio.

"Nos queremos mucho los dos, como quieres a ese hermano con el que no sabes de qué hablar."

"Y después nos separamos, muy aliviados."

03
EL REENCUENTRO

Antes de ver
El amor en el arte

Hacemos una lluvia de ideas sobre libros, canciones, películas, series, etc., que tengan el amor como tema principal. ¿Qué aspectos del amor se tratan con mayor frecuencia?

Texto y significado
Tomás y Rosario

Vamos a leer un fragmento de un relato y a ver el relato completo en forma de cortometraje. Leemos la primera parte y contestamos a estas preguntas con un compañero. Luego comparamos nuestras respuestas con las de las otras parejas.

1. ¿Qué sabemos de los personajes y de su relación?
2. ¿Por qué se llama "El reencuentro"?
3. ¿Cómo se sienten al encontrarse? ¿Los dos igual? ¿En qué partes del texto lo detectamos?
4. ¿Cómo creemos que continuará la historia?

Vemos ahora el relato completo. ¿Qué otras cosas podemos deducir sobre los personajes, su historia y sus sentimientos?

¿Con cuál o cuáles de estas valoraciones estamos más de acuerdo? Usamos nuestra intuición.

—Está claro que fue una relación muy intensa. Por eso es una pena que rompieran.
—Yo creo que la base de una relación es la comunicación, y ellos no la tenían, así que es normal que se separaran.
—Se nota que se quieren mucho. No sé, es raro que lo dejaran.

Nos fijamos en las dos citas del cortometraje. ¿Cómo las interpretamos?

Texto y lengua
Expresión de sentimientos

Buscamos en la transcripción del corto formas de referirnos al amor, al deseo, a la pasión, a la intimidad, al cariño o a la indiferencia, y las anotamos. ¿Cómo podríamos expresar esas ideas de otra manera?

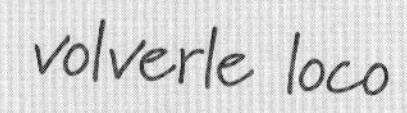

03
AGENDA DE APRENDIZAJE

La gramática de las palabras
Construcciones recíprocas

RG / P.180

Observamos los siguientes verbos y escribimos frases sobre nuestra relación con algunas personas.

	nos/os/se
conocer a	conocerse
querer a	quererse
besar a	besarse
abrazar a	abrazarse
mirar a	mirarse
ver a	verse
odiar a	odiarse
escribir a	escribirse
caer bien a	caerse bien
pelearse con	pelearse
llervarse bien/mal con	llevarse bien/mal
casarse con	casarse
enfadarse con	enfadarse
divorciarse de	divorciarse
separarse de	separarse
enamorarse de	enamorarse

—Andrés se pelea con Ana muy a menudo.
—Andrés y Ana se pelean mucho.

—Miguel se lleva muy bien con Pablo.
—Laura, ¿tú y Pilar os lleváis bien?

—Me divorcié de mi primer marido hace diez años.
—Quique y yo nos divorciamos hace un año.

—Paula conoció a Álex en Londres.
—Paula y Álex se conocieron en Londres.

—Mi suegro odia a su vecina.
—Mi suegro y su vecina se odian.

—Pablo le escribe un mensaje a Rita todas las mañanas al despertarse.
—Pablo y Rita se escriben un mensaje todas las mañanas al despertarse.

Reglas y ejemplos
Valorar una acción en el pasado

RG / P.191

Observamos los recursos y escribimos nuestros propios ejemplos.

—¡Qué bien que vinieras ayer a la fiesta! Me alegró mucho verte.
—Es una pena que Muriel se enfadara tanto. Solo le di mi opinión.

Mis ejemplos:

....

....

....

....

....

Es normal **Es extraño** **Es mejor**	
Es una pena **Es una vergüenza**	
¡Qué pena...! **¡Qué bien...!**	**que** + imperfecto de subjuntivo
Está bien **Está mal**	
Me parece lógico **Me parece normal** **Me parece sorprendente**	

03
TALLER DE USO

En parejas
Despedida

Leemos el principio del relato "Despedida" de Leo Masliah. ¿Cómo te imaginas la personalidad de los protagonistas? Hablamos con un compañero refiriéndonos a fragmentos del texto.

DESPEDIDA

La gente ya subía al tren, aunque faltaban todavía cuarenta y cinco minutos para la hora de salida. (...) Gómez se iba del país. (...) Miraba todo como despidiéndose para siempre. Sintió hambre y se le antojó comer un sánduiche, pero recordó que había pasado todo su dinero a dólares. Tenía, sin embargo, aún algunas monedas en el bolsillo. (...) Había también una ficha de teléfono. Ya nunca Gómez la usaría. Pero sí, se le ocurrió una forma de usarla. Buscó un teléfono público, descolgó un auricular, y se detuvo unos instantes a inventar un número. Lo fue armando de a poco, con las cifras que más le gustaban y en su orden preferido. Puso la ficha y discó. La señal sonó tres veces y atendió una mujer.

—¿Olá? –dijo.
—Buenas noches –contestó Gómez.
—¿Con quién quiere hablar? –preguntó la mujer.
—Con nadie en especial – dijo Gómez –. Me estoy yendo del país y quise llamar a alguien, para despedirme.

—¿Y por qué a mí? – preguntó ella –. ¿Usté me conoce?
—No, no creo – contestó él –. Yo disqué cualquier número. Disqué el número que más me gustó.
—Y en qué se va – preguntó ella –. ¿En avión?
—No. En tren – dijo Gómez.
—Espéreme un segundo – dijo la mujer.
—¿Qué va a hacer? ¿Rastrear la llamada? – preguntó él.
—No. Voy a buscar mis cosas. Quiero irme con usté – fue la respuesta.
(...)

Imaginamos un final y lo escribimos utilizando los recursos de la agenda.

 5

Escuchamos el final del relato. ¿Se parece a lo que habíamos imaginado? Lo comentamos utilizando expresiones de valoración.

Me parece divertido que al final...

Entre todos
Una pareja famosa

Presentamos la historia de amor de una pareja famosa (de la historia, del cine, de la literatura, etc.). Formamos parejas y seguimos estos pasos:

- Escogemos una pareja famosa y buscamos información sobre ella.
- Los describimos psicológicamente.
- Contamos cómo se conocieron.
- Resumimos su historia de amor.
- Los demás pueden hacernos tres preguntas para averiguar de quiénes hablamos.

ARCHIVO DE LÉXICO

Palabras en compañía
Relaciones sentimentales

Escribimos las fases de esta historia de amor utilizando los siguientes recursos e inventando detalles anteriores y posteriores. ¿Cómo termina la historia?

- **conocer a / conocerse**
- **ligar**
- **quedar**
- **salir juntos**
- **irse a vivir juntos**
- **estar mal**
- **romper**
- **volver**
- **separarse de**

Mis palabras
Describir el carácter

Completamos las series y las usamos para describir a un amigo, conocido o familiar.

ser	muy	impulsivo	atento	constante
		cariñoso	detallista	
estar dispuesto a	asumir riesgos	cambiar		
estar abierto a	nuevos retos			
tener	un carácter fuerte	facilidad de palabra		
	mucho / poco	sentido del humor		

Palabras en compañía
Pareja

Observamos las series y escribimos nuestros propios ejemplos.

buscar / encontrar / tener → **pareja**

romper / vivir → **con la pareja**

ser → **pareja**

relaciones / problemas → **de pareja**

Mis ejemplos:

....

....

....

....

....

....

....

....

....

....

....

....

PROYECTOS

Proyecto en grupo
Para que una pareja funcione...

 15

Individualmente, pensamos qué cosas son importantes para que una relación de pareja funcione y las anotamos en una lista.

tratarse con respeto

tener cosas en común

compartir valores

Compartimos nuestra lista con el grupo y hacemos entre todos una lista de las diez cosas más importantes.

Proyecto en grupo
Máxima compatibilidad

En parejas, vamos a crear el perfil de una persona que busca una relación. Escribimos un texto con la siguiente información:

- Su personalidad
- Sus intereses y aficiones
- Su historia sentimental pasada y presente (parejas anteriores, qué funcionó, qué fue mal...)
- Su visión del amor, de la pareja
- Qué tipo de persona está buscando.
- Qué tipo de relación busca

Soy una persona muy normal, bastante sociable, pero algo insegura.

He tenido varias relaciones...

Vamos a buscar las personas ideales para cada uno de los perfiles.

- Nos unimos con otra pareja y analizamos si esas dos personas son compatibles. Puntuamos el grado de compatibilidad del 0 al 10.
- Si no son muy compatibles, hacemos un segundo intento con otra pareja.
- Si tenemos suerte y encontramos a parejas compatibles, las presentamos a la clase.

¿ES VERDAD O ES MENTIRA?

UNIDAD 2

DOCUMENTOS
DOSIER 01
¿Estamos bien informados?
DOSIER 02
Pásalo
DOSIER 03
No me lo creo

LÉXICO
- Medios de comunicación
- Canales de información
- Hábitos para mantenerse informado
- Lenguaje periodístico
- Verbos de lengua
- **Creer**, **creerse**
- Noticias y sucesos
- **Verdad** y **mentira**

GRAMÁTICA
- Adverbios en **-mente**
- **Es falso que, no es verdad que** + subjuntivo
- Verbos de opinión y pensamiento + indicativo/subjuntivo

COMUNICACIÓN
- Hablar de nuestra relación con la información
- Interpretar y redactar noticias
- Expresar acuerdo y desacuerdo
- Referirse a algo que ya se ha dicho: **eso de (que)**, **lo de que**...
- Expresar opinión: **lo encuentro**...
- Desmentir una información: **no es cierto / verdad... que** + subjuntivo
- Debatir

CULTURA
- El atentado del 11 de marzo de 2011 en Madrid
- Medios de comunicación en España y Latinoamérica

PROYECTOS
- Hacer un resumen de las noticias más importantes de la semana
- Redactar una guía para ser ciudadanos bien informados

PUNTO DE PARTIDA

Nube de palabras
Medios de comunicación

Leemos el título y miramos la imagen de la nube. ¿Qué nos sugieren? Lo comentamos entre todos.

¿Cómo nos informamos sobre la actualidad? ¿Creemos que estamos bien informados? Respondemos usando palabras de la nube.

Yo leo todas las mañanas varios periódicos en el móvil yendo al trabajo. Me gusta estar al día. ”

¿Qué información nos parece fiable? Lo comentamos con los compañeros y lo argumentamos.

- La que se comparte en las redes sociales
- La que dan algunos periodistas. ¿Cuáles?
- La que da la prensa internacional
- La que dan las cadenas de TV públicas
- La que dan las cadenas de TV privadas
- La que dan algunas emisoras de radio. ¿Cuáles?
- Otros:

COMPETENCIA AUDIOVISUAL

¿ESTAMOS BIEN INFORMADOS?

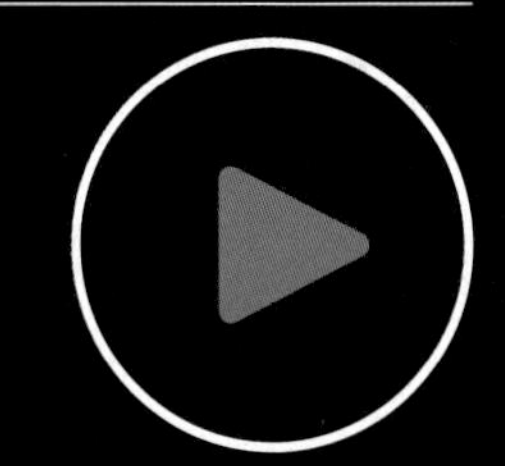

"Sociedad de la información", "sociedad del conocimiento". Nunca hemos estado expuestos a tanta información, pero ¿estamos realmente mejor informados que antes? Eduardo Martín, periodista de *La Vanguardia*, nos ha dado su opinión al respecto.

No estamos bien informados; estamos excesivamente informados.

La ciudadanía tiene que armarse ante la desinformación, ante la mentira.

Una cosa es el periodismo y otra es la propaganda.

Aquel viejo dicho de los periodistas, "no dejes que la verdad te estropee una buena noticia", eso se empieza a practicar ahora demasiado.

Eduardo Martín de Pozuelo (La Junquera, 1952) es un periodista y escritor español, fundador del equipo de investigación del diario *La Vanguardia*. Actualmente, es analista de la sección de periodismo internacional del mismo diario.
Ha publicado numerosos ensayos (entre otros temas, sobre la guerra civil española, la mafia, los desaparecidos en Chile y Argentina, el franquismo, el terrorismo islamista, etc.) y dos novelas.

01
¿ESTAMOS BIEN INFORMADOS?

Antes de ver
¿Estamos bien informados?

A 

Leemos las citas del periodista Eduardo Martín. ¿Cómo las interpretamos?

—*(Yo creo que) lo que quiere decir es que...*
—*Me imagino que se refiere a que...*
—*Yo tengo la impresión de que...*
—*Yo diría que...*

Texto e imágenes
La información y los medios

B 

Vemos la entrevista. ¿De qué otros temas habla? ¿Qué dice sobre ellos? Tomamos notas, las ponemos en común y entre todos escribimos en la pizarra los temas abordados.

Habla de la información en el mundo actual y dice que tenemos demasiada.

C 

Leemos la transcripción de la entrevista. ¿En qué estamos de acuerdo?

—*Yo estoy de acuerdo en que...*
—*Yo veo como él lo de que...*

Yo estoy de acuerdo en que recibimos mucha información falsa.

Texto y lengua
Adverbios

D 

Leemos estos fragmentos de la entrevista y los completamos con adverbios de la lista o con otros que conocemos. Comprobamos con la transcripción o con el vídeo.

- **correctamente**
- **exactamente**
- **constantemente**
- **actualmente**

1. Asimilar .... la información significa que todo lo que está recibiendo sea .... lo que está ocurriendo y lo interprete ...., que eso sea un hecho cierto y veraz.

2. Es muy difícil que la ciudadanía pueda asimilar todo lo que sucede, toda la información que recibe ....

3. El problema que hay .... en el mundo, en general, es que se mezcla la información con la opinión.

AGENDA DE APRENDIZAJE

Reglas y ejemplos
Sustantivas con indicativo y subjuntivo: expresar acuerdo

RG / P.193

Observamos los recursos.

Ante una opinión
estar de acuerdo en que + indicativo
—Yo estoy de acuerdo en que estamos excesivamente informados.

no estar de acuerdo en que + subjuntivo
—Yo no estoy de acuerdo en que estemos excesivamente informados.

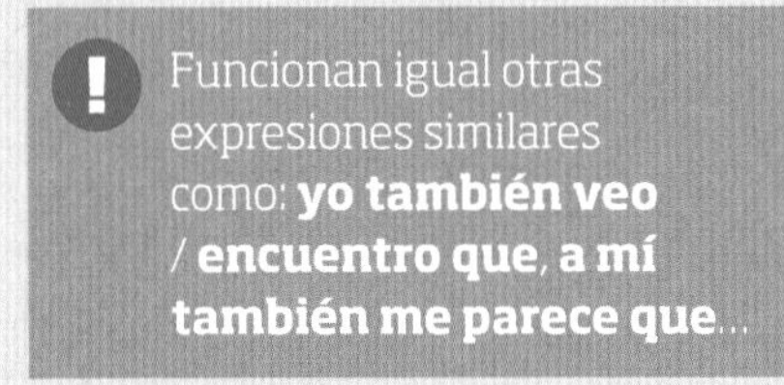

Funcionan igual otras expresiones similares como: **yo también veo / encuentro que**, **a mí también me parece que**...

Ante una propuesta
estar de acuerdo en + infinitivo
—Yo (no) estoy de acuerdo en cambiar el horario.

estar de acuerdo en que + subjuntivo
—Yo estoy de acuerdo en que cambiemos el horario.
—Yo no estoy de acuerdo en que cambiemos el horario.

Funcionan igual otras expresiones similares como: **estoy a favor de que**, **apoyo que**, **me parece una buena idea que**...

RG / P.193

Reaccionamos ante las siguientes afirmaciones.

1. Las mujeres tienen los mismos derechos que los hombres.

2. Se debería instaurar una renta básica para todos los ciudadanos.

3. Los jóvenes están mal informados.

4. En las redes sociales debe haber control sobre las noticias falsas.

Palabras para actuar
Lo de, lo de que, eso de que

RG / P.173

Observamos los recursos para referirnos a un tema ya mencionado. Después, elegimos dos de las afirmaciones en burbujas de diálogo y reaccionamos refiriéndonos a ellas.

—Lo de la prensa independiente es cierto.
—Lo de que no existe prensa independiente es verdad.
—Eso de que no existe prensa independiente lo sabe todo el mundo.
—Eso de que no existe / exista prensa independiente no es verdad.

! La tendencia es usar subjuntivo cuando en estas construcciones retomamos una información ya dada para ponerla en duda o para desmentirla.

La clase media está desapareciendo.

Los periodistas deben informar, no opinar.

Nunca ha habido tan pocas guerras como actualmente.

Las personas que quieren pueden estar bien informadas.

La mayoría de la gente se cree todo lo que lee.

En muchos países está desapareciendo el estado de bienestar.

En español y en otras lenguas
Usos de los adverbios en -mente

RG / P.178

Observamos el uso de los adverbios en **-mente**. ¿A qué palabras o expresiones corresponden en nuestra lengua u otra que conocemos? ¿Funcionan igual?

Para hablar de frecuencia y tiempo		
constantemente	actualmente	frecuentemente
habitualmente	normalmente	antiguamente

—Recibimos constantemente llamadas comerciales.
—Constantemente recibimos llamadas comerciales.
—Recibimos llamadas comerciales constantemente.

Para intensificar una cualidad		
totalmente	completamente	absolutamente
verdaderamente	excesivamente	exactamente
realmente	claramente	especialmente

—Eso es completamente falso.

Para indicar una actitud, un punto de vista o el grado de certeza	
desgraciadamente	afortunadamente
lamentablemente	evidentemente
lógicamente	posiblemente
probablemente	seguramente

—Lamentablemente las cifras de pobreza han crecido.
(= Es lamentable que...)
—Las cifras de pobreza, lamentablemente, han crecido.

Como respuesta afirmativa	
efectivamente	naturalmente
absolutamente	evidentemente

—El aumento de la tasa de paro tendrá consecuencias.
—Evidentemente.

Desde el punto de vista...	
tecnológicamente	económicamente

—Económicamente, el aumento de las exportaciones es muy positivo. (= Desde el punto de vista económico)

01
TALLER DE USO

Entre todos
De acuerdo o no

Vamos a entrenarnos a reaccionar ante las opiniones de otras personas.

- Cada uno de nosotros escribe individualmente una opinión sobre la actualidad (de la ciudad donde estamos, del país, del mundo...).
- Leemos todas las opiniones, y tomamos notas del tema y de quién lo ha dicho.
- Cada uno elige manifestarse sobre algo de lo expresado.

En nuestro país no se está haciendo nada para luchar contra el cambio climático.

Eso de que en nuestro país no se está haciendo nada para luchar contra el cambio climático no es cierto.

En parejas
Evidentemente

Con un compañero mejoramos las frases que hemos escrito los dos en la actividad anterior, añadiendo adverbios terminados en **-mente** que nos parezcan adecuados, y pensamos en una forma de continuarlas.

Desgraciadamente, en nuestro país no se está haciendo nada para luchar contra el cambio climático porque, evidentemente, no conviene a las grandes empresas energéticas.

PÁSALO

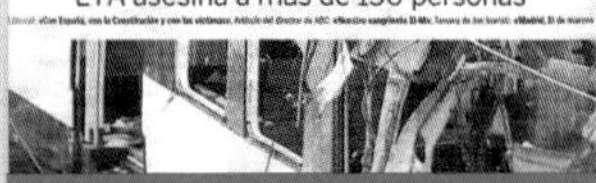
ABC
EDICIÓN ESPECIAL
Masacre en Madrid
ETA asesina a más de 130 personas

EL PAIS
DIARIO INDEPENDIENTE DE LA MAÑANA
Infierno terrorista en Madrid: 192 muertos y 1.400 heridos
Interior investiga la pista de Al Qaeda sin descartar a ETA

El Correo Gallego
¿ETA O AL QAEDA?
CASI 200 MUERTOS Y MÁS DE 1.400 HERIDOS EN MADRID, EN LA PEOR MASACRE DE EUROPA

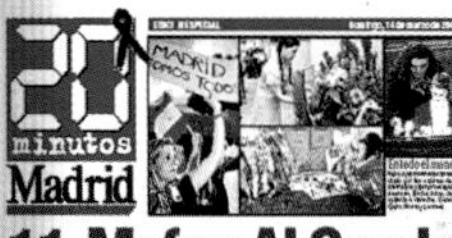
20 minutos Madrid
11-M: fue Al Qaeda
Un vídeo y 5 detenciones confirman la autoría del terrorismo islámico

EL PAIS
DIARIO INDEPENDIENTE DE LA MAÑANA
EL PSOE LOGRA 164 DIPUTADOS, Y EL PP, 148
Zapatero derrota a Rajoy en un vuelco electoral sin precedentes

TRES DÍAS DE TRAGEDIA EN MADRID

11 MARZO

07.34

EXPLOSIONES EN LOS TRENES Estallan varias bombas colocadas en cuatro trenes y provocan una matanza.

09.55

SUSPENSIÓN DE LA CAMPAÑA ELECTORAL Se cancelan todos los actos electorales.

13.06

AZNAR LLAMA AL DIRECTOR DE *EL PAÍS* El presidente del Gobierno le transmite su absoluta certeza de que el atentado es obra de la banda terrorista ETA, la organización terrorista vasca.

13.30

ACEBES CULPA A ETA Acebes, ministro del Interior, señala ante los medios a la banda terrorista como la autora del atentado.

17.28

MENSAJE A LAS EMBAJADAS El Ministerio de Exteriores da instrucciones a todo el personal diplomático para que refuerce la hipótesis de que ha sido ETA.

21.30

REIVINDICACIÓN DE AL QAEDA La agencia Reuters informa de que en la sede del diario *Al Quds Al-Arabi*, editado en Londres en lengua árabe, se ha recibido una carta en la que un grupo ligado a Al Qaeda reivindica el atentado.

12 MARZO

11.30

AZNAR: "HAY DOS LÍNEAS DE INVESTIGACIÓN" El presidente asegura que la teoría que apunta a ETA es la más lógica.

18.30

SE DISCUTE LA AUTORÍA ETA emite un comunicado y niega que haya participado en el atentado. Acebes, ministro del Interior, afirma que se abren nuevas vías de investigación, pero la autoría de ETA sigue siendo la principal sospechosa.

20.00

MANIFESTACIONES DE REPULSA Concentración multitudinaria en Madrid y en otras ciudades españolas para expresar el rechazo ciudadano. Once millones de personas salen a la calle por todo el país.

13 MARZO

15.15

EMPIEZAN A CIRCULAR SMS DUDANDO DE LA AUTORÍA DEL ATENTADO Mensajes de texto se distribuyen por los teléfonos móviles: "Hoy 13M, a las 18 h. Sede PP, Génova 13. Por la verdad. Pásalo", o bien: "Al Qaeda ha reivindicado el atentado de Madrid cuatro veces y el Gobierno lo oculta. Pásalo".

16.00

DETENCIONES EN LAVAPIÉS La policía detiene a cinco personas supuestamente pertenecientes a una célula de Al Qaeda y vinculadas a la venta y falsificación de un móvil hallado en una bolsa.

18.00

MANIFESTACIONES ANTE LAS SEDES DEL PP Concentraciones ante las sedes del Partido Popular en las principales ciudades.

19.35

CINTA DE VÍDEO REIVINDICATIVA DE AL QAEDA La policía encuentra una cinta con una reivindicación de Al Qaeda.

20.00

ACEBES COMUNICA LOS ARRESTOS El ministro del Interior da una rueda de prensa para informar de las cinco detenciones, pero no descarta que haya sido ETA.

14 MARZO

00.40

ACEBES ANUNCIA LA REIVINDICACIÓN DE AL QAEDA El ministro del Interior dice que la cinta encontrada en una papelera de Madrid contiene un mensaje de los terroristas islamistas que se atribuyen la autoría de los atentados.

09.00

COMIENZA LA JORNADA ELECTORAL Se abren los colegios electorales para la votación de las elecciones generales.

22.00

EL PSOE GANA LAS ELECCIONES CONTRA TODO PRONÓSTICO Los resultados de las elecciones suponen una derrota para el PP. Un importante número de ciudadanos no perdona al partido en el Gobierno que haya manipulado la información.

Adaptado de: https://elpais.com/especiales/2014/aniversario-11-m/cronologia/atocha.html

El uso informativo de redes sociales comenzó con el 11-M

Probablemente, el nacimiento de las redes sociales como medio de información y movilización de los ciudadanos se produjo en España tras los atentados de Madrid del 11 de marzo de 2004. Ante las contradicciones entre lo que contaban los medios españoles y los extranjeros, los españoles empezaron a dudar de las versiones oficiales y a sospechar que la información que recibían era poco fiable.

El resultado fue que, por primera vez, los españoles se lanzaron a buscar en internet y en las redes sociales información realmente creíble. Las dudas provocaron también una convocatoria mediante SMS para pedir explicaciones verosímiles al Gobierno. Así se organizaron las movilizaciones del 13 de marzo de 2004: los mensajes, acompañados de la famosa petición "pásalo", se hicieron virales y acabaron decidiendo los resultados de las elecciones que se celebraron esa trágica semana: inesperadamente, el Partido Popular las perdió.

02 PÁSALO

Antes de leer
¿Qué pasó en 2004?

Leemos las portadas de los periódicos. ¿Qué creemos que pasó el 11 de marzo de 2004 en Madrid y los días posteriores?

Texto y significado
Noticias y redes sociales

Leemos la crónica de los acontecimientos. En parejas hacemos un pequeño resumen con un máximo de cuatro o cinco frases.

Escuchamos a varias personas explicando lo que ocurrió aquellos días y el contexto en que sucedió. Tomamos nota de la información más importante y la comentamos en grupos.

Leemos el texto sobre la importancia de las redes sociales el 11-M y los días posteriores. ¿Cómo ha evolucionado el papel de las redes sociales desde entonces? ¿Conocemos ejemplos recientes? Lo hablamos entre todos.

Texto y lengua
Registros: lenguaje periodístico

¿Cómo expresaríamos de otra manera, en un lenguaje más conversacional, los siguientes fragmentos de la crónica?

—*Varias bombas provocan una matanza.*
—*El ministro señala ante los medios a la banda terrorista como la autora del atentado.*
—*El Ministerio de Exteriores da instrucciones a todo el personal diplomático para que refuerce la hipótesis de que ha sido ETA.*
—*La policía detiene a cinco personas supuestamente pertenecientes a una célula de Al Qaeda y vinculadas a la venta y falsificación del teléfono móvil hallado.*
—*Los terroristas se atribuyen la autoría de los atentados.*
—*Las elecciones suponen una derrota para el PP.*

Observamos los tiempos verbales de la crónica. ¿Qué nos llama la atención?

Reglas y ejemplos
Pretérito perfecto de subjuntivo

RG / P.188

Observamos la forma y los usos del pretérito perfecto de subjuntivo y completamos el paradigma.

haber	+ participio
haya	
....	
haya	leído
....	
hayáis	
....	

—Es extraño que los medios no hayan publicado la noticia.

Reglas y ejemplos
Sustantivas con indicativo y subjuntivo: opinar y especular

RG / P.192

Observamos los siguientes recursos, añadimos otros que conocemos y formulamos opiniones personales.

En forma afirmativa: + indicativo	
Yo considero que… **Tengo la impresión de que…** **Supongo que…** **Me imagino que…** **Yo encuentro que…**	*—Yo considero que es necesario leer varios periódicos cada día.* *—Tengo la impresión de que la tecnología ha perjudicado las relaciones personales.*
En forma negativa: + subjuntivo	
Yo no considero que… **Yo no veo que…** **No estoy (del todo) seguro de que…**	*—Yo no veo que sea necesario leer varios periódicos cada día.* *—No estoy seguro de que la tecnología haya perjudicado las relaciones personales.*

Construir la conversación
Debatir

Observamos los recursos del esquema. ¿A qué recuadros corresponden los siguientes? Colocamos cada uno en el lugar correspondiente y añadimos otros que conocemos.

—Yo considero que…
—(Estoy) completamente de acuerdo con…
—Tengo la impresión de que…
—¿No te parece que…?
—Yo no lo veo igual / así.
—No solo…, sino que…

Opinar y argumentar
—A mí me da la impresión de que…
—A mi modo de ver…
—Yo encuentro que…
—........

Manifestar una suposición, una impresión
—Me imagino que…
—Yo diría que…
—........

Pedir confirmación a una opinión
—¿No crees que…?
—¿Tú no dirías que…?
—¿No piensas que…?
—........

Añadir y reforzar argumentos
—Incluso…
—Es más…
—........

Mostrar acuerdo
—Sin duda.
—Yo opino lo mismo (que…).
—Yo lo veo igual.
—Yo también lo veo así.
—Tienes toda la razón.
—........

Desacuerdo
—En absoluto.
—No estoy en absoluto de acuerdo.
—Eso es absurdo.
—Eso no puede ser.
—........

Matizar una opinión o mostrar acuerdo parcial
—Sí, pero lo que yo digo es que…
—A mí lo que me parece es que…

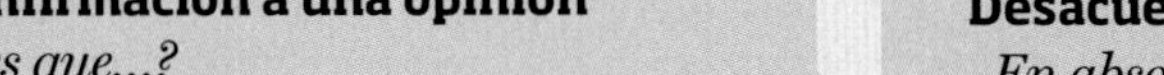

02
TALLER DE USO

En parejas y en grupos
Un debate televisivo

¿En nuestro país hay medios de comunicación **realmente independientes**? Vamos a simular un debate.

Los participantes
- El moderador
- Un bloguero
- El director de un gran periódico
- El representante de un partido político minoritario
- El representante de una asociación de consumidores
- Otro personaje: (lo decide el grupo)

Nos preparamos
- Decidimos quién es el sexto invitado.
- Nos distribuimos los papeles.
- Individualmente anotamos cuáles son las ideas que vamos a defender.

Reglas del debate
- El debate comienza con una primera ronda de opiniones.
- Cada vez que intervengamos, tenemos que referirnos a lo que han dicho otras personas.
- El moderador gestionará los turnos de palabra y tomará notas para resumir al final el punto de vista de cada uno.

Mediación
Noticias frescas

Cada uno de nosotros elige una noticia de esta semana, algo que ha sucedido en nuestra ciudad, en nuestro país o en el mundo, y trata de resumir lo esencial, con las aclaraciones necesarias, en español. Se lo cuenta al resto de la clase, que puede hacerle preguntas.

NO ME LO CREO

El imperio de la falsedad

Marius Carol  La Vanguardia

La consultora Garner, especializada en tecnología informática, advierte que las noticias falsas superarán a las verdaderas en cuatro años. Ciertamente, resulta terrible pensar que los usuarios de las sociedades maduras del planeta consuman más información falsa que cierta en el 2022, porque equivale a decir que la manipulación, tanto de las conciencias individuales como de la democracia, será la gran amenaza del mundo. La consultora considera que la inteligencia artificial impulsará la creación de esta realidad falsificada con representaciones convincentemente realistas de cosas que nunca ocurrieron o que jamás existieron exactamente como se representan.

Nada es lo que parece, incluso la mentira la hemos maquillado con el término "posverdad" para hacerla más digerible. Las noticias falsas igual sirven para las guerras comerciales o para las batallas políticas. El Brexit o Donald Trump no se entienden sin tener presente este fenómeno. No es fácil defenderse ante este tsunami. Incluso los medios rigurosos estamos amenazados por los ciberataques a la verdad. Es más, a menudo un medio serio puede caer en la trampa y dar por buena una noticia falsa en las redes y blanquear así la mentira. El problema ha llegado a la Comisión Europea, que tiene un plan de acción para abordar la propagación de noticias inciertas. Colectivos de periodistas han creado webs –la Buloteca o Maldito Bulo– para denunciar noticias de las redes que no lo son. El buen periodismo es el que está hecho con rigor, que jerarquiza la información, que tiene detrás una firma que lo avala.

LOS CINCO BULOS MÁS EXTENDIDOS SOBRE EL CAMBIO CLIMÁTICO

El 97 % de los científicos están convencidos de que las actividades humanas están cambiando el clima. Sin embargo, los bulos sobre este tema se hacen rápidamente virales en la red.

1. El calentamiento global no es importante porque ha habido épocas en las que la Tierra estaba varios grados más caliente que ahora.

2. No hay consenso científico sobre el calentamiento global.

3. El calentamiento global no es malo. Las épocas cálidas han sido las más prósperas.

4. Hay una conspiración internacional para imponer las energías renovables.

5. El calentamiento global es imparable. No hay nada que hacer.

03 NO ME LO CREO

Antes de leer
La posverdad

¿Circulan muchas noticias falsas en nuestro entorno? ¿Sobre qué temas? ¿Por qué canales? ¿Conocemos algún caso reciente?

Texto y significado
El imperio de la falsedad

Leemos el artículo de Marius Carol. ¿Creemos que su predicción es correcta?

—Yo estoy segurísimo de que....
—Estoy absolutamente convencido de que...
—No hay duda de que...
—Es obvio que...

Volvemos a leer el segundo párrafo y lo resumimos en una frase. Comparamos nuestro resumen con el de nuestro compañero. ¿Qué opinamos nosotros?

Texto e imágenes
Noticias falsas

Vemos la segunda parte de la entrevista. Anotamos las razones por las que, según Eduardo Martín, circula tanta información falsa. Compartimos nuestras notas con dos compañeros y las formulamos por escrito.

Leemos la transcripción de la entrevista y completamos las notas que hemos tomado en C.

Texto y lengua
Cinco bulos

Buscamos las cinco palabras, expresiones o combinaciones de palabras imprescindibles para hablar del cambio climático. Las compartimos con dos compañeros y completamos nuestras listas.

Reducir la contaminación

Leemos los cinco grandes bulos que circulan en las redes sociales y en los medios de comunicación sobre el cambio climático. ¿Qué pensamos nosotros?

—Es verdad que....
—Es cierto que...
—Es obvio que...
—No hay duda de que...
—Yo (eso) sí me lo creo...

—No es verdad que...
—No es cierto que...
—Es falso que...
—Yo (eso) no me lo creo...

Yo no me creo eso de que haya una conspiración internacional para imponer las energías renovables.

AGENDA DE APRENDIZAJE

La gramática de las palabras
Creer, creerse

Observamos los recursos y escribimos sobre nosotros.

Creer algo (= tener una opinión sobre algo)

—Yo creo que los informativos de la TVK1 son los más fiables.

Creerse algo (= aceptar una información como verdadera)

—Cuando el jefe me dijo que me iban a subir el sueldo, me lo creí.

—Van a juzgar al presidente.
—No me lo creo.

—Dice que tiene 32 años. ¿Tú te lo crees?
—No, eso no se lo cree nadie.

Dos opiniones mías:

Dos cosas dudosas que circulan por ahí y nuestra postura (¿nos las creemos?):

Reglas y ejemplos
Sustantivas con subjuntivo: desmentir y valorar

2 

RG / P.192

Observamos los recursos. ¿Conocemos otras construcciones que funcionen igual?

Desmentir una información	
No es cierto **No es verdad** **Es (totalmente) falso**	**que** + subjuntivo

—No es cierto que nuestra generación tenga mejor calidad de vida.
—Es totalmente falso que el ministro haya recibido una comisión.
—No es verdad que la crisis económica fuera inevitable.

Valorar o expresar un sentimiento ante una información	
Es sorprendente **Es una pena** **Es increíble**	**que** + subjuntivo

—Es sorprendente que la gente se crea todo lo que lee en internet.
—Es una pena que hayan suspendido el concierto.
—Es increíble que no supieras nada de este tema.

Desmentimos las afirmaciones que consideramos falsas.

1. "El cambio climático es imparable".

2. "La mayoría de las industrias son contaminantes".

3. "La desigualdad entre los países es cada vez más grande".

4. "La pobreza extrema está a punto de desaparecer en el mundo".

03
TALLER DE USO

En parejas o en grupos
¿Nos lo creemos?

Leemos las siguientes noticias y las comentamos. ¿Nos las creemos? Si son ciertas, ¿qué nos parecen? Reaccionamos expresando sorpresa, extrañeza, enfado, alegría, etc.

Parón temporal de Google
El Comercio-15 horas
Cae el servicio de Google durante tres minutos y el tráfico mundial en internet se reduce un 40 %.

Antes el ordenador que los cordones
Xataka-16 horas
Un estudio demuestra que actualmente los niños aprenden a usar un ordenador antes que a atarse los cordones de los zapatos o a montar en bicicleta.

Nos creemos los bulos
Al día-16 horas
Solo 6 de cada 10 españoles es capaz de distinguir un bulo de una noticia real.

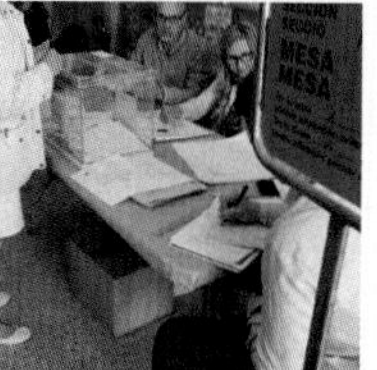

Noticias falsas y elecciones
Última hora-16 horas
En los resultados de las últimas elecciones de varios países europeos han tenido un papel clave las web especializadas en generar noticias falsas.

Contra el coche eléctrico
El Comercio-16 horas
Los *lobbies* del petróleo han retrasado la aparición de los coches eléctricos.

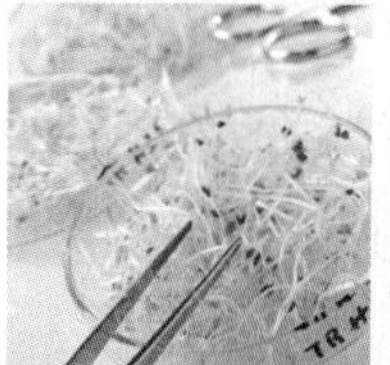

Transgénicos cancerígenos
Diario de hoy-16 horas
Un reciente estudio demuestra que los productos transgénicos son cancerígenos.

Ahora vamos a escribir tres noticias. Pueden ser verdaderas o falsas. El profesor las recoge y las redistribuye entre la clase. Debemos comentarlas, opinar sobre ellas. Tras las reacciones de los compañeros, los autores de la noticia dicen si es verdadera o falsa.

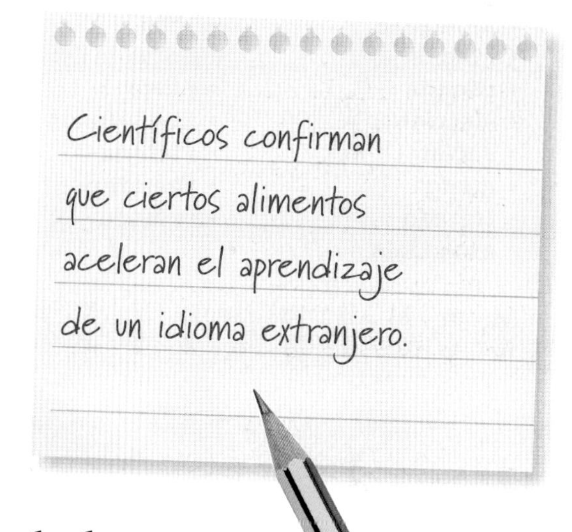

“—Eso no es verdad, es imposible.
—Sí, es una tontería.
—Pues yo sí me lo creo.”

ARCHIVO DE LÉXICO

Palabras en compañía
Colocaciones: noticias y sucesos

Investigamos en periódicos del mundo hispanohablante combinaciones de cinco de estas palabras tan frecuentes en las noticias. ¿Con qué otras palabras se combinan? Para buscar en *El País*, por ejemplo, escribimos "atentado site:elpais.com".

- **atentado**
- **explosión**
- **accidente**
- **ataque**
- **choque**
- **elecciones**
- **declaraciones**
- **huelga**
- **tratado**
- **escándalo**
- **asesinato**
- **secuestro**
- **robo**
- **golpe de Estado**
- **juicio**
- **inauguración**
- **victoria**
- **partido político**
- **reunión**

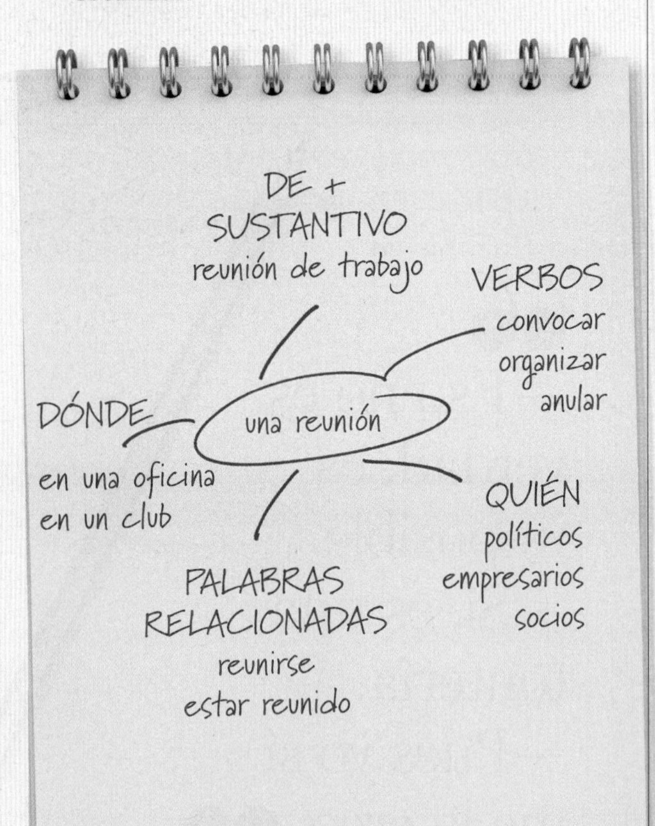

Palabras en compañía
Verdad

Completamos las series y pensamos en qué situaciones se podrían decir las siguientes expresiones.

Para preguntar sobre la veracidad
—*¿De verdad?*
—*¿Es verdad que...?*

Para manifestar sorpresa ante una información
—*¿De verdad?*

Para confirmar, asegurar
—*¡De verdad!*

Mis palabras
Información

Observamos los recursos y los utilizamos para describir nuestra relación con la información que nos rodea.

—*estar / mantenerse informado*
—*enterarse de una noticia*
—*ponerse / estar / mantenerse al día*
—*estar bien / mal / excesivamente / mejor / peor informado*
—*recibir / contrastar información*
—*información falsa / cierta / fiable / poco fiable*
—*dar por buena una noticia*

PROYECTOS

Palabras en compañía
Prensa: verbos de lengua

¿Por qué verbos de la lista u otros podemos sustituir el verbo **decir** en las siguientes frases? Puede haber varias posibilidades. Transformamos las frases si es necesario.

- **afirmar**
- **manifestar**
- **añadir**
- **declarar**
- **aclarar**
- **revelar**
- **contar**
- **confesar**
- **exigir**
- **expresar**
- **reivindicar**
- **informar**
- **señalar**
- **comunicar**
- **asegurar**
- **reconocer**
- **reprochar**
- **confirmar**

1. "Se interpretaron mal mis palabras. El banco está totalmente en contra de los paraísos fiscales", **ha dicho** el vicepresidente del Banco Exterior.

2. "El Gobierno va a controlar el precio de los alquileres", **ha dicho** el ministro para tranquilizar a los ciudadanos.

3. "Es indispensable un aumento del 2 % de las pensiones", **ha dicho** el representante de los jubilados.

4. "Nuestro hijo tiene una grave enfermedad", **ha dicho** la actriz.

5. "No vamos a tener un crecimiento del 1,5 % del PIB, sino del 1,3 %", **ha dicho** el presidente.

6. "En nuestro partido hay varios casos de corrupción", **ha dicho** el secretario general. Y **ha dicho** también: "Vamos a investigar el tema y a expulsar a los culpables".

Proyecto en grupo
Mediación: nuestras noticias

En pequeños grupos hacemos una lista de los principales acontecimientos de la semana. Pueden ser de nuestra ciudad o región, nuestro país o del mundo.

Entre todos elegimos los cinco más importantes o más interesantes para nosotros.

Nos los repartimos y cada grupo va a contar, en español, una o dos noticias relacionadas con esos acontecimientos. Si es necesario, añadimos información sobre:

- quién es un determinado personaje
- el significado de unas siglas
- la importancia de un hecho anterior
- lugares importantes, etc.

Compartimos o publicamos nuestras noticias en nuestro espacio virtual. Los demás las comentan.

Proyecto en grupo
Guía para ciudadanos bien informados

Entre todos vamos a redactar una lista de siete recomendaciones para estar bien informado y que "no te mientan".

PARA QUE NO TE MIENTAN

1. Lo mejor es que no leas siempre el mismo periódico.
2.

PAISAJES, CAMINOS Y VIDAS

RÍO
IMPRESIONANTE
CAMPO
ESPECIAL
SELVA MONTAÑA
PLAYA PARADISÍACA
CLIMA DESÉRTICO LAGO
ZONA MONTAÑOSA
VALLE INCREÍBLE
ESPECIAL TRANQUILO
NATURALEZA SALVAJE
COSTA LUGAR PRECIOSO CAMPO IMPRESIONANTE
LUGAR TURÍSTICO LUGAR TURÍSTICO
LAGO INCREÍBLE LUGAR PLAYA PARADISÍACA LAGO
PAISAJE VEGETACIÓN TROPICAL ISLA
NATURALEZA SALVAJE PRECIOSO CAMPO
TRANQUILO COSTA NATURALEZA SALVAJE
VEGETACIÓN TROPICAL ZONA MONTAÑOSA PRECIOSO CAMPO TRANQUILO

SELVA
TRANQUILO
VALLE RÍO
COSTA SELVA
MONTAÑA
ISLA PRECIOSO TRANQUILO RÍO
BOSQUE NATURALEZA SALVAJE LUGAR
SELVA CAMPO PLAYA PARADISÍACA BOSQUE PRECIOSO
PLAYA PARADISÍACA
ISLA LUGAR BOSQUE VALLE INCREÍBLE
CLIMA DESÉRTICO
PLAYA PARADISÍACA LUGAR TURÍSTICO
BOSQUE ZONA MONTAÑOSA
MONTAÑA LAGO LUGAR ESPECIAL BOSQUE

RÍO
VALLE
IMPRESIONANTE
INCREÍBLE
VEGETACIÓN TROPICAL
ZONA MONTAÑOSA
MONTAÑA ISLA
PRECIOSO PAISAJE MONTAÑA
IMPRESIONANTE ESPECIAL COSTA
NATURALEZA SALVAJE
VEGETACIÓN TROPICAL
TRANQUILO LUGAR TURÍSTICO
SELVA
INCREÍBLE
ESPECIAL
PAISAJE

UNIDAD 3

DOCUMENTOS

DOSIER 01
Un paseo por la sierra de Guadarrama
DOSIER 02
Los Andes: columna vertebral de Sudamérica
DOSIER 03
Un mar de identidades

LÉXICO

- Paisaje y accidentes geográficos
- Viajes
- Naturaleza y medioambiente
- Clima y tiempo atmosférico
- Verbos de movimiento: **subir**, **bajar**, **acercarse a**...
- Identidad y pertenencia a un lugar

GRAMÁTICA

- Relativas con preposición: **que**, **cual**
- Relativas en registro formal: **cuyo/a/os/as**
- La voz pasiva
- Impersonalidad: **se construyó**, **lo construyeron**, **fue construido**
- Nexos concesivos: **aunque**, **por mucho que**, **a pesar de (que)**, **por muy**... **que** + indicativo / subjuntivo

COMUNICACIÓN

- Hablar de lugares mencionando sus características principales: **se encuentra en**..., **fue declarado**..., **allí abundan**...
- Expresar desconocimiento o expectativas desmentidas: **no sabía que** + indicativo / subjuntivo
- Situar en el espacio: **se halla**, **se encuentra**...
- Diferentes registros lingüísticos
- Expresar estados físicos y de ánimo: **sentirse mareado**, **quedarse maravillado**, etc.
- Hablar de la propia identidad

CULTURA

- La sierra de Guadarrama
- Las islas Galápagos
- La cordillera de los Andes
- Inmigrantes de segunda generación en España
- Los latinos en EE.UU.

PROYECTOS

- Presentar nuestro lugar en el mundo

PUNTO DE PARTIDA

Nube de palabras
Personas y paisajes

¿Qué palabras conocemos para referirnos al paisaje y a la geografía?

Miramos estas fotografías y escribimos una breve descripción de uno de los paisajes (usamos palabras de la nube y otras). Luego leemos nuestro texto a un compañero para que adivine de qué paisaje se trata.

En grupos hablamos sobre paisajes especiales para nosotros. ¿Cuándo los descubrimos? ¿Por qué son especiales? ¿Qué solemos hacer allí?

—Es un paisaje que me fascina porque...
—Lo descubrí...
—Allí me siento...
—Es un lugar al que voy a menudo a...
—Me hace sentir...
—De pequeño me encantaba porque...

Un lugar especial para mí es el cabo de Gata, en Almería, porque iba cuando era pequeño con mi familia y me encantaba jugar en la arena durante horas. Me sentía completamente libre. ”

COMPETENCIA AUDIOVISUAL

UN PASEO POR LA SIERRA DE GUADARRAMA

La sierra de Guadarrama es una cadena montañosa que pertenece al sistema Central, una cordillera situada en el centro de la península Ibérica. La sierra se extiende a lo largo de 80 km en dirección suroeste-noreste y atraviesa las provincias de Madrid, Segovia y Ávila. Su pico más alto es Peñalara, con 2428 m.

En ella predomina el clima de montaña, con inviernos muy fríos y veranos secos y frescos. La flora se caracteriza por la abundancia de robledales, encinares y bosques de pino silvestre, cuya explotación ha sido fundamental para el desarrollo económico de la región.

En cuanto a la fauna, abundan los mamíferos, como ciervos, jabalíes, gamos, gatos monteses, zorros y liebres. Asimismo se encuentran grandes rapaces, como el águila imperial o el buitre negro, y una gran cantidad de especies de aves acuáticas en los embalses.

Al estar atravesada por numerosos puertos de montaña y por vías ferroviarias, la sierra recibe una gran cantidad de montañeros y turistas. En el sur de la sierra destaca La Pedriza, por ejemplo, cuyos bloques de roca son ideales para practicar la escalada.

De hecho, las asociaciones ecologistas alertan sobre el peligro de masificación, ya que se calcula que algunos lugares del parque serán visitados por más de 2,5 millones de habitantes al año.

El 25 de junio de 2013 fue declarada Parque Nacional.

¿SABÍAS QUE...?

- El granito con el que se construyó el Museo del Prado procede de la sierra de Guadarrama.
- En el Parque hay 58 especies de mamíferos, de las cuales seis se encuentran solo allí (la liebre ibérica, por ejemplo).
- Desde el 2016 se ha detectado la presencia de ejemplares de lobo ibérico, que estaba en peligro de extinción desde hace unas décadas.
- El Tejo de Barondillo, cuyo tronco mide más de diez metros de diámetro, tiene más de 1200 años y es uno de los árboles más antiguos de España.

01 UN PASEO POR LA SIERRA...

Antes de ver
Un parque natural

A

Pensamos en un parque natural que conocemos. ¿Cómo lo describiríamos?

Texto y significado
Información interesante

B

Leemos el texto. ¿Qué temas aparecen? Los anotamos y comparamos nuestra lista con la de un compañero.

C

¿Cómo se expresa en el texto la siguiente información? Buscamos individualmente y comparamos nuestras respuestas con las de un compañero.

- La sierra de Guadarrama está en el centro de España.
- La sierra de Guadarrama va de suroeste a noreste.
- Su clima es de montaña.
- La Pedriza tiene un perfil característico.
- En esta sierra hay muchas especies de árboles.
- Hay muchos tipos de mamíferos.
- Tiene puertos de montaña y las vías de tren pasan por ella.
- Muchos turistas la visitan.

Antes de ver
Un documental

D

Pepo Paz nos acompaña a dar un paseo por la sierra de Guadarrama. En grupos, comentamos su afirmación: "La capacidad de sorpresa es la mejor acompañante para el viajero. Ningún destino es igual por muchas veces que se regrese a él".

Texto e imágenes
Mi lugar en el mundo

E

Vemos el vídeo y tomamos notas sobre la información más importante de los lugares que se visitan.

Texto y lengua
Léxico y registro

F

Leemos la transcripción del vídeo y subrayamos las palabras que conocemos relacionadas con las categorías del asociograma y lo completamos entre todos.

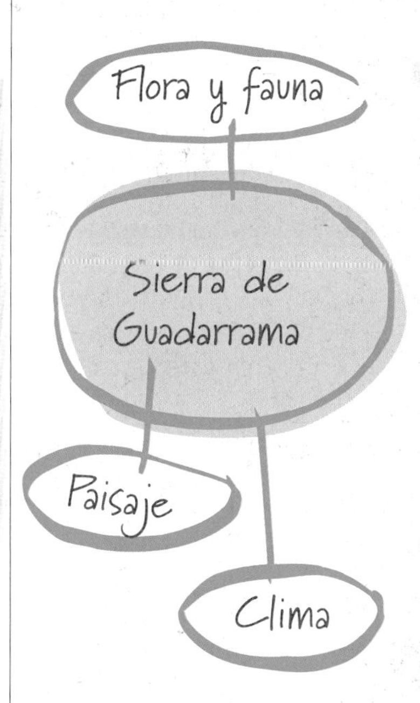

01
AGENDA DE APRENDIZAJE

Reglas y ejemplos
Relativas con preposición: que, cual

RG / P.182

Observamos estos ejemplos y completamos las frases siguiendo el modelo.

El Museo del Padro se construyó **con piedras** procedentes de la sierra de Guadarrama.	Las piedras **con las que** / **con las cuales** se construyó el Museo del Prado proceden de la sierra de Guadarrama.

Desde el pico más alto, Peñalara, se puede ver toda la sierra.	El pico más alto, **desde el que** / **desde el cual** se puede ver toda la sierra, se llama Peñalara.

Es un viaje para el cual hay que estar muy en forma .

Es un bosque por ....

Nueva York es una ciudad en ....

Reglas y ejemplos
Relativas en registro formal: cuyo/a/os/as

RG / P.183

Observamos cómo se utilizan los pronombres relativos **cuyo/a/os/as**. Después transformamos las frases y añadimos otra.

La Pedriza puede verse desde el embalse de Santillana. + El perfil de La Pedriza es muy característico. = La Pedriza, **cuyo** perfil es muy característico, puede verse desde el embalse de Santillana.	La Pedriza puede verse desde el embalse de Santillana. + Sus laderas están cubiertas de matorrales. = La Pedriza, **cuyas** laderas están cubiertas de matorrales, puede verse desde el embalse de Santillana.

1. Mérida es una ciudad romana. Su patrimonio arquitectónico es impresionante.

....

2. San Sebastián es una ciudad muy turística. Su gastronomía es magnífica.

....

3. Buenos Aires es una ciudad con mucha vida cultural. Sus librerías y teatros son famosos en todo el mundo.

....

4. ....

....

....

En español y en otras lenguas
Expresar la impersonalidad

Observamos las diferentes formas de dar información utilizando estructuras impersonales. ¿Cómo se hace en nuestra lengua o en otras que conocemos?

Registro informal
— *El Castillo de Manzanares el Real se construyó en el año 1475.*
— *El Castillo de Manzanares lo construyeron en el año 1475.*

Registro formal: construcciones pasivas sin agente
— *El Castillo de Manzanares fue construido en el año 1474.*

Reglas y ejemplos
La voz pasiva

 RG / P.190

Observamos estas construcciones pasivas y transformamos el texto de la ficha.

ser + participio (o/a/os/as) (+ **por**)
—*La sierra fue declarada Parque Nacional el 25 de junio de 2013.*

—*Se calcula que algunas zonas del Parque serán visitadas por más de 2,4 millones de habitantes al año.*

! La voz pasiva se utiliza por lo general en un registro escrito culto.

Juan de Garay fundó la ciudad de Buenos Aires en 1580. A fines de 1806 fuerzas británicas invadieron la ciudad. Muchos hispanoamericanos la consideran "la París de América".

 RG / P.177

Ahora escribimos tres datos sobre nuestra ciudad para una guía turística, usando la voz pasiva.

1. ______________________

2. ______________________

3. ______________________

01 TALLER DE USO

En parejas
Parque Nacional Galápagos

¿Qué sabemos de las islas Galápagos? Lo ponemos en común entre todos.

A partir de la información de esta ficha sobre el Parque Nacional Galápagos, redactamos un texto formal utilizando los recursos de la agenda.

Fecha de creación: 4 de julio de 1959

Motivo de la creación: conmemoración del centenario de *El origen de las especies*, de Charles Darwin

Ubicación: en la Provincia de Galápagos (una de las 24 provincias de Ecuador)

Distancia de la costa: 1000 km

Superficie: 7 970 km²

Islas, islotes y rocas: unas 233

Islas habitadas: Santa Cruz, San Cristóbal, Isabela, Floreana y Baltra

Capital administrativa: Puerto Baquerizo Moreno

Número de habitantes: 25.000

Fauna endémica: Aves: 45 especies; **Reptiles:** 42 especies; **Mamíferos:** 15 especies; **Peces:** 79 especies

Flora endémica: 500 especies (plantas, algas)

Especie más representativa: tortuga gigante

Clima: subtropical, con dos estaciones (de enero aabril: temporada de lluvias y temperaturas altas; de abril a enero: estación seca, temperaturas moderadas)

Punto más elevado: volcán Wolf (1707 m)

Actividades: turismo, pesca, observación de animales

Darwin y las islas: Darwin concibió su teoría sobre la evolución de las especies tras su estancia en las islas Galápagos.

http://www.galapagos.gob.ec/el-parque/

- **ser** + participio
- **el/la cual, los/las cuales**
- **cuyo/cuya/cuyos/cuyas**

- **(está) situado en...**
- **se encuentra en...**
- **allí abundan...**
- **se extiende...**
- **destaca...**
- **está caracterizado por...**
- **abundancia de...**
- **se caracteriza por...**
- **hay gran cantidad de...**
- **se calcula que...**

Intercambiamos nuestros textos con otra pareja y los comparamos. ¿Lo hemos formulado igual?

LA COLUMNA VERTEBRAL DE SUDAMÉRICA

La imponente cordillera de los Andes, columna vertebral de América del Sur, ha sido testigo de civilizaciones, conquistas, batallas, exploraciones y viajes. Es un espacio impresionante en el que sus antiguos habitantes trazaron rutas, abrieron caminos y dejaron huellas. Estas huellas todavía las podemos encontrar hoy. En la actualidad son muchos los que, fascinados por ellas, deciden recorrerlas y revivirlas. Entre la infinidad de rutas que podemos seguir, hemos seleccionado tres.

Ruta de la literatura
Chile

La Ruta Patrimonial Gabriela Mistral

En esta ruta de 150 kilómetros se visitan los lugares relacionados directamente con la vida de Gabriela Mistral, la poeta chilena ganadora del Premio Nobel de Literatura en 1925. Entre ellos, su casa natal y sus primeras escuelas, así como pequeños poblados rurales que poseen un enorme patrimonio prehispánico y que acercan al visitante al entorno que inspiró a la poeta.

Ruta de los libertadores
Chile y Argentina

Cruce de los Andes

En 1817 el ejército del general San Martín, con 5200 hombres, caballos, mulas y armas, cruzó los Andes de Argentina a Chile por seis rutas diferentes, en lo que se ha llamado "la gesta de los Andes", por las durísimas condiciones en las que se llevó a cabo. El objetivo era lograr y consolidar la independencia de la Argentina, Chile y el Perú. Hoy en día, 200 años después de la gesta, se organizan rutas a pie o a caballo por los mismos lugares que recorrió San Martín, como recordatorio de aquella hazaña.

Ruta de la ciencia
Ecuador

La Avenida de los Volcanes de Humboldt

En el siglo XIX Alexander von Humboldt llamó así a la serie de volcanes que se encuentran en el valle interandino del Ecuador. Estos volcanes, entre los que están el Chimborazo y el Cotopaxi, conforman una ruta de más de 300 km de largo. La Avenida ofrece muchas posibilidades para montañistas, excursionistas y amantes de la naturaleza: por ejemplo, rutas a caballo o en bicicleta, rutas de observación de animales y aves silvestres.

RECUERDOS DEL CAMINO DEL INCA

PRIMER DÍA

El primer día de caminata fue muy fácil: primero cruzamos el río Urubamba por un puente colgante y luego empezamos a subir por una ladera suave. Caminamos unas cinco horas, parando para almorzar. En esta etapa la vegetación es poco densa, con árboles y plantas bajas típicas del altiplano, y hacía sol y buen tiempo.

SEGUNDO DÍA

Ese día fue especialmente duro. La subida era muy pronunciada y respirábamos con dificultad por la altura, así que enseguida me sentí mareada y un poco confundida. De vez en cuando nos apartábamos del camino para mirar alrededor y disfrutar de las vistas. Yo estaba impresionada por el paisaje. La primera parte de la travesía fue a través de una zona selvática, pero a medida que ascendíamos, el paisaje iba cambiando y haciéndose más árido. La caminata fue realmente dura. Estuvimos subiendo durante unas cinco horas por unas escalinatas empinadas hasta que alcanzamos el Warmiwañusca, el Paso de la Mujer Muerta, el punto más alto de toda la travesía, a 4 215 metros. Me resultó agotador y llegué casi al límite de mis fuerzas, pero... ¡llegué!

TERCER DÍA

Caminamos por un sendero hasta el paso Abra de Runkurakay, a 3 888 metros de altitud, después de rodear una pequeña laguna. Luego, poco a poco, empezamos a descender. A medida que bajábamos, el paisaje se iba transformando: nubes a nuestro alrededor, selva, miles de flores, puentes de madera, árboles y cantos de pájaros nos acompañaron durante todo el camino. ¡Qué belleza! Cruzamos túneles de piedra y descendimos por escalinatas que giraban en espiral. Me impresionaron especialmente las ruinas de Puyupatamarka, con sus espectaculares terrazas agrícolas. ¡Me quedé absolutamente maravillada!

CUARTO DÍA

Esta parte del trayecto fue más fácil. Después de unas horas subiendo y bajando, nos encontramos con un último desafío antes de alcanzar Machu Picchu: una escalera empinadísima, con escalones resbaladizos que conducían hacia Inti Punku, la Puerta del Sol, el acceso a la ciudad. La subimos y arriba encontramos un cartel con la inscripción "Inti Punku", que nos anunciaba que ¡lo habíamos logrado! Me sentí feliz: el esfuerzo había merecido la pena. Rodeado de montañas verdes y protegido por las nubes, el Machu Picchu es uno de los lugares más impresionantes y hermosos del mundo. No encuentro palabras para decir lo que sentí. Realmente es un lugar del que me enamoré.

02 LA COLUMNA...

Antes de leer
La columna vertebral de Sudamérica

¿Qué imágenes nos vienen a la cabeza cuando se habla de la cordillera de los Andes? ¿Qué sabemos sobre ella? ¿Alguno de nosotros ha estado allí?

Texto y significado
Rutas por los Andes

Leemos la información sobre las tres rutas. ¿Cuál o cuáles nos gustaría hacer? ¿Por qué? Hablamos con los compañeros.

Texto y significado
Por el Camino del Inca

Leemos el diario de viaje que ha escrito Irene sobre el Camino del Inca y relacionamos cada entrada con un posible título. Discutimos nuestra elección con un compañero.

a. Describir lo indescriptible
b. El calentamiento
c. La subida sin fin
d. Naturaleza exuberante

Texto y lengua
Sensaciones

Leemos de nuevo el diario y marcamos cómo expresa Irene sus sensaciones físicas y emocionales. ¿Nos hemos sentido de forma parecida durante algún viaje? Hablamos con los compañeros.

Texto y significado
Verónica

Verónica cuenta su experiencia haciendo el camino del Inca. ¿Cómo fue su experiencia? ¿Coincide con Irene? ¿Qué otra información interesante aporta?

Texto y lengua
Subir, cruzar...

Anotamos las construcciones verbales del diario que indican movimiento. Las ponemos en común con los demás compañeros.

02

AGENDA DE APRENDIZAJE

Palabras para actuar
Situar en el espacio

Observamos estos recursos y escribimos frases sobre lugares que conocemos.

—*El lago está a 2 horas de mi casa.*
está a 100 km de mi casa.
está a 2400 metros de altitud
está situado al norte de la región.
se encuentra en un parque nacional.
se halla entre dos montañas. (Hallarse)
queda lejos de aquí.

> **!** El verbo **hallarse** pertenece a un registro culto, normalmente de la lengua escrita.

Mis ejemplos:

Palabras en compañía
Verbos de movimiento

Relacionamos los verbos con los dibujos correspondientes de la lista y dibujamos el resto en nuestro cuaderno. Comparamos nuestras representaciones gráficas.

- **bajar**
- **alejarse**
- **seguir**
- **pararse**
- **atravesar**
- **entrar**
- **salir**
- **acompañar**
- **llegar a**
- **subir**
- **trasladarse**
- **recorrer**
- **pasar por**
- **rodear**
- **apartarse**
- **llevar**
- **acercarse**

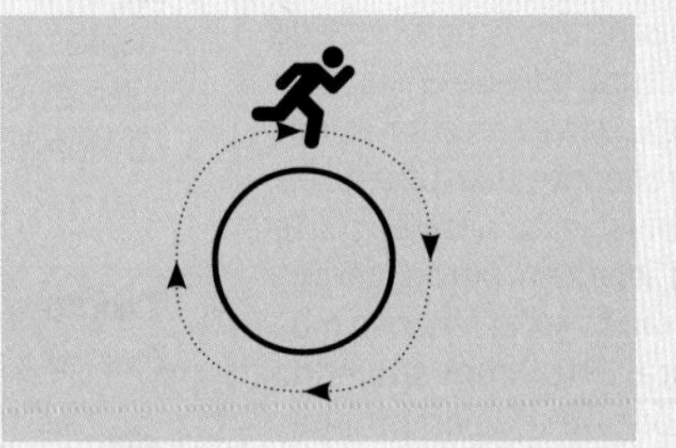

Palabras en compañía
Expresar estados físicos y de ánimo

Observamos las siguientes expresiones, continuamos las series y describimos brevemente cómo nos hemos sentido en algún momento clave de nuestra vida.

- **sentirse** → mareado → un poco confundido → feliz →
- **estar** → impresionado → al límite de mis fuerzas →
- **quedarse** → maravillado →
- **resultarle** → algo → a alguien → agotador →

Mis ejemplos:

02
TALLER DE USO

En parejas
Ruta por una isla

Ricardo ha hecho una ruta por la imaginaria isla de Magencia. Escuchamos cómo se lo cuenta a una amiga que conoce la isla y señalamos el recorrido en el mapa. Luego lo comparamos con el que ha marcado un compañero.

Volvemos a escuchar la grabación y tomamos nota sobre lo que dice de los diferentes lugares por los que pasó.

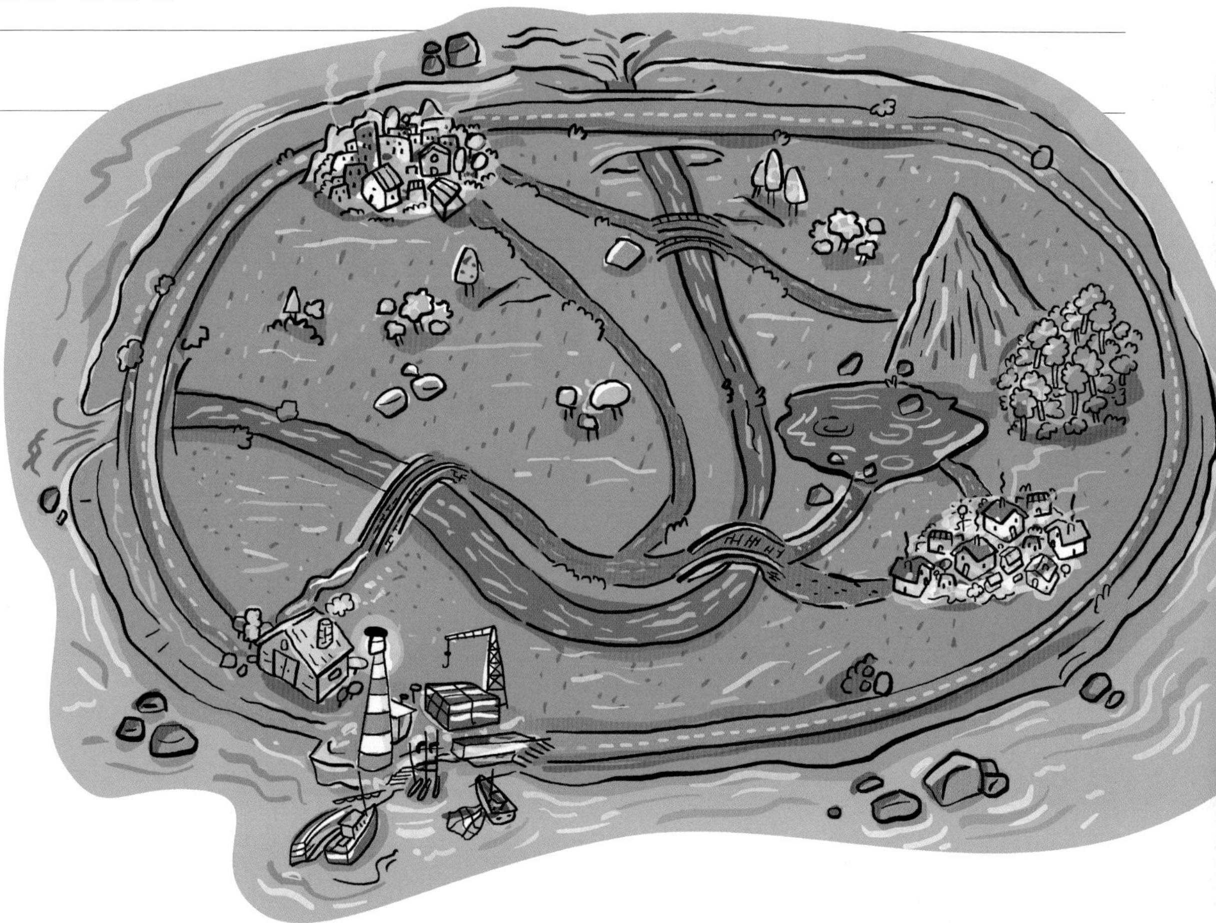

Con lápiz o con ratón
Nuestra ruta por...

En parejas, vamos a relatar cómo fue nuestra ruta (real o imaginaria) por una isla para un blog de viajes. Escogemos una isla, buscamos en internet información sobre ella y un mapa. Pensamos en una ruta de tres días y la redactamos.

- qué hicimos
- cómo fue cada etapa
- qué vimos
- cómo nos sentimos en diferentes momentos

Le entregamos nuestro mapa a otra pareja y leemos nuestra ruta. Ellos deben dibujarla en el mapa. Luego hacemos lo mismo con la suya.

UN MAR DE IDENTIDADES

Identidades Transnacionales es un proyecto fotográfico que retrata a varios jóvenes de 16 a 25 años, hijos de inmigrantes en España de diferentes orígenes y culturas, y recoge sus testimonios acerca de su identidad, su pasado, su presente y sus perspectivas de futuro.

Se trata de una generación de jóvenes cuya identidad tiene sus raíces no solo en la península, sino también en África, Latinoamérica o Asia. Así, aunque hayan nacido en España, sus orígenes los vinculan con otras culturas.

Los autores del reportaje afirman: "Creíamos que los jóvenes hijos de inmigrantes nacidos aquí, o que llegaron muy pequeños, eran una generación perdida entre dos mundos, dos culturas, dos formas de ver la vida. Pensábamos que teníamos muchas cosas que enseñarles, que teníamos que compadecerlos, que debíamos ayudarlos a buscar su identidad... Pero no. Lo que no sabíamos es que los representantes de la segunda generación de inmigrantes saben muy bien dónde están, qué simbolizan y, sobre todo, lo que quieren. Nos hicieron ver que la identidad es algo fluido, no un tótem inamovible".

¿DE DÓNDE ERES? ¿DE DÓNDE TE SIENTES?

RAKESH BHAGWAN NARWANI

31 años, realizador y guionista, de padres indios y nacido en Ceuta.

Yo intento nadar en un mar de identidades diversas. Soy de todas esas partes en las que me he sentido vivo. Estuve viviendo en Italia nueve meses, así que me siento un poco italiano. Luego viví en Nueva York, así que también tengo algo de neoyorquino. Si tuviera que decir que soy de algún sitio, diría que me siento de la playa de Huelín, el barrio donde viven mis padres en Málaga. Allí veo el mar y sé que al otro lado está África, está Ceuta, donde nací. Si miro a la derecha,está América, y Nueva York, y si miro a la izquierda, la India, que, aunque esté lejos, sé que está esperándome para que la conozca mejor.

ASUN LÓPEZ MORADA

30 años, diplomada en Turismo. Malagueña. Hija de padres filipinos. Tiene un restaurante en Fuengirola.

El mayor obstáculo que he encontrado aquí es que tuve que esperar hasta la mayoría de edad para obtener la nacionalidad española, aun siendo España mi lugar de nacimiento. Recuerdo la primera vez que pisé la tierra de mis padres, la emoción que sentí al verme como una persona más y al ver ese lugar que tantas y tantas veces habían visto mis padres durante su infancia y adolescencia. La verdad es que sentí que esa también era mi tierra. Por muy lejos que Manila esté de España, la siento muy cerca de mi corazón.

SANTTU VOTTONEN

26 años, albañil, hijo de finlandeses. Llegó a España con 5 años.

A pesar de vivir en España desde muy pequeño, no me siento español. He nacido en Finlandia y tengo sangre finlandesa; eso no se puede cambiar. Pero como llevo tanto tiempo fuera de Finlandia, cuando regreso de vacaciones, me siento como un turista. Conozco mejor las calles de aquí. Viajando me siento cada vez más como un ciudadano del mundo, no de Finlandia y tampoco de España.

Texto adaptado de http://www.geaphotowords.com

PAOLA CARDONA
23 años, diplomada en Publicidad y Relaciones Públicas, de origen colombiano. Llegó de pequeña a España.

Mis padres y yo nacimos en Cali, Colombia. Desde mi llegada a España, puedo decir que nunca he tenido obstáculos, ni en mi vida profesional, ni en la personal; siempre he estado rodeada de gente estupenda que me ha tratado como a una más y que me ha acogido como a una persona más sin importar mi procedencia. Por mucho tiempo que pase y por muchos lugares que visite, nunca dejaré de sentirme colombiana y de enorgullecerme al hablar de mi país. España ocupa un lugar importante en mi corazón, pues la persona que soy ahora es gracias a todo lo vivido en este hermoso país y al cual estaré eternamente agradecida.

03 UN MAR DE IDENTIDADES

Antes de leer
Identidad transnacional

A

¿Cómo interpretamos la frase "la identidad es algo fluido, no un tótem inamovible"? Hablamos entre todos.

Texto y significado
De segunda generación

B

Leemos el texto introductorio. ¿Entendemos mejor la frase anterior? ¿Aparecen cosas que hemos comentado?

C

Leemos de nuevo el texto. ¿En qué estaban equivocados los autores del estudio? ¿Cómo lo sabemos? ¿Cómo se expresa en el texto? Lo comentamos con un compañero.

Texto y significado
Testimonios

D

Leemos los testimonios y escribimos una frase que resuma el contenido de cada uno. Se las leemos a un compañero. ¿Sabe de qué testimonio se trata?

Texto y lengua
Aunque...

E

Nos fijamos en los siguientes fragmentos de los testimonios y los reformulamos.

- **Por mucho tiempo que** pase y **por muchos lugares que** visite, nunca dejaré de sentirme colombiana.
- **Por muy lejos que** Manila esté de España, la siento muy cerca de mi corazón.
- Tuve que esperar hasta la mayoría de edad para obtener la nacionalidad española, **aun siendo** España mi lugar de nacimiento.
- **A pesar de** vivir en España desde muy pequeño, no me siento español.
- A la izquierda está la India, muy lejos de aquí. **Aunque** esté lejos, sé que está esperándome para que la conozca mejor.

Texto y significado
La identidad de Carmen

F 9 11

Escuchamos a Carmen y contestamos las siguientes preguntas. Comparamos nuestras respuestas con las de un compañero.

1. ¿De dónde son ella y su familia?
2. ¿De dónde se siente?
3. ¿Qué relación tiene con cada país y cultura?
4. ¿Qué desea para su hijo?
5. ¿Su identidad le ha supuesto alguna vez un problema?

G

¿Alguien de la clase tiene una identidad múltiple? Hablamos entre todos.

03

AGENDA DE APRENDIZAJE

Reglas y ejemplos
Expresar desconocimiento

RG / P.192

Observamos los recursos y continuamos las frases.

Hechos presentes

(No) sabía que + imperfecto de indicativo o subjuntivo

—*No sabía que México era / fuera tan grande.*
(información nueva)

Creía / Pensaba que + imperfecto de indicativo

—*Creía que en Brasil la lengua oficial era el español.*
(información errónea)

Hechos pasados

(No) sabía que + pluscuamperfecto de indicativo o subjuntivo

—*No sabía que habías / hubieras nacido en Chile.*
(información nueva)

Creía / Pensaba que + pluscuamperfecto de indicativo

—*Yo pensaba que los incas habían vivido en México.*
(información errónea)

Antes de estudiar español ....

Antes de ....

Reglas y ejemplos
Oraciones concesivas: aunque

RG / P.195

Observamos los ejemplos y transformamos las respuestas de las cajas blancas usando **aunque** y escogiendo entre indicativo y subjuntivo.

Con indicativo
(la información se presenta como nueva)

—*Aunque va a hacer calor, llévate una chaqueta, por si acaso.*

Con subjuntivo
(la información se presenta como compartida)

—*Pancho no quiere salir. Es que tiene frío.*
—*Pues aunque tenga frío, hay que sacarlo.*

- ¿Tú de dónde eres?
- Bueno, en realidad nací en Berlín, pero me siento más bien español.

- Tú debes de hablar muy bien alemán, ¿no? Como tu madre es alemana...
- Bueno, mi madre es alemana, pero en casa siempre hemos hablado español.

En español y en otras lenguas
Otros nexos concesivos

3

RG / P.195

Observamos el uso de estas construcciones y las traducimos a nuestra lengua.

aun + gerundio
—*Aun siendo rico, Luis vive en un piso pequeño y viejo.*

a pesar de + sustantivo
—*A pesar de su carácter antipático, tenía bastantes amigos.*

a pesar de + infinitivo
—*A pesar de ser antipático, tenía bastantes amigos.*

a pesar de que + frase
—*A pesar de que era antipático, tenía bastantes amigos.*

por muy... que + subjuntivo
—*Por muy inteligente que sea Ana, algo tiene que estudiar.*

por mucho/a/os/as... que + indicativo / subjuntivo
—*Luis está desesperado. Por mucho que estudia, no consigue aprobar.*
—*Por mucho que grites, no te daré la razón.*

! **Por mucho/a/os/as... que** y **a pesar de que** funcionan como **aunque**: si la información se presenta como nueva, van con indicativo; si se presenta como conocida, con subjuntivo.

03
TALLER DE USO

En parejas
Latinos en EE.UU.

Leemos la información sobre la presencia latina en los EE.UU. Con un compañero comentamos qué cosas sabíamos, cuáles no sabíamos y cuáles nos las imaginábamos de otra manera. Después, lo compartimos con toda la clase.

1 Los estados de Texas, Florida, Arizona, California, Nevada y Luisiana, entre otros, fueron colonizados por España, y algunos de ellos formaron parte de México durante un tiempo.

2 La presencia de la lengua española en territorio estadounidense es anterior a la de la lengua inglesa. Ya en 1513, el explorador Juan Ponce de León lideró una expedición a Florida, 70 años antes que el pirata inglés Sir Walter Raleigh estableciera allí una colonia.

3 En el delta del Misisipi hay una comunidad de origen hispano conocida como "los isleños de Luisiana". Los habitantes de más edad aún hablan el dialecto que sus antepasados llevaron desde las islas Canarias entre los años 1778 y 1783.

4 El español neomexicano es una variedad hablada en los estados de Nuevo México y Colorado. Se trata de un dialecto de la época en la que esos territorios eran colonia española, y que posee rasgos del castellano medieval y gran cantidad de indigenismos (del náhuatl y otras lenguas amerindias).

5 Muchos topónimos de los EE.UU. son de origen español: Florida (por el día de Resurrección o Pascua Florida), Colorado (color del río), Nevada (color de las montañas) o California (nombre del paraíso en tierra en una novela de caballerías medieval).

6 Actualmente, el 17,5% de la población estadounidense es de origen hispano (55,2 millones) y, de ellos, el 63% es de origen mexicano.

7 Dos apellidos hispanos, García y Rodríguez, se encuentran entre los diez más comunes en los EE.UU.

8 Cerca del 82% de los hispanos conserva la lengua española.

9 Para algunos países hispanos, el dinero que envían desde los EE.UU. los emigrantes a su país es la principal fuente de ingresos.

10 Los hispanos de Estados Unidos no son un bloque homogéneo. La mayoría de los latinos que vive en Estados Unidos cree que hay más diferencias que semejanzas entre ellos.

11 Los hispanos que viven en los Estados Unidos mantienen sus tradiciones, celebraciones y costumbres. Además, estadounidenses no hispanos adoptan algunas de las costumbres hispanas, como la piñata: en un año se venden en EE.UU. aproximadamente doce millones de piñatas. La mitad, para niños no hispanos.

12 La celebración de los *sweet sixteen* con la que las chicas celebran su decimosexto cumpleaños procede de la fiesta de las "quinceañeras": una tradición hispana con 400 años de antigüedad.

13 El béisbol, deporte estadounidense por excelencia, sería hoy impensable sin los latinos: uno de cada cuatro jugadores de las Grandes Ligas es latino.

Yo no sabía que algunos estados de Estados Unidos habían formado parte de México.

¿Hay algunos fenómenos que nos parecen contradictorios con respecto a la situación de los hispanos en EE.UU.?

—*Aunque...*
—*A pesar de (que)...*
—*Aun ...*
—*Por muy / muchos ...*

Aunque 55,2 millones de personas son de origen hispano, no son un bloque homegéneo.

Entre todos
Cosas que no sabíamos

Buscamos o pensamos en dos datos curiosos sobre nuestro país, región o ciudad que creemos que pueden desconocer los compañeros. Los demás reaccionan cuando todo el mundo ha dado sus datos.

En mi país, más del 10% de la población es de origen extranjero.

Yo no sabía que en Suecia...

ARCHIVO DE LÉXICO

Palabras en compañía
Paisaje y accidentes geográficos

Identificamos en la ilustración los siguientes nombres de lugares.

- ☐ embalse
- ☐ cabo
- ☐ golfo / bahía
- ☐ estrecho
- ☐ península
- ☐ llanura
- ☐ laguna
- ☐ puente
- ☐ sendero
- ☐ túnel
- ☐ puerto
- ☐ puerto de montaña
- ☐ desembocadura de un río
- ☐ pico
- ☐ cordillera / sierra

Palabras en compañía
Clima y tiempo atmosférico

Completamos las series y describimos el clima y el tiempo atmosférico de un lugar que conocemos.

Tiene un clima	suave	lluvioso	templado	seco
El clima es	mediterráneo	continental	desértico	
Hace un tiempo	primaveral	veraniego		

> ! **Hace** buen / mal **tiempo**
> Esta región **tiene** un buen / mal **clima**.

PROYECTOS

Palabras para actuar
Hablar de la identidad

Observamos los recursos para hablar de la identidad de una persona y escribimos frases.

Origen y nacimiento
—Tengo raíces argentinas y polacas.
—Nací en Colombia.
—Soy de origen libanés.
—Soy de procedencia inglesa.
—Soy de madre española y padre chino.
—Tengo sangre marroquí.
—Tengo algo de colombiano.

Comunidad y formas de vida
—Mi forma de ver la vida se parece más a la mexicana que a la estadounidense.
—Conservo algunas costumbres colombianas.
—La comunidad chilena es muy activa.

Viajes
—Mis abuelos emigraron a Canadá.
—Algún día quiero regresar a mi país.
—Llevo diez años fuera de España.

Sentimientos
—No me siento de ningún lugar.
—Mi tierra es México.
—(No) me siento mexicano.
—Yo soy ciudadano del mundo.

Legalidad, burocracia
—Obtuve la nacionalidad española a los 18 años.
—Tengo pasaporte italiano.

Proyecto en grupo
Nuestro lugar en el mundo

De manera individual pensamos en dos o tres lugares que son muy especiales para nosotros. Se los presentamos a dos compañeros (con fotos, si tenemos), explicando:

- por qué los hemos elegido
- qué relación tenemos con ellos
- cómo son geográficamente
- qué sentimos cuando estamos o estuvimos allí

En grupos, explicamos por qué hemos elegido estos lugares.

Un lugar especial para mí es Mérida, en la península de Yucatán, en México. Fui por primera vez...

Cada grupo elige uno de los lugares de los que ha hablado y prepara una presentación. Si queremos, la compartimos en nuestro espacio virtual.

- Decidimos el formato de la presentación (presentación oral apoyada con imágenes una guía impresa el guion para un reportaje audiovisual una presentación audiovisual para *YouTube*, etc.).
- Buscamos información detallada, imágenes, etc., de cada uno de los lugares y redactamos la presentación.
- Le ponemos un título.
- Presentamos nuestro lugar al resto de la clase.

EN CUERPO Y ALMA

ENCONTRARSE MIEDO
UN RESFRIADO
TRIPA MAREADO LA GRIPE OÍDO
CON FIEBRE
MAREADO
GARGANTA
LA GRIPE
GINECÓLOGO
GINECÓLOGO
TOS SANO CALOR MÉDICO
GRAVE
ENFERMO
CON FIEBRE
UN ACCIDENTE CABEZA SENTIRSE ENFERMO MIEDO RIÑONES GINECÓLOGO NÁUSEAS
MÉDICO GRAVE NÁUSEAS TOS OÍDO RIÑONES ENFERMO
MIEDO CABEZA GARGANTA INFARTO ENCONTRARSE UN RESFRIADO TRIPA
SENTIRSE NÁUSEAS SENTIRSE MAREADO GARGANTA UN ACCIDENTE GINECÓLOGO MÉDICO
CON FIEBRE MUELAS MAREADO ENCONTRARSE
OÍDO UN RESFRIADO UN ACCIDENTE SENTIRSE MAREADO CABEZA
GARGANTA INFARTO GARGANTA UN RESFRIADO UN ACCIDENTE
RIÑONES NÁUSEAS ENFERMO
SANO CALOR MUELAS
NÁUSEAS ENCONTRARSE MIEDO MÉDICO
MUELAS SENTIRSE TOS INFARTO
GINECÓLOGO MIEDO GRAVE MUELAS RIÑONES NÁUSEAS LA GRIPE TRIPA
NÁUSEAS MIEDO UN ACCIDENTE GRAVE CON FIEBRE GINECÓLOGO UN ACCIDENTE
SENTIRSE GRAVE NÁUSEAS MAREADO GARGANTA MUELAS INFARTO SANO
ENCONTRARSE OÍDO SANO TOS CALOR
MIEDO SANO GRAVE UN ACCIDENTE NÁUSEAS
INFARTO TOS ENCONTRARSE
LA GRIPE SENTIRSE GARGANTA UN RESFRIADO INFARTO CON FIEBRE
ENCONTRARSE SANO NÁUSEAS

UNIDAD 4

DOCUMENTOS

DOSIER 01
Ojo, cuidado
DOSIER 02
¿Te encuentras mal?
DOSIER 03
¿Somos lo que comemos?

LÉXICO

- Salud y enfermedad
- Sensaciones físicas
- Partes de la casa
- Nutrición y dieta
- **Sentirse, sentarle, sentarse**
- **Poner, meter, colocar**
- **Tener**
- **Doler, hacer(se/le) daño**
- Partes del cuerpo y órganos
- Postura y cambios de postura
- Especialidades médicas
- Componentes de los alimentos
- Registros formal e informal

GRAMÁTICA

- Nexos condicionales: **a no ser que** / **siempre y cuando** + subjuntivo, **excepto si** + indicativo...
- Verbos con pronombres: **me**, **te**, **se**
- Imperativo y pronombres
- Futuro simple y compuesto con significado de probabilidad
- **Que** + subjuntivo: **Que descanses**...
- Nexos comparativos: **mejor / peor que**, **más de lo que**, etc.

COMUNICACIÓN

- Hablar del estado de salud
- Hacer recomendaciones
- Condiciones poco probables y excepciones
- Avisar de un peligro
- Especular sobre las causas de algo
- Expresar buenos deseos
- Hablar de hábitos alimentarios
- Excusarse y reaccionar
- Hacer comparaciones

CULTURA

- Hábitos alimentarios actuales

PROYECTOS

- Hacer una guía para unas vacaciones sin disgustos

PUNTO DE PARTIDA

Nube de palabras
Sentirse mal

A 

¿Con qué palabras o expresiones de la nube se combinan los siguientes recursos?

estar... | tener... | dolor de... | ir al... | me da/n... | ... bien / mal / fatal / mejor / peor | ponerse... | sentirse...

Nube de palabras
Partes del cuerpo

Anotamos aquellas partes del cuerpo que sabemos nombrar en español. Buscamos en el diccionario otras que son importantes para nosotros.

Yo he buscado 'espalda' porque a veces tengo dolor de espalda. ”

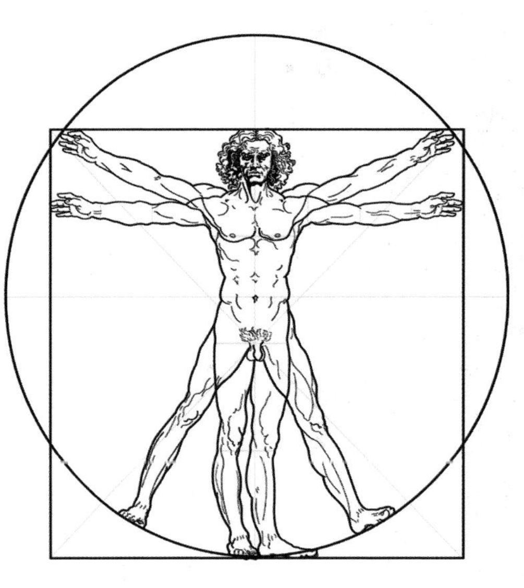

Nube de palabras
Problemas de salud

Completamos individualmente las frases (consultando el diccionario si es necesario) para referirnos a nuestra propia salud.

—A veces tengo dolor de...
—Cuando como / tomo...
—La última vez que estuve enfermo/a, fue cuando...
—Una vez fui a urgencias porque...
—Me sienta/n mal ...
—Para sentirme bien, tengo que...
—El momento del día en el que me siento mejor es...

Hacemos lo mismo con una persona de nuestro entorno.

OJO, CUIDADO

Nuestra casa, el lugar donde probablemente pasamos más tiempo, puede encerrar más peligros de los que creemos: los accidentes domésticos son una de las principales causas de fallecimiento, con cifras parecidas a las de enfermedades tan graves como las cardiovasculares o el cáncer. Los datos son impactantes: en los últimos años se produjeron anualmente en los hogares españoles más de 1,5 millones de accidentes domésticos que acabaron en la consulta de un médico o en urgencias. Estadísticamente, los niños menores de cinco años y los ancianos son los grupos que los sufren con mayor frecuencia. Por eso, acondicionar la vivienda y prestar atención en todo momento a lo que están haciendo es muy importante.

Evidentemente, es imposible evitar al 100 % los accidentes en el hogar, pero aquí encontrarás algunas recomendaciones muy útiles para prevenirlos.

SEGUROS EN CASA. ¿CÓMO EVITAR RIESGOS?

CAÍDAS

1. No deje nunca solo a un bebé en una habitación con ventanas o escaleras,o en un lugar alto, como una trona o un cambiador.
2. Utilice materiales antideslizantes para los suelos, en especial en lugares que suelen mojarse (bañeras, cocina...).
3. Instale una buena iluminación en las zonas de paso y en las escaleras.

INTOXICACIONES

4. Mantenga los medicamentos y las sustancias peligrosas, como los productos de limpieza, fuera del alcance de los niños.
5. No consuma medicamentos a no ser que se los haya prescrito un médico. Al tomarlos, siga sus indicaciones.
6. Tenga en cuenta siempre las fechas de caducidad de los alimentos y de los medicamentos.
7. No coma setas u otros productos silvestres excepto si sabe con total seguridad que no son tóxicos.

HERIDAS Y GOLPES

8. Los cortes con tijeras, cuchillos y herramientas de bricolaje son accidentes muy comunes. Colóquelos en lugares cerrados o cuélguelos en sitios adonde los niños no puedan llegar.
9. En caso de producirse un corte con hemorragia, cubra la herida y haga presión para evitar perder mucha sangre. Si el sangrado no se detiene, vaya inmediatamente al centro de salud más próximo.

ELECTROCUCIÓN

10. No coloque aparatos eléctricos en zonas donde pueda haber humedad.
11. No haga reparaciones en las instalaciones eléctricas, salvo que tenga una formación específica para ello.
12. Evite manipular electrodomésticos con los pies o las manos húmedas.
13. Tenga cuidado con los enchufes y, si hay bebés en su casa, use protectores.

ATRAGANTAMIENTOS

14. Tenga especial cuidado con objetos o juguetes que contengan piezas pequeñas, ya que los niños menores de tres años se las llevan a menudo a la boca o se las introducen en la nariz.
15. No permita que los niños coman cuando están jugando, corriendo o llorando. Pueden atragantarse.

QUEMADURAS

16. No deje mecheros o cerillas al alcance de los niños.
17. Procure que los niños no se acerquen al lugar donde se cocina.
18. En el caso de que tenga que cocinar con niños cerca, coloque los cazos y las sartenes en los fuegos más alejados del borde de la encimera.

AHOGAMIENTOS

19. Vigile en todo momento a los niños pequeños cuando se metan en el agua (en bañeras, en piscinas, etc.).
20. Incluso en el caso de que sepan nadar, no deje que los niños jueguen sin vigilancia en los alrededores de una piscina, un estanque o un depósito de agua.

01
OJO, CUIDADO

Antes de leer
¿Qué peligros hay?

Observamos la ilustración. ¿Qué accidentes pueden suceder en cada parte de la casa? Hablamos con un compañero utilizando estas construcciones verbales u otras.

- **caerse**
- **resbalarse**
- **intoxicarse**
- **clavarse**
- **hacerse una herida**
- **tropezarse**
- **cortarse**
- **darle a alguien un calambre**
- **atragantarse**
- **darse un golpe**

Después de fregar el suelo, puedes resbalarte y caerte.

Texto y significado
Prevenir accidentes

B

Leemos el texto introductorio. ¿Qué podemos hacer para evitar estos riesgos? En pequeños grupos, hacemos una lluvia de ideas y las ponemos en común con los compañeros.

Leemos las recomendaciones para evitar accidentes domésticos. Con un compañero escribimos en la imagen el número de la recomendación que se da para evitar cada peligro.

Tres personas cuentan pequeños accidentes domésticos que han sufrido. Escuchamos y tomamos notas.

Texto y lengua
Condicionales

Expresamos lo mismo sustituyendo los conectores en negrita.

1. No consuma medicamentos **a no ser que** se los haya prescrito un médico.
   Si no se los ha prescrito un médico, no consuma medicamentos.
2. No coma setas **excepto si** sabe que no son tóxicas.
3. **En caso de** producirse un corte con hemorragia, tape la herida.
4. Incluso **en el caso de que** sepan nadar, no deje que los niños jueguen sin vigilancia en los alrededores de una piscina.

AGENDA DE APRENDIZAJE

Reglas y ejemplos
Imperativos y pronombres

RG / P.181

Observamos estos diálogos y contestamos las preguntas en forma afirmativa y negativa.

Imperativo afirmativo + pronombres	**No** + pronombres + imperativo negativo
–¿**Le** doy la pastilla **a Berta**? –Sí, dá**se**la.	–¿**Le** doy la pastilla **a Berta**? –No, no **se** la des.

1. ¿Les pongo el pijama a los niños? ....

2. ¿Qué te parece? ¿Le compro estas flores a Virginia? ....

3. ¿Quieres que te caliente la sopa? ....

Tomad + **os** = **Tomaos** la leche, niños.
Lavad + **os** = **Lavaos** los dientes antes de acostaros.

Palabras para actuar
Expresar condiciones

RG / P.195

Observamos los recursos y escribimos nuestros ejemplos.

Excepciones (= si no se produce)

salvo que **a no ser que** **excepto que**	+ subjuntivo
excepto si	+ indicativo

—No aceptaré ese trabajo, a no ser que pueda empezar dentro de seis meses.
—Es bueno tomar leche, excepto si tienes intolerancia a la lactosa.

Condiciones poco probables

en (el) caso de	+ infinitivo
en (el) caso de que	+ subjuntivo (presente o imperfecto)

—En el caso de estar embarazada, no consuma este medicamento.
—En el caso de que tenga problemas cardíacos, debe consultar a su médico.
—En el caso de que tuviera problemas cardíacos, consulte a su médico.

Tres cosas que solo hago en condiciones excepcionales
....
....
....

Tres que nunca hago, pero que haría en ciertas condiciones, poco probables
....
....
....

Recuerda que, a diferencia de estas construcciones condicionales, **si** nunca va acompañado de presente de subjuntivo, condicional o futuro.
~~**si tenga, si tendría, si tendré**~~

Palabras para actuar
Poner, meter, colocar...

Transformamos estas frases sustituyendo **poner** por un verbo de la lista.

- **meter**
- **dejar**
- **instalar**
- **guardar**
- **colocar**
- **cubrir**
- **introducir**
- **colgar**

Pon ese plástico **encima** de la mesa. Así no se ensucia.
Cubre la mesa con ese plástico.

Pon los periódicos en esa caja.
....

Poned las maletas en el garaje.
....

Ponga las joyas en la caja fuerte.
....

Pon bien la alfombra; alguien puede tropezar.
....

Pon un protector sobre este enchufe. El niño lo está tocando.
....

Ponga su tarjeta de crédito en la ranura.
....

¡Ojo!, el niño se está **poniendo** algo en la boca.
....

Poned los trajes en el armario.
....

La gramática de las palabras
Verbos con pronombres: me, te, se

RG / P.179

Completamos con frases que ejemplifiquen estos verbos. Podemos usar cualquier tiempo verbal o persona.

Estado de salud

Sentirse bien / mal: ....

Encontrarse bien / mal: Ayer me encontraba mal, así que no fui al trabajo.

Acciones sobre uno mismo

bañarse / meterse en el agua: ....

protegerse: ....

cuidarse: Ana se cuida: hace deporte, come bien...

Consumir la totalidad de algo

tomarse: ¡Se ha tomado un litro de café!

beberse: ....

comerse: ....

leerse: ....

Accidentes, procesos involuntarios que recaen en uno mismo

romperse: Me he roto un brazo esquiando.

caerse: ....

darse un golpe: ....

atragantarse: Se ha atragantado con un hueso, pero no ha sido nada.

quemarse: ....

Palabras para actuar
Avisar de un peligro

5 Observamos los recursos.

RG / P.177

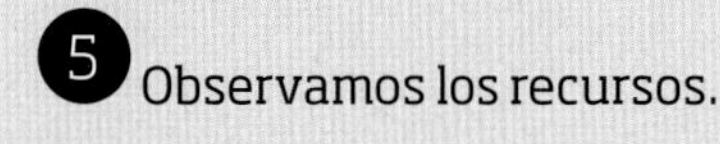

— *¡Ojo con ese cuchillo!*
— *(Ten) cuidado con el cuchillo.*
— *¡Atención!*

01 TALLER DE USO

En parejas
Peligros

¿Qué peligros pueden darse en los siguientes escenarios? Hacemos una lista.

- un chiringuito en la playa
- un viaje en coche con mal tiempo
- un parque infantil
- un macroconcierto

PELIGROS EN UN CHIRINGUITO

Intoxicarse con algo de comer.

Ahora pensamos en recomendaciones para evitarlos y las escribimos.

PELIGROS EN UN CHIRINGUITO

En el caso de que vaya a estar expuesto mucho tiempo al sol, protéjase con crema solar.

Luego comparamos nuestras recomendaciones con las de otra pareja y seleccionamos las mejores ideas y las mejor expresadas.

COMPETENCIA AUDIOVISUAL

¿TE ENCUENTRAS MAL?

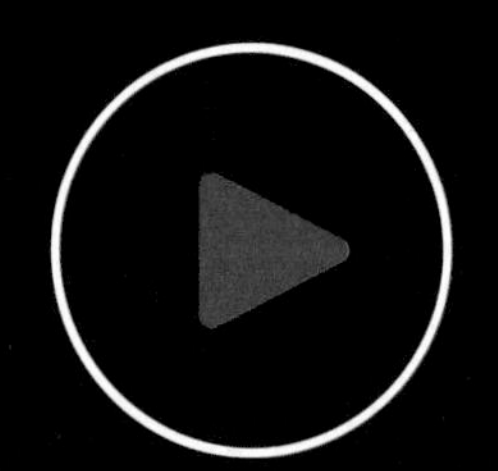

CÁMARA OCULTA Una cámara oculta se usa para grabar a personas sin que se den cuenta de que están siendo observadas. Lo hemos hecho en una calle de una gran ciudad con tres "inocentes" peatones para provocar reacciones espontáneas y ver qué hacen y qué dicen cuando alguien no se encuentra bien

3

02
¿TE ENCUENTRAS MAL?

Antes de ver
¿Qué le habrá pasado?

Miramos las primeras imágenes del vídeo.
¿Qué creemos que le ha pasado al chico en cada situación?

	Escena 1	2	3
Se habrá caído corriendo.	☐	☐	☐
Le habrá sentado mal algo de comida.	☐	☐	☐
Le habrá bajado la tensión.	☐	☐	☐
Se habrá atragantado comiendo.	☐	☐	☐
Debe de tener un resfriado.	☐	☐	☐
No habrá hecho estiramientos antes de correr.	☐	☐	☐
Habrá tenido un calambre muscular.	☐	☐	☐
Igual tiene una lipotimia.	☐	☐	☐
Habrá comido demasiado.	☐	☐	☐

QUÉ HACER EN CASO DE LIPOTIMIA

Si una persona sufre una lipotimia o un desmayo, se debe...

- Colocarla en un sitio que tenga buena ventilación.
- Aflojarle la ropa para facilitarle la respiración.
- Indicarle que respire profundamente.
- Pedirle que tosa varias veces. Eso hace que mejore el riego sanguíneo cerebral.
- Si está consciente, acostarla boca arriba y levantarle las piernas para facilitar el retorno de sangre al cerebro.
- Si está inconsciente, pero se ha comprobado que respira, colocarla de lado, para que, en caso de tener vómitos, estos se expulsen.

No se debe...

- Dar nada de comer ni de beber hasta que la persona esté totalmente recuperada. Cuando lo esté, se le podrá dar agua.
- Dejarla sola.

Texto e imágenes
Reacciones

Vemos ahora las secuencias completas. ¿Cómo reaccionan las otras personas? ¿Qué recomendaciones le hacen a nuestro actor?

Secuencia 1
El actor simula que...
La mujer...

Secuencia 2
El actor simula que...
El chico y la chica...

Secuencia 3
El actor simula que...
El chico...

Leemos las recomendaciones acerca de qué hacer en caso de lipotimia. ¿Actúa correctamente la mujer de la primera secuencia? ¿Hay algo que no debería hacer?

Y las otras personas que aparecen en las secuencias 2 y 3, ¿nos parece que reaccionan bien? ¿Reaccionaríamos nosotros igual?

Texto y lengua
¿Qué le ha pasado?

Leemos la transcripción del vídeo y subrayamos lo siguiente.

1. Recursos para describir estados físicos
2. Maneras de mostrar interés por el otro
3. Instrucciones y recomendaciones para ayudar
4. Recursos para tranquilizar

La leemos de nuevo. ¿Observamos alguna característica de la lengua oral conversacional?

Palabras para actuar
Especular sobre las causas de algo: futuro

 RG / P.185

Observamos los recursos para especular.

Futuro simple
—*Estará en un atasco.*
Futuro compuesto
—*Se habrá dormido.*
—*Habrá perdido el tren.*

Igual, **deber de**
—*Igual no se ha acordado.*
—*Debe de haberse olvidado.*

Imaginamos tres explicaciones posibles para estas dos situaciones.

Llegamos a la clase de español y no hay nadie.

....

El profesor hoy está muy antipático.

....

Palabras para actuar
Expresar buenos deseos: que + subjuntivo

 RG / P.188

Observamos los recursos para expresar buenos deseos.

—*Que no sea nada.*
—*Que te mejores.*

¿Qué podríamos haber dicho hoy al salir de casa?
¿Qué podemos decir al salir de clase?

 Estas construcciones se usan normalmente para cerrar una conversación, antes de una despedida:

Que te vaya bien.
Que tengas buen viaje.
Que tengas suerte.
Que te salga bien el examen.

La gramática de las palabras
Doler, hacer daño

Observamos los recursos para hablar de dolor físico y añadimos otros ejemplos en nuestro cuaderno para cada construcción verbal.

Doler
¡Cómo **me duele** la cabeza!
Me duelen mucho los pies.

Tener dolor de
¡Qué **dolor** de garganta **tengo**!
Ana siempre **tiene dolor** de espalda.

Dar + sensación física
La cerveza **me da dolor de** cabeza.
Los fritos **me dan dolor de** estómago.
Estas pastillas **me dan insomnio** / **sueño** / **sed**...

Hacerse daño
Javier **se ha hecho daño** con un martillo.

Hacerle daño (a alguien)
David **le ha hecho** daño a su hermano con un palo, pero ha sido sin querer.

Palabras para actuar
Hablar del estado de salud

Observamos los recursos y contestamos con ellos las preguntas.

Interesarse por la salud de otro
—*¿Qué te pasa?*
—*¿Estás bien?*
—*¿No te encuentras bien?*
—*¿Te sientes mejor?*
—*¿Cómo te encuentras?*

Hablar sobre el propio estado de salud
—*No me encuentro / siento bien.*
—*Me siento / encuentro un poco mal.*

—*Me cuesta respirar / tragar...*
—*No puedo caminar / tragar...*

—*Estoy temblando.*
—*Estoy mareado.*

—*Tengo el pie hinchado / el brazo roto / náuseas...*

¿Cómo te sientes hoy? ¿Tienes alguna molestia?

....

....

Palabras para actuar
Excusarse y reaccionar

Observamos los recursos.

—*Lo siento, al final no puedo ir a la fiesta; es que ayer comí algo que me sentó fatal y estoy hecho polvo.*

—*Tranquilo, no pasa nada, lo principal es que te mejores.*
—*No te preocupes, te echaremos de menos.*

En español, cuando cancelamos una cita o declinamos una invitación, lo normal es dar muchas explicaciones para justificarnos.

02 TALLER DE USO

Entre todos
No me encuentro bien

Vamos a jugar a adivinar síntomas, enfermedades y sus circunstancias haciendo mímica.

- Cada uno imagina que le sucede algo y escribe en un trozo de papel su estado físico y la causa.
- Recogemos todos los papeles, los mezclamos y redistribuimos.
- Dividimos la clase en dos equipos.
- Un miembro de cada equipo trata de explicar a sus compañeros con gestos qué le pasa, por qué, cómo se siente, etc. Los demás le hacen preguntas para adivinarlo.
- Él solo puede responder con gestos.

Me encuentro fatal. Ayer comí pescado en un restaurante y me duele la tripa.

En parejas
Lo siento, pero...

Imaginamos que uno de nosotros tiene un problema de salud y no puede acudir a una cita. Escribimos o grabamos un mensaje y lo pasamos a un compañero (con el móvil o en un papel). El otro tiene que contestar.

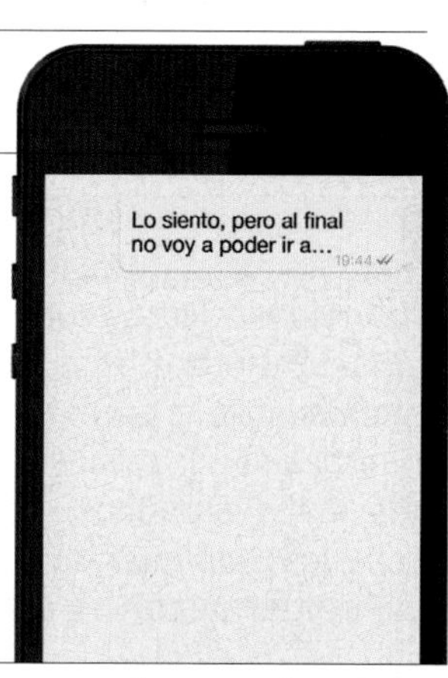

¿SOMOS LO QUE COMEMOS?

No hay duda de que comer fruta y verdura es sano, pero a partir de ahí existen todo tipo de opiniones y tendencias sobre la mejor forma de alimentarse. Cada vez más, las dietas se han ido convirtiendo en modas a las que se suman adeptos a las nuevas tendencias. Los expertos no se ponen de acuerdo. Esta es una lista de las principales tendencias actuales y algunas opiniones de los profesionales al respecto.

LA DIETA PALEOLÍTICA

En la alimentación paleolítica lo que llega a la mesa es lo que consumía el ser humano en la prehistoria. El azúcar, la pasta, el arroz, las patatas y el pan son tabú. El principal argumento de los defensores de esta dieta es que el cuerpo humano padece algunos problemas hoy en día que no padecía hace 10 000 años, y ello se debe al consumo de alimentos procesados. Por ello, proponen una alimentación más básica para la que, aseguran, nuestros cuerpos están diseñados. Algunos nutricionistas señalan, sin embargo, que nuestro cuerpo no tiene las mismas necesidades que hace dos millones de años.

CLEAN EATING

Consiste en alimentarse de la manera más natural posible. Lo fundamental es no consumir alimentos procesados, sino frescos y que uno mismo cocina. "Intentamos renunciar en lo posible a los cereales y, si los consumimos, elegimos cereales integrales o usamos quinoa como alternativa", se afirma en una web dedicada a esta tendencia. Sus defensores también apuestan por consumir alimentos orgánicos y comer cinco o seis veces al día. La mitad del plato debe llenarse de vegetales, que pueden ser al vapor, en puré, en ensalada de verduras y frutas o incluso guisados. La otra mitad debe dividirse en dos: una para el cereal integral y la otra para las proteínas magras. Algunos médicos consideran estas propuestas demasiado estrictas. Por ejemplo, Antje Gahl, de la Sociedad Alemana para la Alimentación (DGE), opina que unas espinacas congeladas no tienen por qué ser un problema.

LOS ALIMENTOS "LIBRES DE"

Ya se trate de gluten o de lactosa, Antje Gahl observa una tendencia general hacia los alimentos "libres de...", que ahora consumen no solamente las personas que tienen alergia o intolerancia a estos componentes. Según Gahl, solo una de cada cinco personas tiene intolerancia a la lactosa, y entre un dos y un tres por ciento, al gluten. Esta moda genera millones de beneficios en Estados Unidos y en Europa, donde han crecido exponencialmente las ventas de este tipo de productos. Los expertos alertan sobre modas como la de los productos sin gluten, que pueden contener muchas más grasas que un producto "normal" y que no aportan beneficios a las personas que no son celíacas.

EL CRUDIVORISMO

Consiste en no consumir ningún alimento cocinado a más de 42 grados, fermentado o que contenga conservantes de cualquier tipo. Existen ya restaurantes en todo el mundo dedicados a ofrecer este tipo de platos. Se trata, en definitiva, de alimentarse sin necesidad de cocinar. "Hay algunos alimentos que son venenosos crudos", advierte Gahl, y hay otros que resultan más nutritivos al cocinarlos.

EL VEGANISMO

Para sus defensores son tabú la carne, el pescado, la miel, los huevos, la leche y cualquier tipo de alimento de origen animal. Quienes

practican este tipo de alimentación lo hacen en general por razones éticas: rechazan la condición de mercancía de los animales. También hay argumentos relacionados con el medioambiente y la salud. "Para un adulto saludable es perfectamente posible alimentarse de forma vegana", señala Gahl. Pero hay que complementar la dieta con vitamina B12, presente sobre todo en los productos de origen animal.

LOS "VEGGANOS"
Bajo este concepto se incluyen los veganos que sí consumen huevos. La palabra procede de la combinación de las palabras inglesas *vegan* y *egg* (huevo).

LOS SUPERALIMENTOS
Se trata de alimentos como las semillas de chía o el açai, que tienen, aseguran sus defensores, una alta concentración de sustancias beneficiosas (vitaminas, antioxidantes, etc.). " Sin duda, pueden ampliar y diversificar la alimentación", señala Gahl, "pero no hay que esperar milagros". Los superalimentos no son solo productos exóticos, sino también alimentos tan habituales como el pimiento, la miel o las moras.

Adaptado de www.lavozdegalicia.es

03 ¿SOMOS LO QUE COMEMOS?

Antes de leer
Somos lo que comemos

¿Somos lo que comemos? Hablamos con un compañero.

¿Qué es para nosotros comer de forma sana? Entre todos hacemos una lluvia de ideas. ¿Hay diferentes tendencias en la clase?

Texto y significado
Ventajas e inconvenientes

Leemos el texto sobre las diferentes tendencias alimentarias y las comparamos. ¿Qué aspectos positivos y negativos le vemos a cada una?

—Es mucho mejor... que...
—Es claramente más sano...
—Me parece que... es igual de sano que...

¿Seguimos o seguiríamos alguna?

—Yo nunca me haría... porque...
—Yo soy vegano porque...
—Yo intento comer...
—Yo cada vez... más / menos...
—Yo normalmente no como carne, excepto si...
—A mí no me sienta/n bien...

Texto y lengua
Alimentos y preparación

E 

Buscamos en el texto palabras o expresiones y las clasificamos.

Tipos de alimentos:
verdura, ...

Productos:
pimiento, ...

Componentes:
proteínas, ...

Maneras de preparar o procesar alimentos:
crudos, ...

AGENDA DE APRENDIZAJE

La gramática de las palabras
Sentirse, sentarle, sentarse

Observamos estos tres ejemplos y escribimos dos para cada verbo, en tiempos y personas diferentes.

sentirse
Me siento
Te sientes
Se siente
Nos sentimos
Os sentís
Se sienten

Bruno **se siente** mal.
Ayer, Bruno **se sintió** mal y se fue a casa.

sentarle (algo a alguien)	
Me	
Te	
Le	sienta/n
Nos	bien / mal
Os	
Les	

A Violeta **le sienta** mal la leche.
A Violeta **le sentó** mal la leche y ha estado toda la noche vomitando.

sentarse
Me siento
Te sientas
Se sienta
Nos sentamos
Os sentáis
Se sientan

Darío **se sienta** en un banco todas las tardes.
Estaba tan cansado que **me senté** en un banco a descansar y me quedé dormido.

Reglas y ejemplos
Comparación

RG / P.175

Observamos los recursos y escribimos nuestros propios ejemplos comparando nuestros hábitos cotidianos con los de alguien de nuestro entorno.

Mejor, **peor**, **mayor**, **menor**, **superior**, **inferior**

—*La dieta paleolítica me parece mucho mejor que la crudívora.*
—*La cantidad de calorías es muy superior a la que te permite el médico.*

Más / menos de + cifra:
—*Para adelgazar, no debes comer más de 1500 calorías al día.*

Más / menos de lo que + oración
—*Si quieres cuidarte, no debes comer más de lo que te ha recomendado el médico.*

El doble / la mitad de (**lo que** + frase)
—*Los alimentos ecológicos pueden costar el doble de lo que cuestan los demás.*

Tres veces más / menos que
—*En mi país se come tres veces más pescado que en Alemania.*

Igual de... que...; tan... como...
—*En una dieta equilibrada, los hidratos de carbono son igual de importantes que las proteínas.*

Gradativos

un poco ligeramente bastante mucho muchísimo	más menos	importante interesante ...	que

—*Los productos ecológicos son ligeramente más caros en una tienda especializada que en el supermercado.*

03

TALLER DE USO

En parejas
La mejor dieta

A 

Escuchamos a tres pacientes hablar con sus médicos y tomamos notas. ¿Qué dieta creemos que siguen?

Paloma	Leandro	Silvia
....	....	....
....	....	....
....	....	....
....	....	....

B

Con un compañero, comparamos la alimentación de los tres y completamos la siguiente ficha.

☐ P	se alimenta mejor que	☐ S
☐	come mucha más fibra que	☐
☐	come un poco más que	☐
☐	come muchísimo menos que	☐
☐	come más de lo que debería.	☐
☐	come muchos menos alimentos procesados que	☐
☐	lleva una dieta mucho menos equilibrada que	☐

C

Le contamos a un compañero todo lo que comimos y bebimos ayer y anotamos lo que tomó él. Comparamos nuestras dietas. Nos damos consejos para mejorarlas.

un dónut
tres cafés
...

—¿No deberías...?
—Tal vez podrías...
—¿Y si bebieras...?

En grupos
¿Es sano?

D 

Discutimos en pequeños grupos. Formulamos una opinión que recoja la o las del grupo si no nos hemos puesto de acuerdo.

¿ES O NO ES SANO?

HÁBITO	Sí	No	¿Por qué?
Comer solo pescado. Nada de carne.	☐	☐	....
Desayunar fuerte.	☐	☐	....
Beber 5 litros de agua al día.	☐	☐	....
No tomar nada de azúcar.	☐	☐	....
Comer seis veces al día.	☐	☐	....
Beber un vaso de vino al día.	☐	☐	....
Cocinar con el microondas.	☐	☐	....
Comer muchos bocadillos.	☐	☐	....

ARCHIVO DE LÉXICO

Mis palabras
Partes del cuerpo y órganos

Observamos las imágenes y escribimos los nombres de las partes del cuerpo y de los órganos que nos interese aprender.

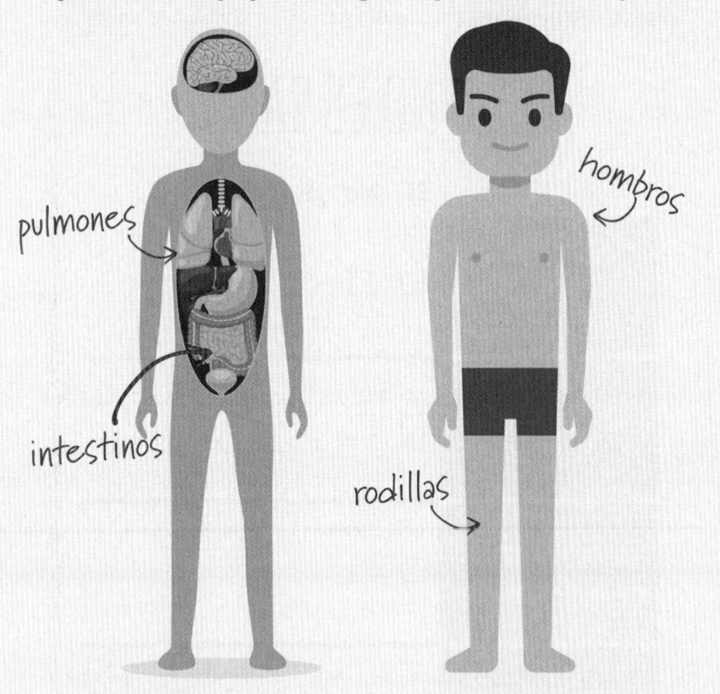

Palabras en compañía
El verbo tener

Completamos las series.

La gramática de las palabras
Postura y cambios de postura

¿A qué verbo o construcción verbal corresponde este dibujo? Dibujamos el resto.

- **acostarse**
- **sentarse**
- **levantarse**
- **arrodillarse**
- **tumbarse**
- **ponerse boca arriba / abajo**
- **echarse**
- **inclinarse**

Palabras en compañía
Registro formal

¿Qué expresiones nos parecen de un registro familiar y cuáles de un registro más formal? Lo escribimos en la tabla y escribimos ejemplos con ellos.

Registro	Registro ....
tener una enfermedad	padecer una enfermedad
curarse de una enfermedad grave	vencer / superar una enfermedad grave
tener un accidente	sufrir un accidente
morir de una enfermedad	fallecer de una enfermedad
coger una enfermedad	contraer una enfermedad
ponerse enfermo	enfermar
enfermedad	dolencia

Mis ejemplos:

....

....

....

Mis palabras
Especialidades médicas

¿A cuáles de estos médicos o servicios médicos vamos y con qué frecuencia? Escribimos frases sobre nosotros.

- **médico general**
- **ginecólogo**
- **oftalmólogo**
- **otorrinolaringólogo**
- **cardiólogo**
- **pediatra**
- **servicio de urgencias**
- **...**

Palabras en compañía
Componentes de los alimentos

¿Qué componentes de la lista abundan en los siguientes alimentos?

- **vitaminas**
- **proteínas**
- **hidratos de carbono**
- **minerales**
- **fibra**
- **grasas**
- **colorantes**
- **conservantes**
- **sabor artificial**
- **azúcar**
- **calcio**

PROYECTOS

Proyecto en grupo
Para unas vacaciones sin disgustos

Todos esperamos las vacaciones con impaciencia, pero muchas veces pequeños accidentes o problemas de salud las estropean. Vamos a hacer una campaña para prevenirlos o tratarlos. Recogemos ideas sobre los siguientes aspectos.

Qué problemas típicos podemos tener

- Si hace mucho sol o mucho calor
- Si hace frío
- Con la alimentación
- Cerca del agua
- En la carretera
- En la montaña
- Otros

Qué hay que hacer o evitar antes del viaje

Qué hacer en el caso de que tengamos uno de estos problemas

Qué debemos llevar en nuestra maleta o botiquín y para qué

Con las ideas más interesantes que hayamos recopilado, redactamos un folleto para presentar a los compañeros. Debe contener:

- un eslogan
- recomendaciones para preparar el viaje
- consejos para actuar en caso de accidente o enfermedad

PREPARADOS PARA UNAS VACACIONES SIN SUSTOS

Si hace mucho sol, podemos quemarnos. Por eso, durante el viaje es fundamental evitar estar muchas horas al sol y protegerse con cremas.

INCREÍBLE, PERO CIERTO

¡QUÉ MAL!
¡QUÉ MAL ROLLO!
VAYA MORRO ¡QUÉ SUERTE! VAYA SUSTO
¡QUÉ ASCO! ¿QUÉ ME DICES? ¡MENOS MAL! ¡QUÉ FUERTE!
¡QUÉ RISA! NO ME LO PUEDO CREER MADRE MÍA ¡QUÉ SUERTE! ¡MENOS MAL!
TREMENDO ¡QUÉ ASCO! NO PUEDE SER ¡QUÉ RARO!
¡QUÉ GRACIA! ¡QUÉ MAL!
MADRE MÍA NO PUEDE SER MADRE MÍA
INCREÍBLE ¡QUÉ HORROR! INCREÍBLE VAYA
VAYA MORRO
SUSTO ¿QUÉ ME DICES? ¡QUÉ FUERTE! NO ME LO PUEDO CREER ¡QUÉ FUERTE!
¡QUÉ BIEN! ¡QUÉ BIEN!
¡MENOS MAL! VAYA MORRO TREMENDO MADRE MÍA MADRE MÍA
¡QUÉ GRACIA! NO PUEDE SER ¡QUÉ MAL ROLLO!
¡QUÉ CURIOSO! ¡QUÉ MAL ROLLO! NO PUEDE SER TREMENDO
VAYA SUSTO ¡QUÉ FUERTE!
INCREÍBLE ¡QUÉ CURIOSO!
TREMENDO
¡QUÉ RISA! ¡QUÉ ASCO!
¡MENOS MAL!
¿QUÉ ME DICES? ¿QUÉ ME DICES?
¡QUÉ MAL! ¡QUÉ HORROR!
VAYA MORRO ¡QUÉ SUERTE! ¡QUÉ GRACIA! ¡QUÉ MAL ROLLO!
MADRE MÍA ¡QUÉ ASCO!
TREMENDO ¡QUÉ ASCO! NO ME LO PUEDO CREER ¡QUÉ RARO! ¡QUÉ ASCO!
¿QUÉ ME DICES? ¡QUÉ MAL ROLLO! ¡QUÉ FUERTE! ¡QUÉ MAL ROLLO!
¡QUÉ RISA! ¡QUÉ HORROR!
¡QUÉ RARO! NO ME LO PUEDO CREER ¡QUÉ CURIOSO! MADRE MÍA
¡QUÉ BIEN! ¡QUÉ HORROR! ¡QUÉ CURIOSO! ¡QUÉ GRACIA!
INCREÍBLE VAYA SUSTO ¡QUÉ BIEN!
¡QUÉ SUERTE! ¡QUÉ GRACIA!
¡QUÉ ASCO! ¡QUÉ RISA! ¡MENOS MAL!
¡QUÉ BIEN! VAYA MORRO
VAYA SUSTO ¡QUÉ RISA! ¡QUÉ GRACIA! ¡QUÉ MAL!
¡QUÉ CURIOSO! NO ME LO PUEDO CREER
NO ME LO PUEDO CREER
¡QUÉ RARO! INCREÍBLE
INCREÍBLE ¡QUÉ CURIOSO!
¡MENOS MAL! ¡QUÉ GRACIA! NO PUEDE SER
¡QUÉ HORROR! ¡QUÉ FUERTE!
¡QUÉ SUERTE! VAYA MORRO VAYA SUSTO NO PUEDE SER INCREÍBLE
¿QUÉ ME DICES? ¡QUÉ RISA! ¡QUÉ HORROR!
¡QUÉ SUERTE! ¡QUÉ MAL! VAYA SUSTO
¡QUÉ RARO! ¡MENOS MAL! NO PUEDE SER TREMENDO

UNIDAD 5

DOCUMENTOS

LÉXICO

- Servicios de hostelería
- Sentimientos y emociones
- El verbo **pasar**
- Léxico para valorar una situación: **absurda, divertida, extraña, un poco tensa**, etc.

GRAMÁTICA

- Contraste de pasados
- Uso del presente en el relato
- Oraciones exclamativas
- Estilo indirecto y correspondencias temporales
- Subordinadas sustantivas para valorar en pasado: **no me pareció bien que, me quejé de que** + imperfecto de subjuntivo
- Condicional para especular sobre el pasado

COMUNICACIÓN

- Relatar una anécdota y reaccionar
- Expresar emociones: **¡Qué** + adjetivo / sustantivo**!**
- Referir una conversación
- Expresar quejas y protestar
- Formular peticiones
- Especular sobre el pasado
- Pedir disculpas

CULTURA

- Como gestionar una conversación informal en España

PROYECTOS

- Hacer un concurso de anécdotas

PUNTO DE PARTIDA

Nube de palabras
Trabajamos con la imagen y el título

Cuando alguien cuenta una anécdota, los hispanohablantes suelen ir reaccionando, comentando o manifestando sentimientos ante el relato. Buscamos en la nube expresiones para reaccionar ante algo que...

nos produce rechazo, indignación	nos incomoda
¡Qué asco!	

nos da miedo	nos produce satisfacción, alivio

nos hace gracia	nos sorprende

Con un compañero elegimos una de las expresiones. Buscamos una situación en la cual podría decirse y la describimos a los demás. Ellos reaccionan.

—En tu habitación de hotel encuentras una cucaracha...
—¡Qué asco!

TIERRA, TRÁGAME

Cuatro personas nos han relatado momentos en los que pasaron mucha vergüenza.

DE ANDAR POR CASA

Cuando fui por primera vez a España, me alojé en casa de dos señoras mayores. A los tres días de estar ahí, una de ellas me regaló unas zapatillas. Me pareció un poco raro, pero no le di mucha importancia. Le di las gracias y guardé las zapatillas. Como nunca llevo zapatillas en casa, seguí paseándome por la casa descalza. Al poco tiempo, la señora me comentó que en España no era normal, que tenía que ponerme las zapatillas. ¡Por eso me las habían regalado!

> Me quedé un poco cortada, la verdad.

Cristina

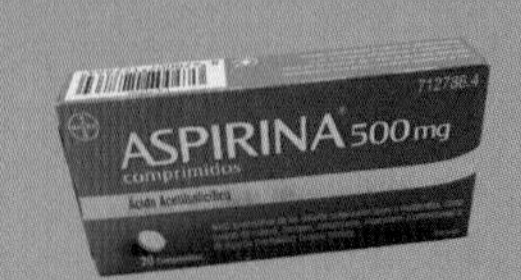

RESPONDER A TODOS

Yo trabajaba en el departamento de *marketing* de una pequeña empresa de ropa. En aquella época había una jefa de ventas que me caía fatal. Era una persona muy negativa y muy prepotente, que creaba problemas a todo el mundo. Se llamaba Dolores. Un día, en un correo a mis compañeros de departamento, puse algo como "Dolores de cabeza, eso es lo que tenemos todos en esta empresa". Ella estaría en copia o qué sé yo, pero el caso es que al día siguiente, me trajo a mi mesa un vaso de agua con un paquete de aspirinas y me lo dejó ahí, con una mirada asesina.

> No sabía dónde meterme.

Fernando

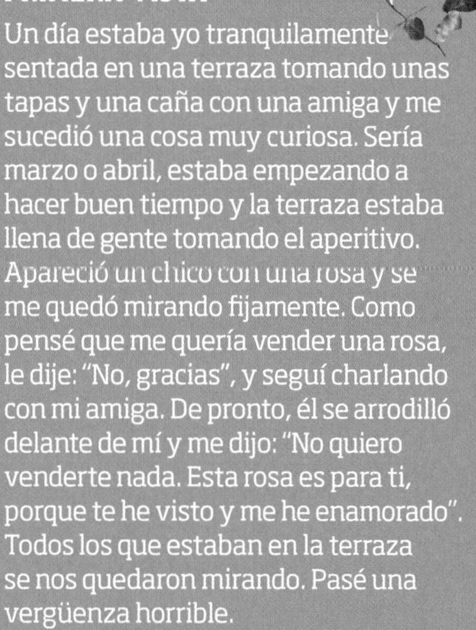

AMOR A PRIMERA VISTA

Un día estaba yo tranquilamente sentada en una terraza tomando unas tapas y una caña con una amiga y me sucedió una cosa muy curiosa. Sería marzo o abril, estaba empezando a hacer buen tiempo y la terraza estaba llena de gente tomando el aperitivo. Apareció un chico con una rosa y se me quedó mirando fijamente. Como pensé que me quería vender una rosa, le dije: "No, gracias", y seguí charlando con mi amiga. De pronto, él se arrodilló delante de mí y me dijo: "No quiero venderte nada. Esta rosa es para ti, porque te he visto y me he enamorado". Todos los que estaban en la terraza se nos quedaron mirando. Pasé una vergüenza horrible.

> Me quería morir...

Ainara

¿Cómo reaccionar cuando has metido la pata o has cometido un error de esos que te hacen sentir ridículo y observado por todo el mundo?

Lo mejor es tomárselo con sentido del humor. El humor puede suavizar una situación incómoda y reírse de uno mismo suele ser lo más sano. En otros casos, disculparse también puede ayudar. Aunque a nadie le gusta equivocarse, reconocer los propios errores ante los demás, pedir disculpas y decir que no va a volver a ocurrir puede ser útil para salir de una situación incómoda. Otra manera de tranquilizarse y no morirse de vergüenza es no darle demasiada importancia a lo sucedido: la mayoría de las meteduras de pata pasan desapercibidas y se olvidan al poco tiempo.

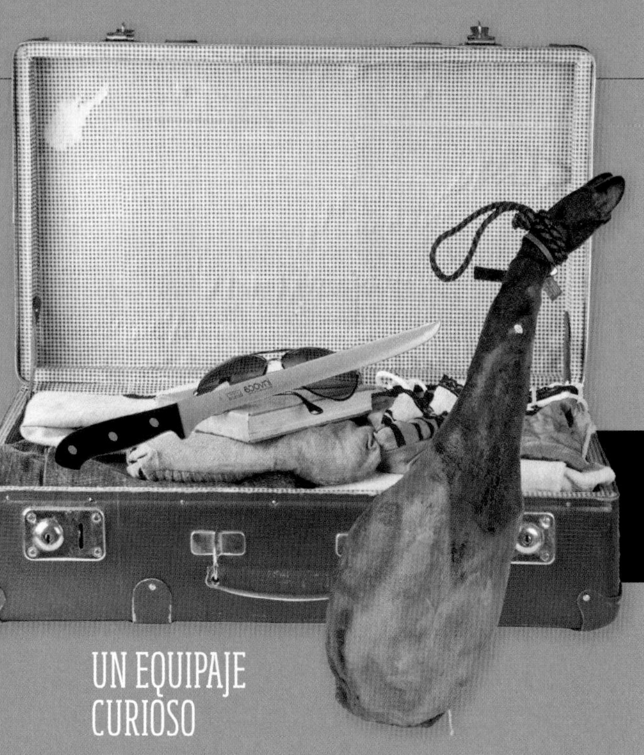

UN EQUIPAJE CURIOSO

Hace unos años yo salía con una chica sueca que trabajaba en Madrid. En Navidad decidimos ir a pasar las fiestas con su familia en Suecia y yo me llevé un jamón, un jamonero y un buen cuchillo, además de chorizo y otras *delicatessen* ibéricas. El caso es que cuando fuimos a recoger nuestro equipaje en el aeropuerto de Estocolmo empezamos a ver ropa suelta por la cinta por donde salen las maletas. Yo le dije a mi novia: "Eso es lo que pasa cuando se facturan cajas de cartón". Pero me llevé una sorpresa tremenda cuando vi que salían por la cinta... ¡mi jamón y mi cuchillo! Mi maleta se había roto y todo lo de la cinta, ropa y demás, era mío. Me puse de rodillas y fui recogiendo pacientemente todas mis cosas. Por suerte, al final pudimos disfrutar en Navidad de un buen jamón.

> "Pasé mucha vergüenza. Me sentí como un idiota.
>
> **Julio**

01 TIERRA, TRÁGAME

Antes de leer
Tierra, trágame

¿Qué crees que significa la expresión "Tierra, trágame"? ¿Cuándo la usarías? Buscamos con un compañero alguna situación típica en la que podría decirse.

Por ejemplo, le has dicho a alguien que no puedes salir, que estás enfermo, o algo así, y luego te encuentras con esa persona por la calle.

¿Existe en tu lengua una expresión equivalente?

Texto y significado
Qué vergüenza

Leemos las anécdotas y los consejos sobre cómo reaccionar en situaciones incómodas. ¿Qué habríamos hecho nosotros en cada caso? Hablamos en grupos.

Texto y lengua
Situaciones incómodas

¿Qué significan estas expresiones del texto?

- **Meter la pata**
- **Cometer un error**
- **Tomarse algo con sentido del humor**
- **Disculparse**
- **Equivocarse**
- **Reconocer los propios errores**
- **No darle mucha importancia a algo**
- **Morirse de vergüenza**
- **Pasar desapercibido**

Texto y lengua
Sería marzo

Observamos las siguientes frases en su contexto. ¿Cómo podríamos expresarlas de otra manera?

—Sería marzo o abril.
—Ella estaría en copia o qué sé yo.

01 AGENDA DE APRENDIZAJE

Reglas y ejemplos
Repaso de los tiempos del pasado

Observamos las ilustraciones y los ejemplos de uso del pretérito indefinido y del pretérito imperfecto.

DESCRIBIMOS ESTADOS Presentamos la situación.	RELATAMOS ACCIONES O ACONTECIMIENTOS Hay una acción que empieza y que termina.
Clara **estaba** en una terraza de un bar... 	Clara **estuvo** en una terraza de un bar un rato. 
Se estaba comiendo un bocadillo... 	**Se comió** un bocadillo y **se tomó** un café. 
Llovía / Estaba lloviendo... 	**Llovió / Estuvo lloviendo** un rato. 
Pasaban muchos coches. 	**Pasó** un coche. 

¿En cuál de las columnas y en qué tiempo verbal podríamos añadir las siguientes frases? Si vemos dos posibilidades, explicamos qué diferencia de significado hay.

Ser un coche deportivo.
El coche pasar muy rápido.
Clara llevar una falda blanca.
Mancharle toda la falda.
El coche no pararse.
Clara llevar casualmente un pantalón en el bolso.
Cambiarse de falda en los servicios del bar.

Palabras para actuar
Especular sobre el pasado

RG / P.186

Observamos los recursos para especular sobre un hecho pasado.

—*El domingo estaba de viaje. Se fue el viernes a Roma a ver a su novia.*
(= Tengo la información)
—*Estaría de viaje. Se habría ido a Roma, a ver a su novia.*
(= Hago una hipótesis)

RG / P.177

Especulamos sobre lo que puede haber pasado en cada caso.

Ayer llamé a Laura a las 22.00 h, pero no cogió el teléfono.

....

Aquel día pensé que Carlos se alegraría de verme, pero no fue así.

....

Iban a mudarse de piso, pero cambiaron de opinión.

....

Hace años, cuando le pregunté por su marido, se puso muy seria y no me dijo nada.

....

01 TALLER DE USO

En parejas o en grupos
A mí, una vez...

En parejas, escogemos una anécdota y la desarrollamos con los siguientes recursos.

Iniciar la anécdota
—*Un día...*
—*El otro día...*
—*Hace un tiempo...*
—*A mí, una vez, me pasó una cosa...*

Contextualizar la escena
—*Estaba yo en...*
—*Había...*
—*Era...*

Presentar el nudo de la historia
—*Y, de pronto...*
—*Y entonces...*

Explicar el desenlace
—*Al final ...*
—*Lo que pasó fue que..*
—*Vamos, que...*

Terminar y valorar la anécdota
—*Menos mal que...*
—*Por suerte...*
—*Suerte que...*

- En mi casa entró un búho.
- En un restaurante me sirvieron una sopa con un bicho dentro.
- En un safari park, un león atacó nuestro coche.
- En un aparcamiento me metí en un coche que no era mío y apareció el propietario.
- Estaba con una amiga en un kayak, bastante lejos de la playa, y empezó una tormenta terrible.
- En París me robaron la cartera y todos los documentos.
- Saliendo de una tienda, empezó a sonar la alarma de una camiseta que me había comprado.
- Estaba en un bar y descubrí que Johnny Depp estaba sentado en la mesa de al lado.

Explicar cómo nos sentimos entonces
—*Pasé mucha vergüenza / mucho miedo / muchos nervios...*
—*Me sentí como un idiota / un poco ridículo...*
—*Me quedé muy cortado / muy sorprendido...*
—*Lo pasé muy mal / fatal.*

Un miembro de cada pareja relata oralmente la anécdota al resto de la clase. Los demás pueden hacer preguntas, pedir más detalles y reaccionar.

COMPETENCIA AUDIOVISUAL

EL CLIENTE SIEMPRE TIENE RAZÓN

En todas las profesiones en las que se trabaja cara al público se producen situaciones curiosas, extrañas, divertidas... ¡Y es que hay gente muy especial! Pero, seguramente, las cosas más graciosas ocurren en los hoteles. Hay clientes que protestan por cosas ridículas o que piden cosas rarísimas en la recepción. Otros creen que, como pagan, tienen derecho a todo. Y unos cuantos, con poca experiencia en los viajes, no conocen bien el funcionamiento habitual de un hotel. También es cierto que hay hoteles muy malos, y que los clientes reclaman con razón. Hemos hecho una selección de las "historias de hoteles" que nos han parecido más divertidas para que veáis hasta dónde llega eso de que "el cliente siempre tiene la razón".

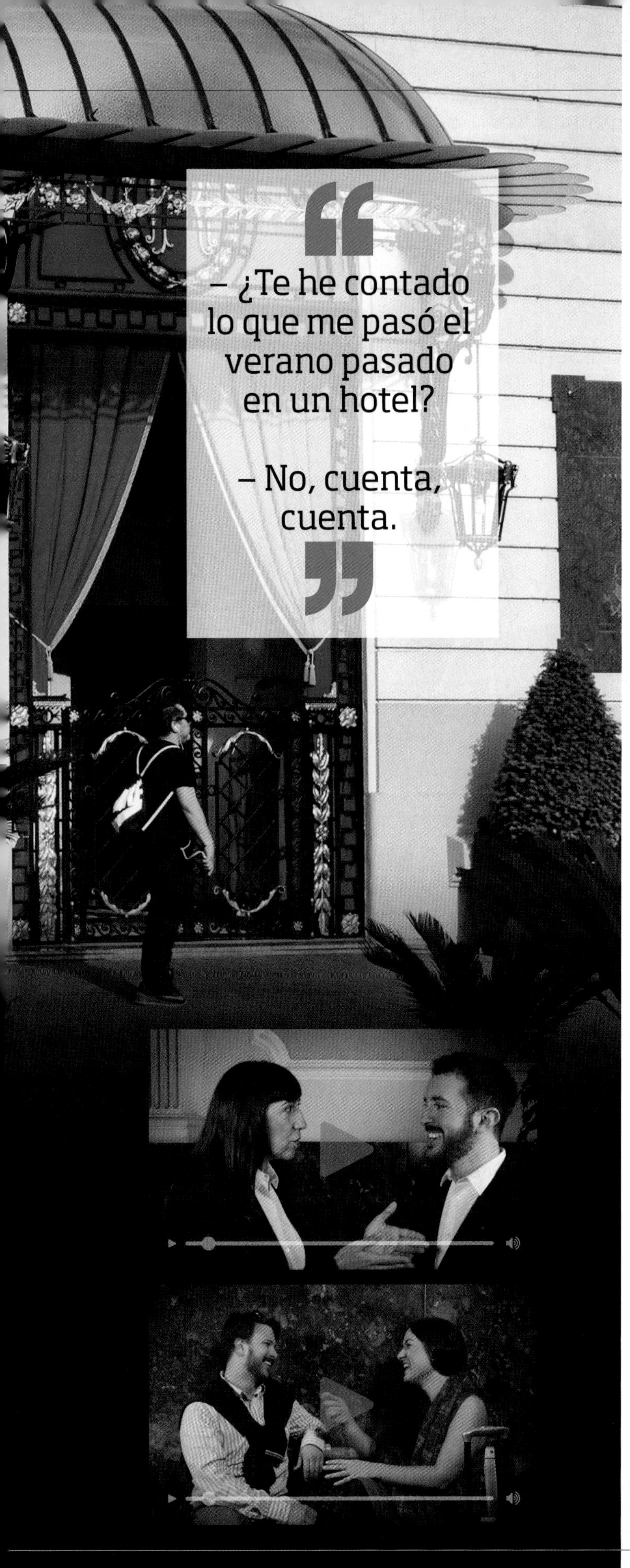

02
EL CLIENTE SIEMPRE...

Antes de ver
Problemas en un hotel

¿Qué problemas pueden surgir en un hotel, en un apartamento alquilado o en un camping? Hacemos una lluvia de ideas.

Puede ser...
— que la habitación esté...
— que en la habitación haya...
— que no funcione/n...
— que en el restaurante...
— que a la hora de pagar...

Texto e imágenes
El cliente siempre tiene razón

Vemos el vídeo. Con un compañero, decidimos cuál podría ser el mejor título para cada una de las anécdotas que se cuentan.

1. ¿Y dónde dormimos?
2. Un extraño en la habitación
3. Tiene que ser ahora mismo
4. Una noche accidentada
5. ¡Pobre pareja!
6. Impaciencia

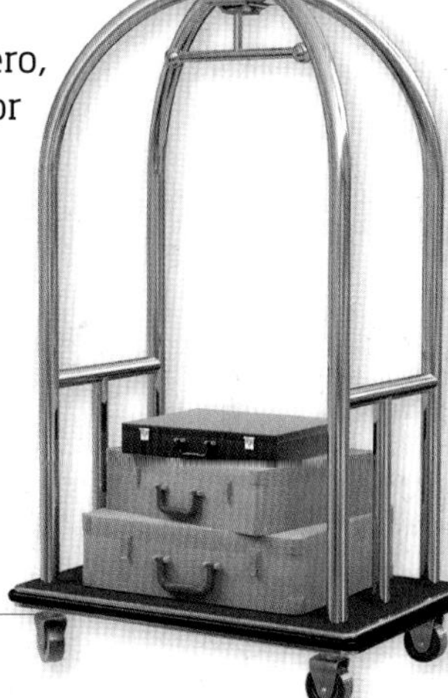

En parejas, resumimos lo sucedido y comparamos nuestros resúmenes con los de otros compañeros. ¿Coinciden?

Texto y lengua
Eran alrededor de las 7.30...

En parejas, elegimos una de las transcripciones de las anécdotas y clasificamos los tiempos verbales que aparecen en ella.

Imperfecto   Indefinido   Pluscuamperfecto   Presente

02
AGENDA DE APRENDIZAJE

Construir el relato
Contar una anécdota y reaccionar

A partir de estos posibles recursos y otros, reconstruimos una conversación completa como si uno de nosotros hubiera vivido la situación de la imagen y la contara al otro.

Iniciar la anécdota
—*¿Sabes qué me pasó el otro día?*
—*A mí, una vez, me pasó una cosa muy desagradable / ridícula...*
—*A nosotros nos pasó una cosa similar / parecida...*
—*El otro día me pasó una cosa... ¡Fue horrible!*

Presentar el nudo de la historia (en presente)
—*Y, de pronto, se nos acerca un chico, coge mi bolsa y se va...*

Reaccionar
—*¡Qué raro!*
—*¡Qué gracioso!*
—*¡Qué ridículo!*
—*¡Qué fuerte!*
—*¡Qué vergüenza!*
—*¡Qué lío!*
—*¡No me digas!*

Contextualizar la escena
—*Estaba en la playa con una amiga...*
—*A nuestro lado había una pareja...*
—*Era domingo y había mucha gente...*
—*Estábamos tomando el sol...*

Referir conversaciones
—*Y entonces yo le digo: "Oye, pero ¿qué haces? Esa bolsa es mía."*
—*Y va él y me dice: "Perdona, pero esta bolsa es de mi novia..."*

Preguntar por el desenlace
—*¿Y tú qué hiciste?*
—*¿Y tú qué le dijiste?*
—*¿Y qué pasó al final?*
—*¿Y cómo terminó la cosa?*

Explicar el desenlace
—*Pues que yo me di cuenta de que era yo la que había cogido la bolsa de su novia.*
—*Pues nada, al final acabamos riéndonos.*
—*Yo le pedí disculpas.*
—*Me quedé muy cortada.*
—*Pasé una vergüenza horrible.*

Terminar y valorar la anécdota
—*Al final, fue solo un malentendido. ¡Teníamos la misma bolsa!*
—*Vamos, que no hubo ningún problema.*
—*Menos mal que os disteis cuenta.*

! Aunque usemos el presente para relatar los hechos, las circunstancias se siguen expresando en imperfecto, y no en presente:
-**Se** nos **acerca** un chico...
-¿Lo **conocíais**?

02
TALLER DE USO

En grupos
Relatar en pasado

Leemos y escuchamos estos dos textos que relatan la misma anécdota. El primero es un comentario de un foro y el segundo, fragmentos de la transcripción del relato oral. Clasificamos los tiempos verbales. ¿A qué corresponderían en nuestra lengua? Lo discutimos con los compañeros.

VICENTE CLIENTE
Un día, en la recepción de mi hotel había mucho lío: clientes que llegaban, clientes que se iban... Había un recepcionista nuevo, un chico en prácticas. Un cliente pide las llaves del coche que había alquilado. El chico nuevo se las da y el cliente se va.
Al poco rato, aparece una pareja. Ese día se casaban y celebraban la boda en el hotel. Me piden las llaves de su coche y yo les doy unas llaves que estaban ahí, pero, cuando llegan al *parking*, descubren que su coche no está, ¡que las llaves son de otro coche! No están ni su coche ni sus maletas ni el vestido de la novia!
El nuevo le había dado las llaves al otro cliente. Teníamos su número de móvil y pudimos localizar a ese cliente. Los novios se llevaron un buen susto.

EDUARDO RECEPCIONISTA
-Pues te voy a contar una cosa que me pasó el otro día...
-Sí...
-Bueno, estaba en la recepción de mi hotel...
-Hmm.
-Y había muchísimo lío: clientes que llegaban, clientes que se iban... Y además había un recepcionista nuevo, un chico en prácticas.
-Hmm.
-Y bueno... es... un cliente le pide las llaves del coche que había alquilado. El chico nuevo se las da y el otro, pues se va.
-Hmm.
-Al poco rato aparece una pareja...
-Sí...
-Que ese día se casaban y celebraban la boda en el hotel.
-Ajá.
-¿Vale?
-Y... y me piden las llaves de su coche y yo, pues se las doy, porque estaban ahí..., pero cuando llegan al *parking*...
-Sí...
-Cuando van a llegar al *parking*, descubren que su coche, pues no está.
-Ostras.
-No está. Que las llaves eran del otro coche.
-Oh, qué fuerte.
-Y claro, no estaban ni su coche, o sea, no estaban ni las maletas... y lo peor de todo: no estaba el vestido de la novia.
-Jolín, qué palo.
-Claro, pero es que el nuevo le había dado las llaves al otro cliente.
-Hmm.
-Pero por suerte teníamos su número de móvil y pudimos localizarlo.
-Bueno, menos mal.
-Sí, la verdad es que los novios se llevaron un buen susto.
-Ya, ya, ya me imagino.

¿Cómo funcionan o pueden funcionar los tiempos verbales en el relato oral de una anécdota?

En parejas
¿Qué pasó?

A partir de las ilustraciones, tratamos de imaginar con un compañero qué puede haber pasado y vamos anotando las palabras necesarias para contar cada anécdota.

Ahora escuchamos cómo lo relatan los protagonistas. ¿Se parece a lo que habíamos imaginado?

CAMPING LA CUCARACHA FELIZ

03 CAMPING LA CUCARACHA FELIZ

Antes de escuchar
Vacaciones complicadas

Miramos la imagen. ¿Qué situaciones conflictivas se están dando? Hablamos con un compañero.

Texto y significado
Reclaman

Escuchamos tres de esas conversaciones. ¿A qué conflicto de la imagen corresponde cada una? ¿Quién habla y por qué protesta?

“—En la primera habla el señor del bar, ¿no?
—Sí, parece que la comida no está buena.
—Yo creo que es la bebida, porque tiene una jarra en la mano.”

Texto y lengua
Me dijeron que...

Un tiempo después, los clientes del camping refieren los problemas que tuvieron. Observamos cómo lo hacen e imaginamos cómo fueron las conversaciones originales.

1. ¡Por la noche había un ruido...! Todos los días teníamos que pedirles a los vecinos que bajaran la música.
2. Fui a la recepción y les dije que las duchas no funcionaban bien, y les exigí que las arreglaran inmediatamente. ¡Tardaron tres días en arreglarlas! Un desastre.
3. Un día nos quedamos a comer en el camping. Pedimos que nos trajeran una sangría bien fría, pero nos sirvieron una cosa imbebible. ¡Increíble! Eso no era sangría ni era nada... Y el del bar me respondió que le gustaba a todo el mundo. Total, que le dije que no se la pagaría. Y no se la pagué. Ya me conoces...
4. Y entonces le pedí a la camarera que revisara la cuenta, que no podía ser.... Que solo habíamos tomado unas hamburguesas y una botella de agua. Que eso era un robo, vamos. Luego, se dio cuenta de que nos habían cobrado lo de otra mesa. La camarera nos pidió disculpas y nos dijo que nos tomáramos unos cafés, que pagaba la casa. Menos mal...
5. Pues el primer día les compré a los niños una especie de delfín hinchable, para jugar en la playa. Lo empiezo a hinchar y nada, que no se hincha. Lo llevo a la tienda y va la tía y me dice que lo había pinchado yo, que no me lo iba a cambiar.

03

AGENDA DE APRENDIZAJE

Reglas y ejemplos
Estilo indirecto: referir conversaciones

RG / P.198

¿Qué cambios se producen en los tiempos verbales al referir las conversaciones originales? Lo anotamos.

	Referimos la conversación al cabo de una rato, o el mismo día, cuando las circunstancias no han cambiado.	Referimos la conversación al día siguiente. No sabemos si las circunstancias han cambiado.
"Mire, las duchas no funcionan bien". **Tiempo:** presente	El cliente **dice / ha dicho** que las duchas no funcionan bien. **Tiempo:**	El cliente **dijo** que las duchas no funcionaban bien. **Tiempo:** ....
"Ahora mismo irá alguien. Lo arreglarán enseguida". **Tiempo:**	El recepcionista **dice / ha dicho** que ahora mismo irá alguien y que lo arreglarán enseguida. **Tiempo:**	El recepcionista **dijo** que iría alguien y que lo arreglarían enseguida. **Tiempo:** ....
"Ayer ya estaban estropeadas. Y no fue nadie a arreglarlas". **Tiempos:**	El cliente **dice / ha dicho** que ayer ya estaban estropeadas. Y que no fue nadie a arreglarlas. **Tiempos:**	El cliente **dijo** que el día anterior ya estaban estropeadas. Y que no había ido nadie a arreglarlas. **Tiempos:** ....
"Oye, Javier, ve inmediatamente". **Tiempo:**	El recepcionista le **dice / ha dicho** a un compañero que vaya inmediatamente. **Tiempo:**	El recepcionista le **dijo** a un compañero que fuera inmediatamente. **Tiempo:** ....

Cuando referimos una conversación o algo que ha dicho alguien, retomamos solo la información esencial, eliminamos conectores conversacionales y nos adaptamos a las circunstancias presentes cambiando los pronombres, las referencias espaciales y temporales, etc.

03 TALLER DE USO

Reglas y ejemplos
Quejas y desacuerdo

RG / P.191, 193

Observamos los recursos y escribimos nuestros propios ejemplos.

Una reacción en contra de lo que expresa la frase subordinada	Frase subordinada en subjuntivo
No me pareció bien que...	**nos cobraran** un suplemento tan alto por una cama.
No estaba de acuerdo con que...	**me llamaran** del trabajo a cualquier hora.
Me quejé de que...	los vecinos **hicieran** tanto ruido.

Mis ejemplos:

....

....

....

....

....

....

....

....

....

....

....

....

....

En parejas
Me quejé

¿Hemos tenido algún problema en un servicio público, en un restaurante, en un alojamiento, en un transporte...? Recordamos cómo fue y escribimos un guion buscando el vocabulario que necesitaremos para contarlo.

Se lo contamos a un compañero. Prestamos especial atención a cómo referimos las conversaciones que se produjeron.

—A mí una vez en un taxi me quisieron cobrar 200 euros por ir del aeropuerto al centro...

Entre todos
¿Qué han dicho?

En parejas escribimos el guion de una pequeña conversación (máximo cuatro intervenciones) situada en un servicio público. Luego...

- cada pareja representa la conversación;
- los demás toman notas;
- entre todos referimos lo que han dicho como si lo acabaran de decir o como si lo hubieran dicho el día anterior.

—Perdone, este pescado tiene un sabor raro.
—Disculpe, lo siento mucho, señor, no sé qué ha pasado. Pida otra cosa y se la prepararemos inmediatamente.

Santi le dijo al camarero que el pescado tenía un sabor raro. El camarero le pidió disculpas. Y le dijo que pidiera otra cosa... Que se la prepararían enseguida.

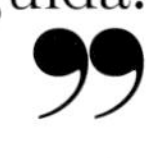

ARCHIVO DE LÉXICO

En español y en otras lenguas
Pasar, pasarle, pasarlo, pasársela, pasérsele...

Observamos los usos del verbo **pasar**.

Pasar algo (= suceder)
—Llevo una semana sin leer el periódico. ¿Ha pasado algo importante estos días?

Pasarle algo a alguien (= sucederle algo a alguien)
—No sé qué me pasa. No me encuentro bien.
—¿Tú sabes si le ha pasado algo a Ramón? Habíamos quedado y no ha aparecido.

Pasar por (= circular por)
—Ayer pasé por tu calle.

Pasar una cantidad de tiempo
—Este verano pasaremos unos días en Ibiza.

Pasar de algo / alguien (= en lenguaje coloquial, no hacer caso, no querer)
—Ayer me encontré a Luis en una tienda y pasó totalmente de mí. Ni me saludó.

Pasar vergüenza/hambre/calor...
—Paso mucha vergüenza al hablar en público.

Pasarlo (= bien/mal)
—Jugando al pádel lo paso fenomenal.
—Ana lo pasó muy mal con el divorcio.

Pasarle algo a alguien (= dejarle, darle un objeto)
—María me ha pasado los apuntes de Física.

Pasársele algo a alguien (= superar un sentimiento o estado)
—Estuve fatal con la gripe, pero se me pasó enseguida, en dos o tres días.
—¿Sigues enfadado o ya se te ha pasado?

Traducimos a nuestra lengua los siguientes ejemplos.

1. Ayer vi *Alien* y **pasé** mucho miedo.
2. Ayer estaba muy enfadado con Carmen, pero ya **se me ha pasado**.
3. Mi hermano **pasó** unos meses en Bali.
4. Lo pasamos genial en la fiesta de Marcos.
5. ¿**Por** dónde **pasas** cuando vas a clase?
6. Cuando me quedé sin trabajo, **lo pasé** muy mal.
7. ¿**Le pasa** algo a Iván? Parece triste...
8. Un día **me pasó** una cosa muy curiosa.

Mis palabras
En un hotel

¿Cómo, dónde y cómo fue la última vez que nos alojamos en un hotel? Lo escribimos utilizando el mayor número posible de expresiones de la lista.

- **Un cliente**
- **El equipaje**
- **El recepcionista**
- **La recepción**
- **Las habitaciones**

- **Reservar una habitación**
- **Cancelar una reserva**
- **Tener una habitación reservada**
- **Estar alojado en...**

- **Pedir la cuenta**
- **Pagar**
- **Cobrar**

- **Tener pensión completa**
  media pensión
  el desayuno incluido
- **Una habitación individual**
- **Una habitación doble**
- **Una cama de matrimonio**
- **Una habitación con vistas**

- **Tener un problema con el wifi**
- **Solucionar el problema del wifi**

Hotel España. Barcelona

Palabras para actuar
Para hablar de situaciones

Imaginamos que relatamos estas situaciones. ¿Cómo podríamos valorarlas utilizando los adjetivos de la lista u otros?

1. Un desconocido me empezó a insultar en plena calle.
2. Cuando salía de la tienda, se pusieron a sonar las alarmas.
3. Y entonces, delante de todos sus amigos, ella le dijo que le dejaba, que no quería seguir con él...
4. Se me rompieron los pantalones y me tuve que poner una toalla alrededor y salir así del restaurante.
5. Estuvimos una semana sin poder salir del pueblo porque las carreteras estaban cortadas por la nieve.
6. Nos quedamos una hora en el ascensor, pero como teníamos una pizza y unos refrescos, improvisamos un pícnic.

—Me pasó una cosa bastante...
—Fue una situación un poco...

- **curiosa**
- **graciosa**
- **desagradable**
- **extraña**
- **divertida**
- **cómica**
- **alucinante**
- **absurda**
- **ridícula**
- **incómoda**
- **tensa**
- **violenta**

! En este tipo de valoraciones el adjetivo suele ir acompañado de un gradativo: **un poco**, **bastante**, **muy**, **terriblemente**, **realmente**, **totalmente**, **algo**, etc.

PROYECTOS

Proyecto en grupo
Concurso de anécdotas

Vamos a hacer un concurso de anécdotas, reales o inventadas, sobre los temas de las tarjetas u otros que escojamos nosotros.

- Formamos parejas.
- Cada pareja escribe el guion de una anécdota, real o imaginaria.
- Formamos grupos de dos parejas.
- La pareja 1 escenifica una situación ante la pareja 2, que escucha y toma notas.
- La pareja 2, que ha escuchado la anécdota, la refiere al resto de la clase.
- La pareja 1 dice si han relatado su anécdota correctamente y corrige lo que haga falta.

Anécdotas en aviones

Anécdotas con niños

Anécdotas con animales

Anécdotas en restaurantes

Anécdotas en la carretera

Anécdotas en trenes

JÓVENES Y NO TAN JÓVENES

SER
FELIZ
MADURAR
REBELARSE
SER JOVEN
SER FELIZ
VOLVERSE EGOÍSTA
SER MAYOR
TENER EXPERIENCIA
CAMBIAR

SER
VIEJO
ENVEJECER
SER MAYOR
PASARLO BIEN
MADURAR
ENVEJECER
AISLARSE

SER
MAYOR
MADURAR
SER JOVEN
REBELARSE
HACERSE MAYOR
SER FELIZ
AISLARSE
CAMBIAR

ENVEJECER
MANTENERSE JOVEN
MADURAR
REBELARSE

ENVEJECER
TENER EXPERIENCIA
CAMBIAR
AISLARSE

AISLARSE
HACERSE MAYOR
SER JOVEN
REBELARSE

ASUMIR RESPONSABILIDADES
TENER EXPERIENCIA ESTAR EN SU MEJOR MOMENTO
ASUMIR RESPONSABILIDADES SER VIEJO MANTENERSE JOVEN PASARLO BIEN SER VIEJO
VOLVERSE DESCONFIADO CAMBIAR CAMBIAR
SER FELIZ ASUMIR RESPONSABILIDADES
VOLVERSE DESCONFIADO
PASARLO BIEN MADURAR ASUMIR RESPONSABILIDADES
ASUMIR RESPONSABILIDADES
VOLVERSE EGOÍSTA MANTENERSE JOVEN
SER JOVEN SER JOVEN SER VIEJO
TENER EXPERIENCIA AISLARSE
MADURAR

SER FELIZ
SER VIEJO

CAMBIAR
SER VIEJO
HACERSE MAYOR

AISLARSE
PASARLO BIEN SER JOVEN SER MAYOR TENER EXPERIENCIA
MADURAR VOLVERSE EGOÍSTA ASUMIR RESPONSABILIDADES
SER MAYOR TENER EXPERIENCIA ESTAR EN SU MEJOR MOMENTO
HACERSE MAYOR REBELARSE PASARLO BIEN
PASARLO BIEN VOLVERSE DESCONFIADO CAMBIAR VOLVERSE EGOÍSTA
ASUMIR RESPONSABILIDADES ENVEJECER MANTENERSE JOVEN
MANTENERSE JOVEN AISLARSE VOLVERSE DESCONFIADO
HACERSE MAYOR MANTENERSE JOVEN
VOLVERSE DESCONFIADO ESTAR EN SU MEJOR MOMENTO TENER EXPERIENCIA

UNIDAD 6

DOCUMENTOS
DOSIER 01
La edad del pavo
DOSIER 02
Treintañeros
DOSIER 03
Soy mayor... ¿y qué?

LÉXICO
- Etapas de la vida
- Verbos de cambio: **volverse**, **hacerse**, **llegar a ser**, **quedarse**, **ponerse**...
- **Decidir**

GRAMÁTICA
- Condicional compuesto
- Infinitivo compuesto
- Pluscuamperfecto de subjuntivo
- **Me gustaría que** + imperfecto de subjuntivo
- **Me gustaría** + infinitivo
- **Como si** + imperfecto de subjuntivo
- Condiciones no cumplidas en el pasado: **si hubiera / hubiese**..., **habría**...
- **Debería / tendría que** + infinitivo compuesto

COMUNICACIÓN
- Mecanismos de cohesión en una conversación
- Expresar deseos
- Evocar una época del pasado y describirla
- Opinar y hacer recomendaciones
- Hablar de expectativas sociales
- Expresar condiciones incumplidas en el pasado
- Formular reproches: **debería haber**...
- Hablar de estereotipos
- Corregir y ampliar informaciones: **no es que**..., **es que**...; **no solo**..., **sino que además**...
- Hacer propuestas y sugerencias

CULTURA
- Adolescentes en España
- Treintañeros en Latinoamérica
- La tercera edad en la actualidad

PROYECTOS
- Dar consejos para superar una crisis vital

PUNTO DE PARTIDA

Nube de palabras
Generaciones

¿A qué edad empezamos a ser adultos? Hablamos con nuestros compañeros. ¿Es igual en todos los contextos sociales que conoces?

Creo que una persona es adulta a partir de los 18 años, porque es cuando puede votar, conducir... ❞

Hablamos con un compañero: ¿A qué edad se es...?

Un adolescente | Un joven | Una persona de mediana edad | Una persona mayor | Un anciano

—Yo creo que la adolescencia comienza a partir de los 12 años, aproximadamente.
—¿Tan pronto? No sé, yo creo que los adolescentes tienen más bien entre 14 y 16. ❞

¿Qué comportamientos, actitudes y experiencias vitales relacionamos con las etapas anteriores? Utilizamos palabras y expresiones de la nube u otras.

Un adolescente
se rebela
....
....

Un joven
....
....
....

Una persona de mediana edad
....
....
....

Una persona mayor
....
....
....

Un anciano
....
....
....

D

Comparamos nuestras respuestas con las de nuestros compañeros.

COMPETENCIA AUDIOVISUAL

LA EDAD DEL PAVO

La adolescencia es una etapa de transición en la que el niño pasa a ser adulto. Supone una transformación, un momento de cambios físicos y emocionales durante el cual se deja de lado la relación de dependencia con los adultos que se ha tenido durante la niñez y se toman las riendas de la propia vida. Esto comporta una serie de actitudes como la rebeldía, la insatisfacción y la confusión. Los adolescentes se oponen a lo que dicen los adultos para autoafirmarse, para sentirse diferentes de sus padres y maestros. Por ello, en muchos casos se rebelan contra el sistema de valores de los adultos, los acusan de falta de comprensión y de que no les dejan ser independientes. Tienen la necesidad de ser aprobados por los demás, sobre todo por sus iguales, y esto es más importante que agradar a la familia.

Todo ello se refleja en una serie de comportamientos que se identifican como propios de esta etapa: no colaborar en casa, ser desordenado, estar apático, querer estar solo, encerrarse en la propia habitación, no hacer caso a los horarios, preocuparse en exceso por el aspecto físico, contestar de mala manera, etc.

Los psicólogos afirman que, en todas las épocas de la historia, los adolescentes han hecho lo mismo: esconderse de los adultos, conocer a mucha gente, probar aquello que les han prohibido, salir fuera de la zona de control, equivocarse y aprender de los errores. Por su parte, los adultos continúan haciendo lo que han hecho siempre: no estar de acuerdo con lo que los adolescentes hacen, pero protegerlos y, de esta manera, evitarles algunos problemas.

> Yo creo que la imagen que tienen los adultos de los adolescentes es que estamos todo el día de fiesta y que solo pensamos en la juerga.
>
> **Matías** 15 años

01
LA EDAD DEL PAVO

Antes de leer
La edad del pavo

¿Qué relación pueden tener las imágenes con la expresión **edad del pavo**? Hablamos con un compañero.

Texto y significado
La adolescencia

Leemos lo que dice Matías. ¿Qué pensamos nosotros? Hablamos en parejas.

Texto y significado
La edad del pavo

Leemos el texto introductorio. ¿Qué actitudes se relacionan con la adolescencia?

¿Cuáles de ellas nos parecen positivas y cuáles negativas? Discutimos en pequeños grupos.

Antes de ver
Guillermo, Matías y María

Tres adolescentes han contestado a las siguientes preguntas. ¿Qué creemos que han respondido? Hablamos con un compañero. Luego comprobamos con el vídeo.

1. ¿Cómo os tratan los adultos?
2. ¿Qué sueño os gustaría que se cumpliera pronto?
3. ¿Cuáles son vuestros planes y metas para el futuro? Por ejemplo, para cuando tengáis treinta años.
4. ¿Tenéis problemas con los adultos?
5. ¿Qué cosas de la sociedad no os gustan?
6. ¿Qué cosas os preocupan?

Texto e imágenes
La realidad de los adolescentes

Vemos de nuevo el vídeo o leemos la transcripción y subrayamos las respuestas. ¿Nos sorprende algo?

—Me sorprende lo que dicen de que...
—Me extraña lo que dicen sobre...

Texto y lengua
Me gustaría que...

Observamos las siguientes frases. ¿Qué tiempos verbales se usan? ¿Por qué?

—Para mí el sueño más inmediato sería que mi equipo de fútbol ganara la liga este año y espero que se cumpla, la verdad.
—Me gustaría también quedar bien en las competiciones y hacerlo bien.
—Me encantaría ir a Nueva York.

AGENDA DE APRENDIZAJE

Construir la conversación
Mecanismos de cohesión en una conversación

1 

En este fragmento de la transcripción del vídeo se observan algunos mecanismos típicos de las interacciones orales. Los relacionamos con las partes resaltadas del texto.

- Referirse a lo dicho por el interlocutor o los interlocutores
- Plantear una opinión pidiendo confirmación
- Matizar la opinión del otro
- Completar la frase del interlocutor
- Repetir y reformular lo dicho por otro

- Puede sonar un poco egoísta, pero lo que más me preocupa ahora mismo es que, por ejemplo, dentro de unos años no pueda ir a esquiar por culpa del cambio climático.
- Sí, bueno, a mí me preocupa más que hace treinta años había mucha pobreza y, y esto no, no mejoró, sino empeoró. Ahora hay más pobres y... que son más pobres.
- Y los ricos cada vez más ricos, ¿no?
- Sí, sí. Hay un quiebre social...
- Un desnivel muy grande.
- A mí me preocupa mucho esto, pero también la violencia de género. ¿No creéis que tendría que ser una cosa que ya tendría que estar como muy pasada? Y todavía está muy presente cada día en las noticias.
- Sí, sí...
- Creo que la violencia, en general.
- Sí, sí, pero... tendría que ser más... tendría que estar erradicada.
- Sobre todo, lo que has dicho tú del desnivel, creo que también tiene un poco que ver, porque hay mucha más pobreza, entonces también a lo mejor hay más violencia.
- Sí, creo que la violencia en general hay que erradicarla, no solo la de género, que también, obviamente... la... en general.

Reglas y ejemplos
El infinitivo compuesto

2  RG / P.185

Leemos las siguientes frases y contestamos las preguntas.

—*En junio espero haber terminado la carrera.*
—*En junio espero terminar la carrera.*

¿Cuándo espera terminar la carrera en cada caso?

—*Carlos no debería haber dejado los estudios.*
—*Carlos no debería dejar los estudios.*

¿En qué frase ha dejado Carlos los estudios?

—*El* Washington Post *es famoso por haber descubierto el Watergate.*
Ese periódico es famoso por descubrir todos los casos de corrupción.

¿Qué frase se refiere al pasado y cuál al presente?

infinitivo de **haber**	+ participo
haber	cantado comido vivido

En español y en otras lenguas
Como si + imperfecto de subjuntivo

Observamos los recursos. ¿Cómo traduciríamos las frases a nuestra lengua?

—*Me tratan como si fuera un niño.*
—*Me hablaban como si tuviera 10 años.*
—*Se puso a gritar como si estuviera loco.*
—*Lo recuerdo como si fuera ayer.*
—*Vive la vida como si no hubiera un mañana.*
—*Se quedó mirándome como si no me conociera.*

01 TALLER DE USO

Reglas y ejemplos
Expresar deseos

Observamos cómo funcionan estas construcciones y escribimos dos deseos personales.

Condicional + **que** + imperfecto de subjuntivo
—Mi sueño sería que mi equipo ganara la liga.
—Me gustaría que mis amigos me organizaran una fiesta sorpresa.

Condicional + infinitivo
—Mi sueño sería escribir un libro.
—Me gustaría dar la vuelta al mundo.

Mis deseos:

....

....

....

....

....

En grupos
Nuestra adolescencia

¿Qué recuerdos tenemos de nuestra adolescencia? ¿Y nuestros compañeros? Elaboramos una lista de los recuerdos que compartimos.

—No soportaba...
—A mí (no) me dejaban...
—Me molestaba(n)...
—Admiraba a... por haber...
—Me encantaba(n)...
—Me trataban como si...
—Mi sueño era...
—Me preocupaba(n)...
—Lo que más me interesaba era(n)...
—Nunca quería...

En grupos
Una discusión familiar

¿Qué creemos que sucede en cada una de estas situaciones?

Comprobamos escuchando el audio y completamos la ficha para cada viñeta.

- ¿Qué sucede en la viñeta?
- ¿Qué le gustaría al padre?
- ¿Y a los chicos?
- ¿Quién tiene razón?
- ¿Por qué?
- ¿Qué haríamos si fuéramos el padre?

—Al padre le gustaría que....
—A los hijos les gustaría que...
—Lo que yo haría es...

¿Discutíamos por estas cosas cuando éramos adolescentes? Hablamos en pequeños grupos.

TREINTAÑEROS DE LATINOAMÉRICA

En 2014, el fotógrafo Stephane Domingues y la escritora Anne Hangouet comenzaron un viaje de 16 meses por todo el mundo para fotografiar y entrevistar a treintañeros. Aunque los estilos de vida eran diferentes, todos tenían algo en común, dice Domingues. "Creo que lo que más tienen en común estas personas de 30 años es la conciencia de saber quiénes son realmente, y de cómo han llegado a serlo", dijo al *HuffPost*. "Creo que la razón principal es que ya completaste los estudios, trabajaste algunos años, desarrollaste algunas pasiones y tal vez, incluso, tienes una familia. Todas estas experiencias te permiten entender quién eres y qué es lo que quieres en la vida".

Inspirados por este proyecto, nosotros hemos preguntado a algunos treintañeros, y estas han sido sus respuestas.

ENRIQUETA (34). GERENTE DE UN HOTEL
CÓRDOBA, ARGENTINA

¿Notaste algunos cambios al cumplir los 30?
Por supuesto, desde hace unos años soy menos ingenua, confío menos en la gente, me he vuelto más desconfiada, supongo que por haber tenido alguna decepción en las relaciones personales. Por otra parte, sin embargo, también me siento mejor conmigo misma, con mi cuerpo y mi salud: por ejemplo, dejé de comer comida basura, hago más ejercicio, intento cuidarme más... Ahora, con 34 años, no me siento ni joven ni mayor, soy simplemente una persona más madura, más asentada.

¿Qué cosas de tu vida te gustaría cambiar?
Si no hubiera sido tan naíf cuando era joven, habría empezado a ahorrar antes y ahora mi situación económica sería mejor.

MANUEL (35). PESCADOR
AREQUIPA, PERÚ

¿Cuál es el hecho más importante de tu vida personal?
De joven tenía pensado dejar mi ciudad natal y hacerme marinero, viajar por el mundo, pero mis padres murieron y tuve que hacerme cargo de la familia. Me quedé en mi ciudad y empecé a trabajar de pescador, en el barco de mi tío. Si me hubiera hecho marinero, mi vida habría sido muy diferente, claro: no habría conocido a Francisca, no me habría casado ni tendría ahora a mis dos hijos... En fin, mi vida sería muy diferente.

¿Cómo cambia la gente a los 30?
Pues yo, aunque ya tengo 35, me siento todavía joven, estoy en forma, eso es muy necesario para mi trabajo... De mentalidad me siento un poco mayor, un poco más sabio. Cuando tengo tiempo, colaboro con la comunidad, estoy en un grupo local de ayuda a jóvenes con problemas.

A los 30 la gente se vuelve más madura, más solidaria, ¿no? La experiencia te ayuda a saber enfrentarte a las dificultades de la vida.

¿Qué cosas de tu vida te gustaría cambiar?
Creo que si hubiera podido escoger un trabajo menos duro, lo habría hecho, para tener así una vida más segura, con unos ingresos más estables que me permitieran planear mejor mi futuro y el de mi familia. Me gustaría poder retirarme a los 60, pero lo veo muy difícil.

MARCELO (32), ILUSTRADOR
MEDELLÍN, COLOMBIA

¿Notaste algunos cambios al cumplir los 30?
Sí, claro, noto que me estoy haciendo mayor, me canso mucho más que cuando tenía 20 años. Prefiero volver a casa temprano para cenar con mi esposa. También me he vuelto un poco más conformista: antes quería cambiar el mundo, acabar con las injusticias y todo eso, ahora soy mucho más realista.

¿Cómo te ves dentro de 10 años?
Dentro de 10 años me veo a mí mismo viviendo fuera de la ciudad, en una casa que mi familia tiene en el campo. Espero vivir allí con mi mujer y con los tres o cuatro hijos que tengamos en el futuro.

ROSALÍA (33), PERIODISTA
QUITO, ECUADOR

¿Cuál es el hecho más importante de tu vida personal?
Cuando rompí con mi pareja y empecé a vivir sola por primera vez a los 20 años. Eso me enseñó a ser independiente. Y cuando viajé sola por primera vez a Europa. Aprendí a valerme por mí misma. Esa experiencia, un poco dura al principio, me hizo fuerte y me convirtió en la mujer que soy ahora.

¿Tus logros personales?
Estoy orgullosa de haber trabajado en muchos ámbitos diferentes, como cantante, como profesora de español, como redactora... Me he enfrentado a muchos retos profesionales y los he ido superando.

¿Qué cosas de tu vida te gustaría cambiar?
Desearía haber empezado antes a estudiar periodismo y también haber viajado un poco más por mi país antes de viajar a Europa.

Texto adaptado de www.huffingtonpost.com

02 TREINTAÑEROS DE...

Antes de leer
Cumplir treinta años

En muchos países se considera que entrar en la década de los treinta es algo especial. ¿Es así en nuestro entorno?

¿Qué cosas se espera que una persona haya logrado a los 30? ¿Qué cosas se espera que haga a partir de ese momento? Hablamos en pequeños grupos.

En mi cultura, a los 30 tienes que haberte casado ya.

Texto y significado
Treinta y tantos

Leemos la introducción del texto. Según los creadores del proyecto, ¿por qué los 30 son una edad especial? ¿Qué ideas nos parecen interesantes? Hablamos en grupos.

Texto y significado
Treintañeros

Leemos los testimonios y, en parejas, seleccionamos la frase que mejor refleja cómo ven esas personas su trayectoria personal.

Texto y significado
Inés

Inés habla con una amiga sobre lo que significó para ellas cumplir 30 años. ¿Qué cambios hubo en sus vidas?

Inés:

.....

.....

.....

.....

.....

La amiga de Inés:

.....

.....

.....

.....

.....

Texto y lengua
Cambios

Buscamos en los textos todas aquellas construcciones verbales que sirven para referirse a cambios.

Reglas y ejemplos
Pretérito pluscuamperfecto de subjuntivo: forma

RG / P.189

Observamos cómo se forma el pretérito pluscuamperfecto de subjuntivo y completamos el paradigma con las formas que faltan.

imperfecto de subjuntivo de **haber**	+ participio
hubiera / hubiese	
hubieras /	
.... / hubiese	**hablado** **bebido** **vivido**
hubiéramos / hubiésemos	
.... / hubieseis	
hubieran /	

Reglas y ejemplos
Condicional compuesto

RG / P.186

Observamos cómo se forma el condicional compuesto y completamos el paradigma.

condicional de **haber**	+ participio
habría	
....	
habría	**hablado** **bebido** **vivido**
habríamos	
....	
habrían	

Reglas y ejemplos
Condiciones no cumplidas en el pasado

RG / P.189, 195

Miramos los ejemplos y las estructuras y escribimos nuestros propios ejemplos.

a. No respetó el *stop*. No aprobó el examen del carné de conducir.

b. No aprobó el examen. No puede ir en coche a París. Va en autobús.

> **!** No siempre es necesario expresar la condición, muchas veces está implícita en el contexto.
>
> No pudo estudiar. Qué pena: **habría podido** llegar muy lejos. (= Si hubiera estudiado, habría podido llegar muy lejos).

Condición no cumplida

Si + pluscuamperfecto de subjuntivo, condicional compuesto o pluscuamperfecto de subjuntivo

—*Si hubiera / hubiese respetado el* stop, *habría aprobado el examen.*
hubiera / hubiese aprobado el examen.

Si + pluscuamperfecto de subjuntivo, condicional simple

—*Si hubiera / hubiese aprobado el examen, podría ir a París en coche.*

Palabras para actuar
Reproche, arrepentimiento

4 RG / P.185

Observamos los siguientes recursos y contestamos la pregunta.

—Tendrías que haber venido. Lo pasamos muy bien.

—Deberías haber hablado con él. Seguro que te habría entendido.

—Habría que haber reservado mesa. Está todo lleno.

! En este tipo de frases, en lengua coloquial es frecuente usar el imperfecto de indicativo en lugar del condicional.

Tenías que / Debías haberlo enviado por correo.
Había que haber comprado los billetes hace dos semanas.

¿De qué me arrepiento?

....

....

....

....

....

....

....

....

....

....

....

02 TALLER DE USO

En parejas
Entrevista a un compañero

A

Le hacemos la siguiente entrevista a un compañero y anotamos sus respuestas.

RECUERDOS
- ¿Cuál es tu recuerdo más inolvidable?
- Hace 10 años, ¿cómo te imaginabas que sería tu vida actual?

LOGROS Y FRACASOS
- ¿Cuándo y cómo decidiste ejercer tu trabajo actual?
- ¿Cuál ha sido tu mayor logro?
- ¿Y tu mayor fracaso?

EN EL MUNDO
- ¿Cuáles son los acontecimientos que más te han impactado?

LA VIDA DESPUÉS DE LOS 20/30/40...
- ¿Cómo cambia la gente después de cumplir 20 / 30 / 40... años?
- ¿Cambiarías algo de tu pasado?
- ¿Qué decisiones has tenido que tomar? ¿Fueron fáciles o difíciles?

¿Y MAÑANA?
- ¿Cuáles son tus propósitos para el futuro?

En grupos
Cadena de condiciones

B

Imaginamos que un hecho del pasado se produjo de otra manera y pensamos en sus consecuencias hasta la actualidad. En grupos hacemos una cadena de condicionales. ¡Gana el grupo que construya más frases!

- Si Leonardo da Vinci hubiera inventado un avión en el siglo xv...
- Si los astronautas hubieran encontrado vida extraterrestre en la Luna...
- Si en tiempo de Romeo y Julieta hubiera habido móviles...
- Si los dinosaurios...

—Si los dinosaurios no hubieran desaparecido de la Tierra, habrían coincidido con los humanos.

—Si hubieran coincidido con los humanos...

SOY MAYOR... ¿Y QUÉ?

Durante toda la historia y en las diferentes culturas, la vejez ha sido valorada de dos formas distintas: una positiva (las personas mayores son sabias, transmiten valores, merecen un gran respeto) y una negativa (las personas mayores, "viejas", están físicamente disminuidas, socialmente aisladas, etc.). Muchos consideran que, actualmente, predomina una imagen negativa y estereotipada de la gente mayor. Esta valoración afecta a sus derechos, su autoestima y su bienestar. Una manera de luchar contra estos prejuicios son las campañas institucionales de concienciación, como la llamada *Soy mayor, ¿y qué?*, del Ayuntamiento de Barcelona (2017).

Dicen que...	En realidad...
... las personas mayores son un colectivo homogéneo.	... es una etapa vital muy cambiante. El grupo de personas mayores (de 65 años en adelante) es muy diverso en función de la edad, el sexo, la situación socioeconómica, el grado de participación en la sociedad, el origen, el estilo de vida y los intereses, etc.
... las personas mayores son dependientes, siempre están enfermas, son viejas y frágiles.	... tienen limitaciones, como los demás sectores de la sociedad. Sin embargo, la gran mayoría de ellas pueden gestionar por sí mismas las actividades de su vida cotidiana, y las que necesitan apoyo son una minoría. Además, las personas dependemos unas de otras a todas las edades: las personas mayores también cuidan. De hecho, en los últimos años han asumido funciones fundamentales en el cuidado de sus nietos y dan apoyo económico a sus familias.
... las personas mayores son rígidas, inflexibles, incapaces de afrontar cambios, de adaptarse a las nuevas situaciones o de aprender cosas nuevas.	... las personas mayores tienen las mismas inquietudes que el resto de la sociedad: muchas quieren saber más de la sociedad actual en el ámbito cultural, tecnológico, político... ¡porque esta también es su época! Tienen tiempo para leer y mantenerse informados, así como motivación para aprender cosas que no pudieron aprender en su juventud. Conservan sus capacidades intelectuales y asisten a escuelas para la tercera edad, a aulas universitarias y a cursos para adultos.

Texto adaptado de: ajuntament.barcelona.cat/socgranique

"No es verdad que todas las personas mayores seamos viejos gruñones o abuelitos encantadores; lo que pasa es que esa es la imagen que dan de nosotros la publicidad y las películas.

VICENTE
72 AÑOS

"Muchas personas mayores no solo no somos dependientes, sino que además colaboramos con nuestras familias. Es más, en algunos casos son los hijos los que dependen de nosotros.

ROSA
73 AÑOS

"No solo estoy interesado en lo que pasa en el país, en la situación económica, sino que además participo en campañas y manifestaciones cuando estoy en contra de algo.

CARLOS
70 AÑOS

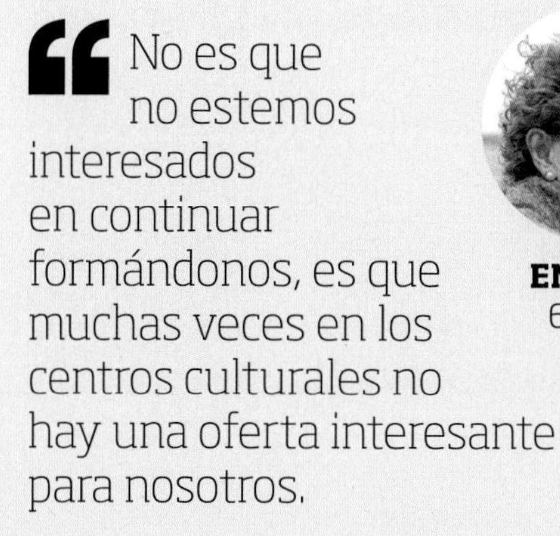

"No es que no estemos interesados en continuar formándonos, es que muchas veces en los centros culturales no hay una oferta interesante para nosotros.

ENCARNA
64 AÑOS

03
SOY MAYOR... ¿Y QUÉ?

Antes de leer
Tercera edad

¿Qué imagen hay de la tercera edad en nuestro entorno?

Texto y significado
Estereotipos

Leemos los textos. ¿De qué estereotipos se habla?

Texto y significado
Dicen que... En realidad...

Ahora leemos los testimonios y relacionamos cada uno de ellos con lo que dice la columna "En realidad" de la campaña.

Texto y significado
Iniciativas

Un experto habla sobre la atención a la gente mayor. Tomamos notas sobre sus propuestas para los siguientes ámbitos.

- La publicidad y los medios de comunicación: ....
- La educación intergeneracional: ....
- Las asociaciones de personas mayores: ....

Texto y lengua
No es que..., es que...

En el texto, ¿en qué forma aparecen los verbos en las siguientes estructuras? ¿Para qué sirven?

—*No solo (no), ... sino que (además)...*
—*No es que..., (lo que pasa) es que ...*
—*No es verdad que..., es que...*

03

AGENDA DE APRENDIZAJE

Palabras para actuar
Hacer propuestas y sugerencias: condicional

1  RG / P.186

Observamos estas construcciones y escribimos con ellas propuestas para mejorar la calidad de vida de los mayores.

Tendríamos que	
Podríamos	
Se debería	
Habría que	
Sería conveniente **Sería bueno** **Sería genial** **Sería fantástico**	+ infinitivo
Estaría bien	
No estaría mal	

—Tendríamos que mejorar la imagen de la empresa.
—Habría que acabar con los estereotipos racistas.
—Sería estupendo conseguir fondos para la campaña.

Sería conveniente **Sería bueno** **Sería genial** **Sería fantástico**	**que** + imperfecto de subjuntivo
Estaría bien	
No estaría mal	

—Sería conveniente que las familias concienciaran a los niños sobre el problema.
—Estaría bien que se hablara de estos temas en la escuela.

Para que la gente mayor tenga mejor calidad de vida: ....

....

....

....

....

....

....

Palabras para actuar
Corregir, ampliar, añadir argumentos

2 

Observamos cómo funcionan las siguientes construcciones y completamos las frases.

—Violeta no estudia inglés, sino francés.
—No trabajo por el dinero, sino (que lo hago) porque me encanta.
—No solo no somos dependientes, sino que además colaboramos con nuestras familias.
—Muchos abuelos ayudan a la familia, es más, en los años de la crisis sus ingresos eran imprescindibles para los hijos.

1. Lidia no estudia ruso ....

....

2. No vive en Madrid ....

....

3. No solo es una buena estudiante ....

....

4. No es que no me guste la comida mexicana ....

....

5. No es que ....

....

! Con **pero** presentamos una información que contrasta con otra.

Estudio español desde hace tiempo, **pero** no lo hablo muy bien.

Con **sino** corregimos una información y la sustituimos por otra.

No estudio español, **sino** italiano.
No estudio español, ~~**pero**~~ italiano.

03
TALLER DE USO

En grupos
Desmontar estereotipos

Vamos a pensar en una campaña para luchar contra los estereotipos.

- Escogemos dos colectivos de la lista.
- Hacemos una lluvia de ideas y anotamos los estereotipos más extendidos sobre ellos.
- Hacemos una lista de lo que pensamos nosotros.
- Pensamos en formas de desmontar esos estereotipos.

- **Las niñas**
- **Los niños**
- **Los estudiantes universitarios**
- **La gente del barrio más rico de la ciudad donde estudiamos**
- **Los políticos**
- **Los abogados**
- **Los futbolistas**
- **Los solteros de una cierta edad**
- **Otro:** ....

Se suele decir que...	Nosotros pensamos que en realidad...	Habría que...
las niñas solo juegan a las muñecas.	les gusta jugar a muchas cosas.	dejar de hacer juguetes sexistas.

Presentamos nuestra campaña a los compañeros. ¿Cuál nos parece más efectiva?

ARCHIVO DE LÉXICO

Palabras en compañía
Verbos de cambio

1 

Miramos las imágenes de Manolo y relacionamos cada una con la frase correspondiente.

1. **Se ha hecho** famoso.
2. **Se ha vuelto** maleducado.
3. **Ha llegado a** ser el mejor futbolista de Europa.
4. Hoy ha perdido el partido y **se ha puesto** triste.
5. Durante la rueda de prensa posterior, **se ha quedado** callado.

☐

☐ ☐

☐ ☐

2 

Observamos las series y relacionamos cada una con lo que expresan.

1. Cambio de posición, estatus social o religión
2. Transformación de carácter o actitud
3. Acceder a un cargo o una posición alta
4. Estado anímico o físico temporal
5. Situación como consecuencia de un suceso anterior

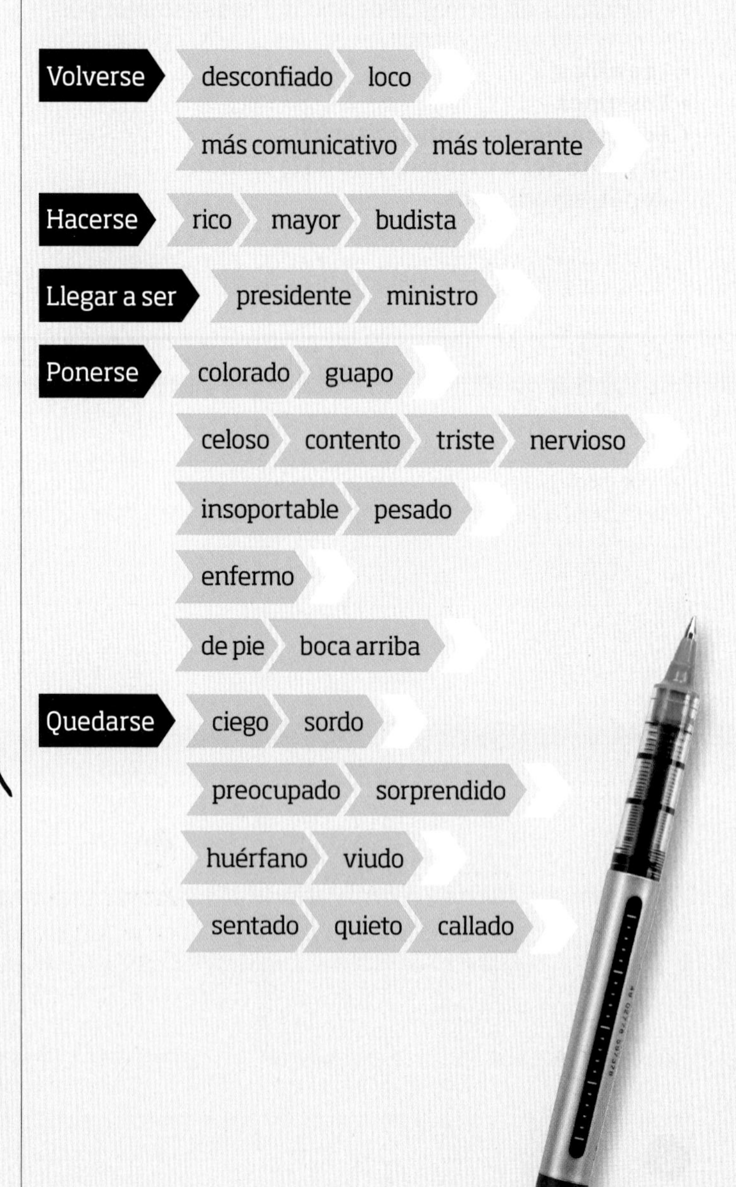

Volverse: desconfiado, loco / más comunicativo, más tolerante

Hacerse: rico, mayor, budista

Llegar a ser: presidente, ministro

Ponerse: colorado, guapo / celoso, contento, triste, nervioso / insoportable, pesado / enfermo / de pie, boca arriba

Quedarse: ciego, sordo / preocupado, sorprendido / huérfano, viudo / sentado, quieto, callado

PROYECTOS

Mis palabras
Decidir

Observamos los recursos y escribimos frases sobre alguna decisión que hemos tomado hace poco.

Antes de decidir

—Pablo está indeciso. No sabe si hablar con Laura o no.
—A Carlos le cuesta mucho decidir qué estudiar.

Decidir

—Mis padres decidieron mudarse de casa.
—Al final se decidieron por la casa más cara.
—A pesar del mal tiempo, me decidí a hacer la excursión.
—¿Has tomado ya una decisión?
— Tomó una decisión equivocada al separarse de su mujer.

Después de decidir

—Nunca he lamentado la decisión de estudiar Física.
—Me arrepiento de la decisión que tomé entonces. Si pudiera volver atrás, actuaría de otra manera.

Proyecto en grupo
La crisis de los 50

Hacemos una lluvia de ideas sobre las posibles causas de la llamada "crisis de los 50".

En parejas, leemos este poema e imaginamos el perfil de su protagonista.

HOMO CONDITIONALIS

Le gustaría haber sido cantante.

Desearía llevar una vida distinta.

Tendría que acabar lo que comienza.

Sería un buen actor, un gran poeta.

Podría... qué sé yo, qué sabe él.

Este año cumplirá 50 años
y todavía vive en los condicionales.

Debería caérsele la cara de vergüenza.
Si tuviera, se iría de este tiempo
verbal, se instalaría
en otro sin nostalgias
Viviría.

Sus ojos son la diéresis
que desde la palabra vergüenza ahora me miran.

Juan Vicente Piqueras

- Nombre
- Profesión
- Carácter de joven
- Carácter en la actualidad
- Relaciones sentimentales pasadas y actuales
- Familia
- Problemas actuales
- Tres decisiones que ha tomado en su vida que considera acertadas
- Tres decisiones que ha tomado en su vida que considera equivocadas

Presentamos nuestro personaje a otra pareja, que analizará su crisis y las causas de ella. Finalmente, podrá hacernos nuevas preguntas. Al fin formulará sus conclusiones y ofrecerá propuestas para superar la crisis.

—Cambiar de trabajo a los 25 no fue una buena decisión porque...
—Debería haber esperado un tiempo a...
—Si no hubiera aceptado esa propuesta, luego habría podido...
— Tendría que haber dicho que...
—A partir de ahora podría...

YO Y MIS CIRCUNSTANCIAS

SUERTE
EDUCACIÓN AZAR ÉPOCA CLASE SOCIAL CLASE SOCIAL CONTEXTO HISTÓRICO
CONTEXTO HISTÓRICO ORIGEN FAMILIAR EDUCACIÓN
ÉPOCA CLASE SOCIAL AMBIENTE SER UN FACTOR IMPORTANTE LUGAR DE NACIMIENTO
CLASE SOCIAL CIRCUNSTANCIAS CIRCUNSTANCIAS INFLUIR ORIGEN FAMILIAR PERSONALIDAD SUERTE AFECTAR DESTINO
SER CRUCIAL CONDICIONAR
SUERTE ÉPOCA
AMISTADES ORIGEN FAMILIAR SER CRUCIAL
FAMILIA AZAR ÉPOCA SUERTE
CONDICIONAR PERSONALIDAD INFLUIR
ÉPOCA SUERTE FAMILIA EDUCACIÓN
AZAR GÉNERO AZAR
AMISTADES CONDICIONAR AFECTAR
DESTINO AMISTADES DESTINO
CONTEXTO HISTÓRICO CIRCUNSTANCIAS
PERSONALIDAD LUGAR DE NACIMIENTO LUGAR DE NACIMIENTO
AFECTAR AFECTAR INFLUIR AMISTADES
MARCAR SUERTE SER CRUCIAL ORIGEN FAMILIAR
AZAR MARCAR CIRCUNSTANCIAS
AMBIENTE ÉPOCA GÉNERO AZAR MARCAR EDUCACIÓN EDUCACIÓN DETERMINAR
FAMILIA SER UN FACTOR IMPORTANTE SER CRUCIAL LUGAR DE NACIMIENTO
CONTEXTO HISTÓRICO CONDICIONAR CIRCUNSTANCIAS CLASE SOCIAL
AMISTADES DETERMINAR SER UN FACTOR IMPORTANTE AMBIENTE
EDUCACIÓN DESTINO AFECTAR PERSONALIDAD GÉNERO
MARCAR DETERMINAR SUERTE INFLUIR MARCAR CONDICIONAR
AMISTADES AMBIENTE SER CRUCIAL FAMILIA CONTEXTO HISTÓRICO
DESTINO LUGAR DE NACIMIENTO
SER UN FACTOR IMPORTANTE
MARCAR CONDICIONAR LUGAR DE NACIMIENTO CONDICIONAR AFECTAR
SER UN FACTOR IMPORTANTE PERSONALIDAD INFLUIR AZAR
INFLUIR DESTINO AMBIENTE CLASE SOCIAL DETERMINAR DETERMINAR
AMISTADES EDUCACIÓN AFECTAR FAMILIA

UNIDAD 7

DOCUMENTOS

DOSIER 01
Se buscan valientes
DOSIER 02
Romper el techo de cristal
DOSIER 03
Recuerdos de infancia

LÉXICO

- Datos y hechos biográficos
- Circunstancias determinantes en la vida de una persona
- Condicionar: **afectar a**, **influir en**, **ser crucial para**, **marcar**, etc.
- **Conseguir**, **intentar**, **lograr**, etc.
- Problemas sociales y discriminación
- Relaciones de parentesco

GRAMÁTICA

- Subordinadas en un relato con indicativo y subjuntivo
- Relativas en pasado
- **Me gustaría** + oraciones de relativo
- Sustantivas con subjuntivo: **conseguir**, **intentar**
- Punto de vista y tiempos verbales en el relato
- El condicional como futuro del pasado

COMUNICACIÓN

- Hablar de la propia biografía
- Hablar de factores que condicionan la existencia
- Hablar de logros y fracasos
- Valorar acciones y logros
- Familiarizarse con textos literarios

CULTURA

- Valores asociados a la familia
- El Langui
- Pablo Pineda
- Mujeres profesionales de Latinoamérica
- Memorias de Mario Vargas Llosa

PROYECTOS

- Hacer un cadáver exquisito

PUNTO DE PARTIDA

Nube de palabras
Vidas y circunstancias

"Yo soy yo y mi circunstancia" es una famosa frase del filósofo español José Ortega y Gasset (1883-1955) que muchos hispanohablantes conocen. ¿Qué creemos que significa?

¿Cuáles son los factores que más influyen en la vida de una persona? Lo comentamos utilizando palabras o expresiones de la nube.

"—Un factor importante es la época en la que naces.
—Sí, pero también influye mucho el origen social, ¿no?"

Pensamos en un miembro de nuestra familia o de nuestro entorno. ¿Qué circunstancias concretas marcaron su vida? Se lo contamos a nuestros compañeros.

"Pienso en mi abuelo... Cuando era niño, estalló la guerra y su padre estuvo cuatro años preso. Y eso marcó totalmente su infancia y su vida."

COMPETENCIA AUDIOVISUAL

SE BUSCAN VALIENTES

El polifacético artista Juan Manuel Montilla, *El Langui*, nació en el barrio de Pan Bendito (Madrid) en 1979 con una lesión cerebral causada por falta de oxígeno en el parto. Aprendió muy pronto que, si se caía, tenía que levantarse de nuevo. Siempre ha agradecido que su madre no lo ayudara cuando tropezaba. Incluso cuenta que ella colocaba algunas cosas (como el Cola Cao) en lugares a los que él no llegaba, para que se esforzara y aprendiera así a ser autónomo. Sus padres tenían muy claro que, cuando fuera mayor, tendría que valerse por sí mismo. Creían que, aunque tuviera una discapacidad, podía salir adelante. Y lo lograron: se convirtió en un incansable luchador.

Ya en 2001 se dio a conocer con su grupo de rap La Excepción. Luego vinieron sus trabajos como actor de cine y televisión y sus colaboraciones en programas de radio. Publicó varios libros, tuvo su propio programa de radio y se convirtió en un personaje muy querido y respetado en España.

En 2016, ante la negativa del conductor de un autobús interurbano de Madrid a dejarle subir con la silla de ruedas eléctrica, se plantó delante e impidió su salida y la de otros autobuses. Con su protesta logró que se modificara la normativa de los transportes de Madrid y que se permitiera el acceso de las sillas de ruedas eléctricas.

En 2017 participó en una campaña contra el *bullying* en las escuelas, con la canción "Se buscan valientes", que se hizo viral. La campaña no se dirigía ni al acosador ni a la víctima, sino a los testigos del acoso escolar, para que los niños o adolescentes no tuvieran miedo de denunciar la violencia contra un compañero.

El Langui, que conoce el tema por experiencia propia, ha explicado en muchas entrevistas que él tuvo la suerte de tener a muchos valientes a su lado, compañeros del barrio que lo apoyaron y que no permitieron que se burlaran de él o lo discriminaran. "La fuerza del valiente está en el corazón", dice su canción. Sin duda, hay pocos que hayan tenido tanta valentía en el corazón como él a lo largo su vida.

Se buscan valientes que expresen lo que sienten.

Se buscan valientes que apoyen y defiendan al débil.

Tú eres importante, tú sabes lo que pasa, no mires a otro lado.

No le tengas miedo al malo.

01 SE BUSCAN VALIENTES

Antes de leer
Ser valiente

¿Qué es ser valiente? ¿Qué situaciones o circunstancias obligan a una persona a ser valiente? Hacemos una lluvia de ideas.

Por ejemplo, cuando tienes que enfrentarte a situaciones difíciles, como una enfermedad grave.

Texto y significado
El Langui

Leemos el texto sobre El Langui. ¿Cómo es? Buscamos adjetivos que lo definan y argumentamos nuestra selección con información del texto.

Texto y lengua
Subordinadas en un relato

Observamos estas dos frases del texto. ¿En qué tiempo verbal están los verbos principales y subordinados?

1. Siempre **ha agradecido** (Verbo 1) que su madre no lo **ayudara** (Verbo 2) cuando tropezaba.

2. **Logró** (Verbo 1) que se **modificara** (Verbo 2) la normativa de los transportes de Madrid.

Texto e imágenes
Se buscan valientes

Vamos a ver el videoclip de la canción "Se buscan valientes". Anotamos algunas de las ideas que aparecen y las comentamos en pequeños grupos.

Leemos la transcripción, marcamos lo que les pide a los niños y adolescentes, y lo expresamos con nuestras palabras.

¿Nos parece una buena campaña contra el acoso escolar? ¿Por qué?

AGENDA DE APRENDIZAJE

Reglas y ejemplos
Indicativo y subjuntivo: subordinadas en un relato

1

Observamos la correspondencia de tiempos en estas construcciones con subjuntivo.

RG / P.191

Langui bloquea otro autobús que no le deja subir con su silla.

Verbo 1 + **que** + verbo 2 en subjuntivo

Referido al presente

—Sus compañeros no permiten que se burlen de él o lo discriminen.

—Es una vergüenza que no dejen subir sillas de ruedas eléctricas al autobús.

Referido al pasado

—Sus compañeros no permitieron que se burlaran de él o lo discriminaran.

—Era una vergüenza que no dejaran subir sillas de ruedas eléctricas al autobús.

Con partículas (finales, temporales, concesivas)

Para que

Referido al presente

—Su madre coloca algunas cosas en lugares poco accesibles para que aprenda a ser autónomo.

Referido al pasado

—Su madre colocaba algunas cosas en lugares poco accesibles para que aprendiera a ser autónomo.

Aunque

Referido al presente

—Creen que, aunque tenga una discapacidad, puede salir adelante.

Referido al pasado

—Creían que, aunque tuviera una discapacidad, podía salir adelante.

Cuando

Referido al futuro

—Sus padres tienen muy claro que, cuando sea mayor, tendrá que valerse por sí mismo.

Referido al futuro del pasado

—Sus padres tenían muy claro que, cuando fuera mayor, tendría que valerse por sí mismo.

2

Escribimos ejemplos en presente y en pasado con otros verbos u otras partículas que creamos que funcionan igual.

Mis ejemplos:

Palabras en compañía
Condicionar

Observamos los siguientes recursos y contestamos la pregunta.

—*La enfermedad afectó a su desarrollo físico.*
—*La presión de sus padres influye negativamente en sus estudios.*
—*Su viaje a EE.UU. será crucial para su carrera.*
—*No hay duda de que su accidente fue un factor determinante para que quisiera ser médico.*
—*Nuestra infancia nos marca.*

¿Como condicionan a una persona los siguientes factores?

- la educación
- la infancia
- el aspecto físico
- el género
- tener una discapacidad

01
TALLER DE USO

En parejas o en grupos
Pablo Pineda

Leemos la información sobre Pablo Pineda y algunas declaraciones que ha hecho en diversas entrevistas. Tratamos de imaginar cómo fueron su infancia y la actitud de sus padres.

No supe que tenía síndrome de Down hasta que cumplí siete años.

Una tendencia perjudicial en la que muchas personas caen: el tratar a la gente con discapacidad como si fueran niños, sin exigirles responsabilidad de sus actos, siendo permisivos con todo lo que piden y justificando sus errores.

Pablo Pineda tiene 43 años y fue el primer europeo con síndrome de Down en tener una carrera universitaria. Es diplomado en Magisterio desde 1999. Da conferencias sobre la discapacidad en las que habla de su experiencia con el objetivo de luchar contra los prejuicios y fomentar el respeto a la diferencia. Ha escrito dos libros y ha protagonizado una película, *Yo también*, con la que ganó la Concha de Plata al mejor actor en el Festival Internacional de Cine de San Sebastián.

En parejas terminamos estas frases a partir de lo que podemos deducir de los textos. Usamos recursos de la agenda.

—*Seguramente su familia se empeñó en que... para que...*
—*Yo diría que su familia quería que cuando...*
—*Yo creo que consiguieron que...*
—*De niño, aunque Pablo...*
—*Pablo ha logrado...*

Ponemos en común nuestras frases, tomamos notas de las que nos parecen más interesantes y las añadimos al texto de presentación de Pablo Pineda.

¿Conocemos algún caso similar al de Pablo? Lo comentamos con los compañeros.

ROMPER EL TECHO DE CRISTAL

En los estudios de género se denomina "techo de cristal" a la limitación no explícita que sufren las mujeres en su vida laboral y que les impide alcanzar cargos directivos en empresas e instituciones. Es una barrera invisible, pero fácilmente observable si tenemos en cuenta las cifras de mujeres que ocupan altos cargos. Desde el año 2013 la BBC elabora una lista de 100 mujeres de todo el mundo que destacan por sus logros, sus luchas o sus experiencias extraordinarias. La lista incluye tanto a mujeres que ya son famosas como a otras menos conocidas. En las listas de los últimos años se ha prestado especial atención a aquellas que se han enfrentado a los retos de las mujeres en cuatro áreas: el techo de cristal, el analfabetismo femenino, el acoso callejero y el sexismo en el deporte. Presentamos aquí a cuatro latinoamericanas de la lista que, sin duda, han roto el techo de cristal.

EVELYN MIRALLES

Evelyn Miralles (Caracas, 1967) es una ingeniera informática que lidera desde hace más de 20 años el programa de realidad virtual de la Agencia Espacial Estadounidense (NASA). El programa entrena y prepara a los astronautas para el momento en el que salen de la nave o de la estación espacial y se enfrentan a los elementos desconocidos del espacio.
Con 19 años Evelyn emigró a los EE.UU., y se graduó seis años más tarde en gráficas de computación. En 1992 la NASA estaba buscando ingenieros que pudieran trabajar en el desarrollo de sus programas de realidad virtual, muy básicos en esa época, y Evelyn fue elegida para dirigir el equipo de diseño en 3D. Desde entonces ha trabajado en diferentes proyectos, como la Estación Espacial Internacional o la construcción de un modelo 3D para una casa en Marte. Gracias a su trabajo y al de su equipo, se pudo salvar el Telescopio Espacial Hubble cuando este tuvo que ser reparado en el espacio el año 2000.

"

Nunca he sentido limitaciones por ser hispana o por ser mujer. Al contrario, siento que el ser mujer me da ciertas ventajas. Trabajamos y pensamos distinto y es por las diferencias que uno puede producir cosas más extraordinarias. Eso es lo que hemos hecho nosotros en nuestra organización. Pensar de manera diferente enriquece el producto final.

MARIANA COSTA CHECA

Mariana Costa es la cofundadora de Laboratoria, una iniciativa que forma a expertas en diseño web.

Costa y su esposo, Herman Marín, crearon en 2014 una empresa de desarrollo web en Perú y empezaron a tener dificultades para encontrar profesionales especializados. Además, constataron que había poquísimas mujeres de origen humilde que llegaran a tener una formación especializada, y menos aún que se formaran en el sector tecnológico. De ahí surgió su proyecto educativo y social: formar a mujeres sin recursos para que pudieran tener un puesto de trabajo cualificado; y ya son más de 800 jóvenes las que lo han conseguido. Laboratoria ha desarrollado su proyecto en varios países: Perú, Chile, México y Brasil.

"

En la educación tradicional se hacía una distinción entre educación para hombres y para mujeres. Se partía de una desigualdad y un prejuicio: las mujeres son delicadas, pero no tan estudiosas; los hombres son aventureros y tienen más capacidad de aprender. Prejuicios que son peligrosísimos. Es por eso que hay pocas mujeres en ingeniería, en ciencias, en matemáticas, en tecnología..., y no tiene ningún sentido. Las mujeres tenemos toda la capacidad para estar ahí y la industria nos necesita; necesita nuestra perspectiva para crear productos que respondan a nuestras necesidades.

País de nacimiento: Perú
Ocupación: empresaria

País de nacimiento: Venezuela
Ocupación: ingeniera informática

TAMARA DE ANDA

País de nacimiento: México
Ocupación: periodista

MELISSA MÁRQUEZ-RODRÍGUEZ

País de nacimiento: Puerto Rico
Ocupación: ingeniera

02
ROMPER EL TECHO DE CRISTAL

Antes de leer
El techo de cristal

¿Qué es el "techo de cristal"? ¿A qué se puede referir esta metáfora en relación con la trayectoria profesional de las mujeres?

Texto y significado
Carreras profesionales

Leemos el texto introductorio y comprobamos nuestras hipótesis. Luego comentamos en pequeños grupos si hay en nuestro entorno un "techo de cristal".

Según el texto, ¿cuáles son los problemas y los retos principales de las mujeres en la actualidad? ¿Podemos añadir otros? Hacemos una lista y la compartimos con toda la clase.

Compartir mejor el cuidado de niños y ancianos.

Leemos los perfiles de mujeres que han roto el techo de cristal y resumimos sus logros.

—*Ha conseguido (que)...*

Ahora escuchamos el perfil de otras dos mujeres y resumimos sus logros.

1. Tamara de Anda
2. Melissa Márquez-Rodríguez

Leemos las dos citas y las comentamos con un compañero. ¿Qué pensamos nosotros? ¿Es así en nuestro entorno? Lo argumentamos con ejemplos.

Texto y lengua
Oraciones relativas en pasado

Observamos estas dos frases de los textos. ¿En qué forma están los verbos destacados? ¿Por qué? ¿Cómo serían en presente? Lo comentamos con un compañero.

—*En 1992 la NASA estaba buscando ingenieros que pudieran trabajar en el desarrollo de sus programas de realidad virtual.*
—*Había poquísimas mujeres de origen humilde que llegaran a tener una formación especializada, y menos aún que se formaran en el sector tecnológico.*

Reglas y ejemplos
Oraciones de relativo en pasado

 RG / P.197

Observamos estas oraciones relativas en pasado. Luego continuamos las frases y añadimos una más.

Verbo en pasado + **que**
+ imperfecto de subjuntivo

—En aquella epoca los votantes querían elegir a representantes que no estuvieran involucrados en casos de corrupción.

—Había que formar una comisión en la que participaran representantes del Ayuntamiento, de las asociaciones de vecinos y de los comerciantes.

1. Cuando terminé el bachillerato, elegí un sitio donde ....
2. Antes de conocer a mi actual pareja, buscaba una persona que ....
3. Después de la crisis, el país necesitaba políticas económicas con las que ....
4. ....

Reglas y ejemplos
Me gustaría... + oraciones de relativo

  RG / P.197

Observamos el funcionamiento de estas oraciones relativas y completamos las frases con información personal.

Verbo en condicional + **que** + presente de subjuntivo

—Para nuestro departamento de exportación nos gustaría contratar al alguien que hable alemán.
(= presentamos como posible encontrar a esa persona)

Verbo en condicional + **que** + imperfecto de subjuntivo

—Para nuestro departamento de exportación nos gustaría contratar a alguien que hablara alemán.
(= presentamos como difícil o poco probable encontrar a esa persona)

Mis ejemplos:

Me gustaría conocer a alguien con quien / a quien ....

Desearía tener un trabajo que / en el que / con el que ....

Reglas y ejemplos
Sustantivas con subjuntivo: conseguir...

RG / P.193

Observamos los recursos.

Verbo 1 + **que** + Verbo 2

1. Verbos similares a **conseguir** + **que** + subjuntivo

—No consigo que mi hijo haga los deberes todos los días.
—Al final consiguió que sus hijos estudiaran.

2. Verbos similares a **intentar** + **que** + subjuntivo

—Lucía ha intentado varias veces que le den una beca.
—Sebastián intentó que le subieran el sueldo, pero al final decidió cambiar de trabajo.

4

RG / P.167

¿Con qué verbo podemos relacionar los siguientes? Escribimos ejemplos.

- ☐ procurar
- ☐ empeñarse en
- ☐ tratar de
- ☐ lograr
- ☐ hacer
- ☐ permitir
- ☐ luchar por
- ☐ impedir

02 TALLER DE USO

En grupos
Valorar acciones y logros

Vamos a hacer un concurso de personas que han destacado en su labor (artística, profesional, social, etc.) en un pasado reciente o lejano. Cada grupo elige a tres.

—Ha conseguido / consiguió (que)...
—Su empresa / su labor / su obra ha permitido que...

—Es / ha sido / fue ella quien...
—Es / fue una de las personas / mujeres / artistas... que...
—Gracias a él / ella...
—Su obra es fundamental para...

Buscamos más información, tomamos notas y, por turnos, los presentamos a la clase.

Votamos a los tres cuya trayectoria nos parece más importante.

Con lápiz o con ratón
Nuestras mujeres importantes

En pequeños grupos, nos ponemos de acuerdo para escribir nuestra lista de las diez mujeres importantes para nosotros en los siglos XX y XXI.

—Yo creo que tendríamos que poner a Wangari Maathai.
—¿Por qué es importante?
—Fue la primera mujer africana que recibió el Premio Nobel de la Paz.

RECUERDOS DE INFANCIA

1

Mi mamá me tomó del brazo y me sacó a la calle por la puerta del servicio de la prefectura. Fuimos caminando hacia el malecón Eguiguren. Eran los últimos días de 1946 o los primeros de 1947, pues (...) yo había terminado el quinto de primaria y ya estaba allí el verano de Piura, de luz blanca y asfixiante calor.

—Tú ya lo sabes, por supuesto —dijo mi mamá, sin que le temblara la voz.— ¿No es cierto?
—¿Qué cosa?
—Que tu papá no estaba muerto. ¿No es cierto?
—Por supuesto, por supuesto.

Pero no lo sabía, ni remotamente lo sospechaba, y fue como si el mundo se me paralizara de sorpresa. ¿Mi papá, vivo? ¿Y dónde había estado todo el tiempo en que yo lo creí muerto? Era una larga historia y que hasta ese día —el más importante de todos los que había vivido hasta entonces y, acaso, de los que viviría después— me había sido cuidadosamente ocultada por mi madre, mis abuelos, la tía abuela Elvira —la Mamaé— y mis tíos y tías, esa vasta familia con la que pasé mi infancia, en Cochabamba, primero, y, desde que nombraron prefecto de esta ciudad al abuelo Pedro, aquí, en Piura. Una historia de folletín (...) que (...) había avergonzado a mi familia materna (mi única familia, en verdad) y destruido la vida de mi madre cuando era todavía poco más que una adolescente. Una historia que había comenzado once años atrás, a más de dos mil kilómetros de este malecón Eguiguren (...).

2

Mi madre tenía diecinueve años. Había ido a Tacna acompañando a mi abuelita Carmen —que era tacneña— desde Arequipa, donde vivía la familia, para asistir al matrimonio de algún pariente, aquel 10 de marzo de 1934, cuando (...) alguien le presentó al encargado de la estación de radio de Panagra, la versión primigenia de la Panamerican: Ernesto J. Vargas. Él tenía veintinueve años y era muy buen mozo. Mi madre quedó prendada de él desde ese instante y para siempre. Y él debió de enamorarse también, pues, cuando, luego de unas semanas de vacaciones tacneñas, ella volvió a Arequipa, le escribió varias cartas e, incluso, hizo un viaje a despedirse de ella al trasladarlo la Panagra al Ecuador. En esa brevísima visita a Arequipa se hicieron formalmente novios. El noviazgo fue epistolar; no volvieron a verse hasta un año después, cuando mi padre —al que la Panagra acababa de mudar de nuevo, ahora a Lima— reapareció por Arequipa para la boda. Se casaron el 4 de junio de 1935 (...). Después de la boda, viajaron a Lima de inmediato, donde mi padre era radio-operador de la Panagra. Vivían en una casita de la calle Alfonso Ugarte, en Miraflores. Desde el primer momento, él saco a traslucir lo que la familia Llosa llamaría, eufemísticamente, "el mal carácter de Ernesto". Dorita fue sometida a un régimen carcelario, prohibida de frecuentar amigos y, sobre todo, parientes, obligada a permanecer siempre en la casa. Las únicas salidas las hacía acompañada de mi padre y consistían en ir a algún cinema o a visitar al cuñado mayor, César, y a su esposa Orieli, que vivían también en Miraflores. Las escenas de celos se sucedían por cualquier pretexto y a veces sin pretexto y podían degenerar en violencias.

3

Muchos años más tarde, cuando (...) me fue posible hablar con ella de los cinco meses y medio que duró su matrimonio, mi madre seguía aún repitiendo la explicación familiar del fracaso conyugal: el mal carácter de Ernesto y sus celos endemoniados. Y echándose algo de la culpa, pues, tal vez, al haber sido una muchacha tan mimada, para quien la vida en Arequipa había sido tan fácil, tan cómoda, no la preparó para esa prueba difícil, pasar de la noche a la mañana a vivir en otra ciudad, con una persona tan dominante, tan distinta de quienes la habían rodeado.
Pero la verdadera razón del fracaso matrimonial no fueron los celos, ni el mal carácter de mi padre sino la enfermedad nacional por antonomasia, aquella que infesta todos los estratos y familias del país y en todos deja un relente que envenena a la vida de los peruanos: el resentimiento y los complejos sociales. Porque Ernesto J. Vargas, pese a su blanca piel, sus ojos claros y su apuesta figura, pertenecía -o sintió siempre que pertenecía, lo que es lo mismo- a una familia socialmente inferior a la de su mujer. (...) En la variopinta sociedad peruana, y acaso en todas las que tienen muchas razas y astronómicas desigualdades, blanco y cholo son términos que quieren decir más cosas que raza o etnia: ellos sitúan a la persona social y económicamente, y estos factores son muchas veces los determinantes de la clasificación. (...) Ése fue probablemente el caso de mi padre.

Mario Vargas Llosa, *El pez en el agua*

03 RECUERDOS DE INFANCIA

Antes de leer
Vargas Llosa

¿Sabemos quién es Mario Vargas Llosa? Hablamos entre nosotros. Podemos consultar en internet.

Texto y significado
Recuerdos de la infancia

El primero se refiere a...

En grupos de tres, nos distribuimos los fragmentos 1, 2 y 3 de las memorias de Vargas Llosa, y los leemos individualmente. ¿A qué temas se refiere el autor en cada uno de ellos? Hacemos una lista.

Por orden (1,2,3) cada uno hace una síntesis a los demás de lo que ha leído.

—En este fragmento habla de su familia...
cuenta que... / cómo... / la historia de...
explica por qué...
analiza...
describe el día en que...

Uno de cada grupo resume ante toda la clase el contenido del párrafo que ha leído. Los que han leído el mismo pueden añadir cosas, reformular, aclarar dudas...

Comentamos entre todos el siguiente párrafo. ¿Cómo lo interpretamos? ¿Es igual en otras sociedades que conocemos?

En la variopinta sociedad peruana, y acaso en todas las que tienen muchas razas y astronómicas desigualdades, **blanco** y **cholo** son términos que quieren decir más cosas que **raza** o **etnia**: ellos sitúan a la persona social y económicamente.

Texto y lengua
Relaciones familiares

¿Qué palabras o expresiones sobre las relaciones de parentesco y la familia se mencionan en el texto? Hacemos una lista.

¿Qué asociamos con la palabra **familia** en nuestro entorno cultural o en otros que conocemos? Hacemos un asociograma en parejas.

03
AGENDA DE APRENDIZAJE

En español y en otras lenguas
Relaciones familiares

¿Cómo se llaman estas relaciones de parentesco en nuestra lengua u otra que conocemos?

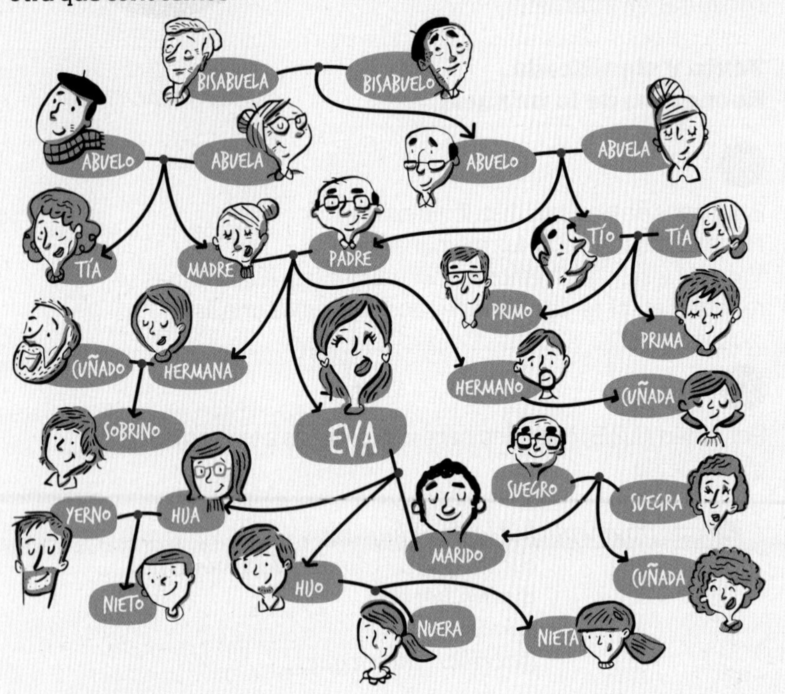

La mujer de su hijo: su nuera

Los hermanos de sus padres: ....

Los padres de sus abuelos: ....

El marido de su hija: ....

Los hijos de sus tíos: ....

La hermana de su marido: ....

El marido de su hermana: ....

La mujer de su hermano: ....

Los padres de su marido: ....

Mi mamá y **mi papá** son de uso general en Latinoamérica, pero en España solo se utiliza en vocativo: (**Hola, papá**) o en el seno de la familia (entre hermanos, por ejemplo: **Papá no ha llegado todavía**). También lo usan los niños. En otros contextos se prefiere **mi padre**, **mi madre**.

La gramática de las palabras
Punto de vista y tiempos verbales

Analizamos estos pares de frases referidos a la historia familiar de alguien. Para comprobar si entendemos bien su uso, creamos contextos más amplios en los que elegiríamos uno u otro tiempo. Luego, tratamos de escribir un texto, añadiendo lo que necesitemos y eligiendo el tiempo adecuado.

—*Mis padres vivían en Jaca.*

Cuando yo nací, mis padres vivían en Jaca. Pero unos años más tarde nos fuimos a Zaragoza.

—*Mis padres vivieron en Jaca.*

Mis padres vivieron en Jaca unos cuatro años, hasta que destinaron a mi madre a Zaragoza, en 2010.

—*Mi padre era albañil.*
—*Mi padre fue albañil.*

—*Mi padre tenía una enfermedad pulmonar.*
—*Mi padre tuvo una enfermedad pulmonar.*

—*No podía trabajar en la construcción.*
—*No pudo trabajar en la construcción.*

—*Mi madre conocía a una familia que tenía una granja.*
—*Mi madre conoció a una familia que tenía una granja.*

—*Esa familia le daba trabajo a mi madre.*
—*Esa familia le dio trabajo a mi madre.*

—*En 2008 había una crisis económica.*
—*En 2008 hubo una crisis económica.*

—*Mi padre tenía varios empleos: en correos, en un restaurante...*
—*Mi padre tuvo varios empleos: en correos, en un restaurante...*

03
TALLER DE USO

En español y en otras lenguas
Futuro en el pasado

RG / P.186

Observamos los recursos. ¿Existe un fenómeno equivalente en nuestra lengua?

Presentamos dos acciones pasadas

—Mis padres emigraron a Alemania en el año 76. Regresaron a su país muchos años más tarde, cuando enfermaron los abuelos.

Presentamos una de las acciones pasadas desde la perspectiva de la otra, como un futuro del pasado (lengua culta o literaria)

—Mis padres emigraron a Alemania en el año 76. Regresarían a su país muchos años más tarde, cuando enfermaron los abuelos.

Este uso del condicional como futuro del pasado es muy frecuente cuando se refieren conversaciones o pensamientos:
Dijo que **vendría** a las dos, pero no ha llegado aún.
Pensó que **sería** una buena solución.

En parejas
Frases complejas en un relato

Observamos cómo se insertan frases subordinadas en este fragmento. ¿A qué se refieren las palabras destacadas? Con un compañero descomponemos el texto en frases simples.

Era una larga historia y que hasta ese día –el más importante de todos **los que había vivido** (1) hasta entonces y, acaso, de **los que viviría** (2) después– **me había sido** (3) **cuidadosamente ocultada** por mi madre, mis abuelos, la tía abuela Elvira –la Mamaé– y mis tíos y tías, esa vasta familia **con la que pasé** (4) **mi infancia**, en Cochabamba, primero, y, desde que nombraron prefecto de esta ciudad al abuelo Pedro, aquí, en Piura.

- Era una larga historia.
- Ese día era el más importante de todos los días.

...

B

Intentamos conectar todas estas informaciones en una sola frase.

- Yo pasaba los veranos con mi abuela en el pueblo.
- Mi abuela Clara murió con 105 años.
- Al pueblo habían llegado sus padres, mis bisabuelos.
- Mis bisabuelos eran campesinos originarios de una pequeña aldea de Almería.
- En la aldea no había trabajo.

Con lápiz o con ratón
La historia de un pariente

¿Hay en nuestra familia algún pariente con una historia especial, curiosa, novelesca...? En pequeños grupos:

- Cada uno propone a uno de sus familiares o inventa un personaje: cuándo vivió, qué cosas especiales le pasaron, etc.
- Elegimos el que tuvo una vida más interesante o una historia más curiosa.
- Entre todos, y a partir de preguntas que le hacemos al que presenta a su familiar, reconstruimos su historia, aludiendo a las circunstancias que la provocaron.

En parejas, elegimos uno de los momentos de la vida de la persona que hemos relatado en B. Lo describimos como un recuerdo, con una estructura similar a la del siguiente párrafo.

Mi mamá me tomó del brazo y me sacó a la calle por la puerta del servicio de la prefectura. Fuimos caminando hacia el malecón Eguiguren. Eran los últimos días de 1946 o los primeros de 1947, pues yo había terminado el quinto de primaria y ya estaba allí el verano de Piura, de luz blanca y asfixiante calor.

- Relatamos algo que sucedió.
- Situamos ese hecho en el tiempo y en relación con algo anterior.
- Describimos el lugar, el ambiente, el entorno.

ARCHIVO DE LÉXICO

Mis palabras
Biografía

1

Observamos los siguientes recursos y escribimos con ellos las diferentes etapas de nuestra biografía.

- **nacer**
- **crecer / madurar / envejecer / hacerse mayor**
- **estudiar / ir al colegio / ir a la universidad / graduarse**
- **estudiar en un internado / un colegio privado / Madrid...**
- **pasar unos años / una temporada en...**
- **irse a vivir a / mudarse a / emigrar a / instalarse en / irse de...**
- **vivir en**
- **cambiar de trabajo / vida...**
- **ponerse a estudiar / trabajar / buscar trabajo...**
- **dejar los estudios / el país...**
- **conseguir una beca / un trabajo / un premio...**
- **conocer a / enamorarse de / casarse con...**
- **quedarse embarazada / dar a luz / tener hijos**
- **separarse / divorciarse**
- **quedarse viudo / huérfana**
- **perder a un hijo / una hermana / los padres**
- **tener un accidente / un problema / la suerte de...**
- **morir / fallecer**
- **de niño / joven / mayor**
- **cuando tenía X años / era joven...**

Infancia

Juventud

Madurez

PROYECTOS

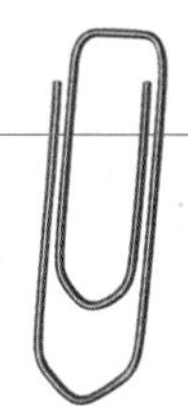

Proyecto en grupo
Cadáveres exquisitos

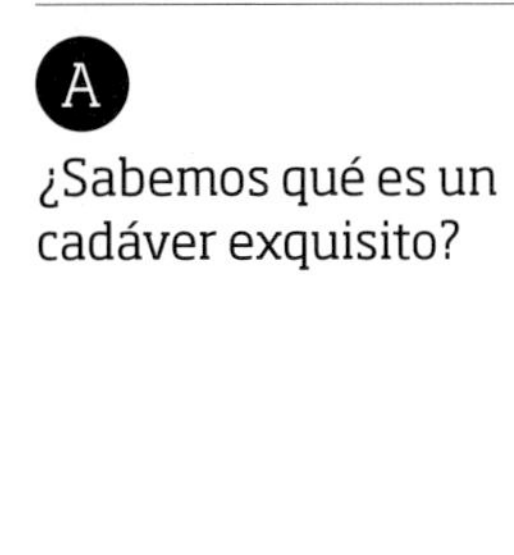

A

¿Sabemos qué es un cadáver exquisito?

culturainquieta.com

Bernat M. Gustà, Marc M. Gustà, Edu Castells (es.wikimedia.org)

B

Formamos pequeños grupos para reconstruir la biografía de un personaje imaginario. Primero pactamos el año de nacimiento y el sexo. Jugamos así:

Reglas del juego
- Uno comienza la biografía. Escribe dos frases para el principio en una hoja.
- Se la pasa a un compañero, que solo puede leer la última frase. Este escribe otras dos frases más.
- El siguiente lee la última frase que hay escrita, sin leer el resto, y escribe dos frases más.
- Se continúa así sucesivamente.
- El último debe escribir el final de la biografía.
- Cuando todos hayan escrito, se lee la historia desde el principio.

Temas que pueden aparecer
- un problema que tuvo
- un acontecimiento que marcó su vida
- una persona muy importante en su vida
- una meta que quería conseguir
- un éxito
- un fracaso

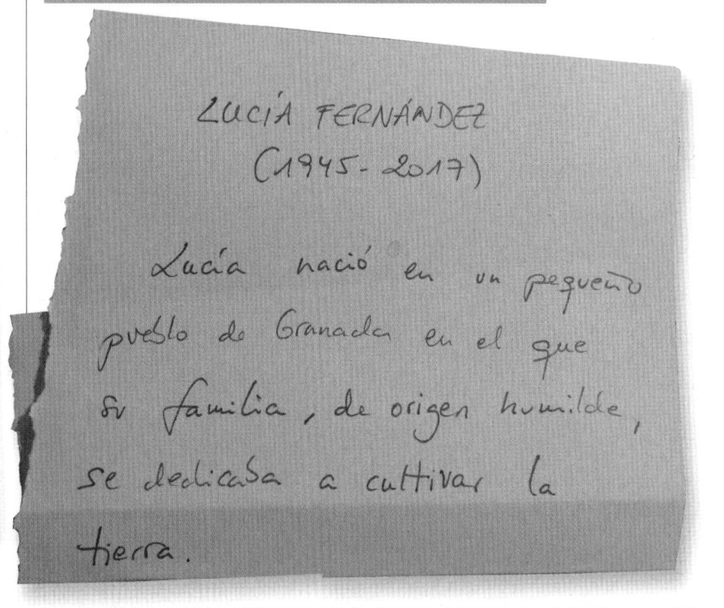

LUCÍA FERNÁNDEZ
(1945- 2017)

Lucía nació en un pequeño pueblo de Granada en el que su familia, de origen humilde, se dedicaba a cultivar la tierra.

EL ARTE Y LA FIESTA

ARQUITECTURA
FIESTAS POPULARES
MONUMENTOS DANZA ARQUITECTURA
MUSEOS
COSTUMBRES ARTISTAS ARQUITECTURA CELEBRAR UNA FIESTA
ARTISTAS IR A UNA EXPOSICIÓN INTERPRETAR UNA OBRA COSTUMBRES
NOVELA INTERPRETAR UNA OBRA DE ARTE INTERPRETAR UNA OBRA
FIESTAS POPULARES PASARLO BIEN
TEATRO TEATRO ARTISTAS
MÚSICA MONUMENTOS
DANZA MONUMENTOS POESÍA
CUADRO CELEBRAR UNA FIESTA
COSTUMBRES PASARLO BIEN
ESCULTURA COSTUMBRES ESCULTURA CUADRO
ARQUITECTURA DANZA PASARLO
CUADRO ESCULTURA BIEN
CINE POESÍA
PINTURA

IR A UNA EXPOSICIÓN
MUSEOS MUSEOS
VER UNA EXPOSICIÓN MANTENER UNA TRADICIÓN
IR A UN FESTIVAL POESÍA PINTURA INTERPRETAR UNA OBRA DE ARTE
VESTIR TRAJES TÍPICOS
NOVELA IR A UN FESTIVAL INTERPRETAR UNA OBRA CINE
INTERPRETAR UNA OBRA DE ARTE FIESTAS POPULARES COSTUMBRES
NOVELA
POESÍA MÚSICA ESCULTURA VER UNA EXPOSICIÓN
ARTISTAS IR A UN FESTIVAL
VER UNA EXPOSICIÓN PASARLO BIEN VER UNA EXPOSICIÓN
IR A UNA EXPOSICIÓN ARTISTAS MONUMENTOS COSTUMBRES
ARQUITECTURA POESÍA MÚSICA PINTURA
TEATRO CUADRO CINE
CINE COSTUMBRES PASARLO
CUADRO TEATRO DANZA BIEN
PINTURA FIESTAS
POPULARES

NOVELA CINE
PINTURA DANZA NOVELA
IR A UNA EXPOSICIÓN INTERPRETAR UNA OBRA MÚSICA VESTIR TRAJES TÍPICOS
IR A UN FESTIVAL CINE CELEBRAR UNA FIESTA ARTISTAS FIESTAS POPULARES
VESTIR TRAJES TÍPICOS PASARLO BIEN VER UNA EXPOSICIÓN COSTUMBRES
ESCULTURA MÚSICA MANTENER UNA TRADICIÓN MANTENER UNA TRADICIÓN
COSTUMBRES ARQUITECTURA TEATRO
IR A UN FESTIVAL MONUMENTOS FIESTAS POPULARES
MUSEOS ESCULTURA INTERPRETAR UNA OBRA VESTIR TRAJES TÍPICOS
VESTIR TRAJES TÍPICOS MONUMENTOS PINTURA
VER UNA EXPOSICIÓN NOVELA PINTURA
ARTISTAS COSTUMBRES
MUSEOS COSTUMBRES NOVELA TEATRO
CINE CUADRO POESÍA
PASARLO BIEN DANZA
COSTUMBRES

UNIDAD 8

DOCUMENTOS

DOSIER 01
El entierro de la sardina
DOSIER 02
El arte de la fiesta
DOSIER 03
Mirar un cuadro

LÉXICO

- Actividades de ocio
- Arte
- Fiestas y tradiciones
- Ropa y atuendo
- **Ponerse**, **quitarse**, **ir de**...
- Individuos, grupos, personas...
- **Pasarlo bien**, **divertirse**, **aburrirse**...
- Colores y tonalidades
- **Divertido**, **entretenido**, **gracioso**

GRAMÁTICA

- Impersonalidad y generalización
- Situar eventos: **ser**
- **Sí mismo**
- Verbos con preposición

COMUNICACIÓN

- Hablar de una fiesta o tradición
- Hablar de una obra de arte
- Controlar la comunicación en el discurso oral
- Destacar un elemento en la frase

CULTURA

- El carnaval y el entierro de la sardina
- El Día de Muertos
- Fiestas populares en España y Latinoamérica
- Significado de las tradiciones
- Octavio Paz
- Arte: Remedios Varo, Velázquez y Ángeles Santos

PROYECTOS

- Organizar una exposición de arte
- Hacer un retrato artístico y festivo de una ciudad

PUNTO DE PARTIDA

Nube de palabras
Formas de pasarlo bien

A 1

Entre todos, completamos este asociograma.

B

De todas las cosas que pueden ser consideradas patrimonio, ¿cuáles nos interesan más, de qué nos sentimos más cercanos?

—Yo no sé mucho de arte, pero...
—Yo no soy muy de ir a fiestas populares, pero...
—A mí la literatura no me interesa especialmente, pero si tengo que escoger...
—A mí me fascina...
—A mí me vuelve loco/a...
—Mi artista / fiesta / tradición favorito/a es...
—Una obra / fiesta que me parece genial es...
—Pues a mí, una tradición que me parece impresionante es...
—El tipo de literatura que a mí me gusta es el que...

COMPETENCIA AUDIOVISUAL

EL ENTIERRO DE LA SARDINA

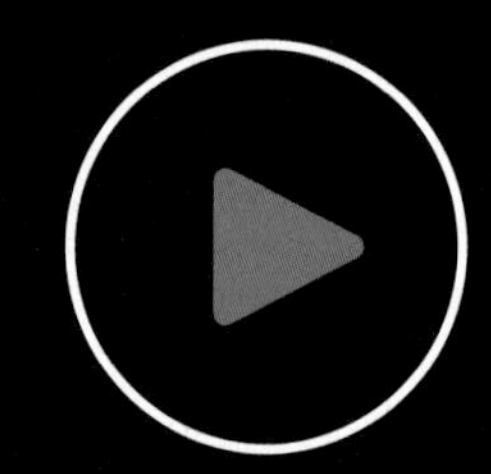

El carnaval es tal vez la fiesta pagana más extendida en el mundo. En esos días la gente se disfraza, baila y se divierte en muchos lugares del planeta. Parece que su origen son los Saturnales, las fiestas en honor al dios Saturno que celebraban los romanos, y las celebraciones en honor a Baco (dios romano del vino y la fertilidad). También es una forma de celebrar el final del invierno y la llegada de la primavera. Su nombre proviene del término italiano *carnevale* y este del latín *carnem levare*, que significa "quitar la carne". Esto se debe a que la fiesta precede a la Cuaresma, período de cuarenta días durante el cual la tradición cristiana prohíbe el consumo de este alimento.

En algunos lugares, el carnaval termina con el entierro de la sardina. Nosotros hemos ido a verlo a Alcalá de Henares.

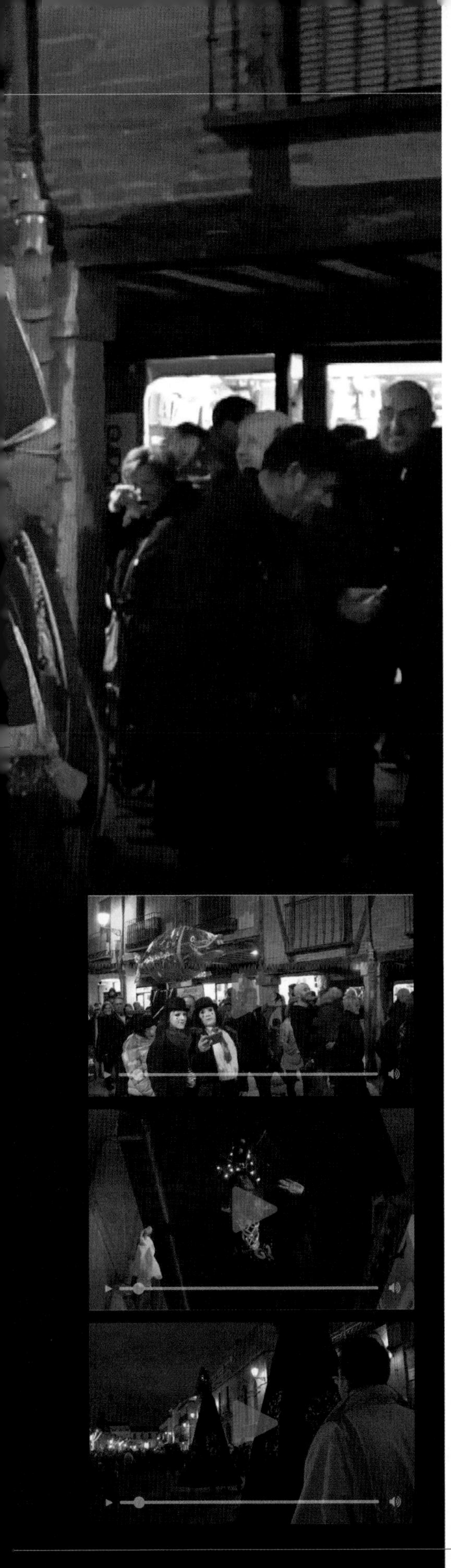

01
EL ENTIERRO DE LA SARDINA

Antes de leer
Fiestas populares

Hablamos sobre las fiestas populares en nuestra cultura.

- ¿Cuáles se celebran?
- ¿Cuándo son?
- ¿Son religiosas?
- ¿Qué se hace?
- ¿Solemos participar?
- ¿Nos parecen importantes, divertidas, interesantes...?

En mi país se celebra mucho el 23 de junio. La gente hace hogueras, canta canciones tradicionales y baila, y todo el mundo se pone una corona de flores que se supone que da suerte... ”

¿Qué sabemos sobre el carnaval? Hablamos con un compañero.

- origen
- qué se celebra
- cómo se celebra

Texto y significado
Origen del carnaval

Leemos el texto para comprobar nuestras hipótesis y saber más.

Texto e imágenes
El entierro de la sardina

Observamos la imagen y vemos el reportaje sin sonido. ¿Qué vemos? ¿Qué nos sugiere? ¿Nos parece una fiesta alegre, triste, divertida, solemne...?

Ahora vemos el vídeo con sonido y rellenamos una ficha como esta.

- En qué consiste la tradición
- Qué simboliza
- Qué personajes aparecen

Texto y lengua
Comprender a partir de imágenes

Buscamos en la transcripción las siguientes palabras o expresiones. Las imágenes que hemos visto nos ayudarán a deducir su significado.

- **quemar**
- **obispo**
- **ceremonia**
- **desfile**
- **parodiar / parodia**
- **inmenso**
- **vestidas de luto**
- **disfrazarse**

¿Nos gustaría participar en esta fiesta? ¿Por qué?

01
AGENDA DE APRENDIZAJE

Palabras para actuar
Describir una fiesta o tradición

Observamos los recursos y describimos brevemente una fiesta que conocemos.

Hablar del origen
—Se celebra desde hace...
—Es una tradición muy antigua...
—Tiene su origen en los ritos...
—Originariamente era...
—Su nombre proviene de...

Hablar del significado
—Simboliza...
—Significa...
—Está relacionado/a con...

Hacer hipótesis sobre su origen, significado, etc.
—Se dice que...
—Hay quien cree que...
—Podría estar relacionado/a con...
—Me parece que viene de...

Explicar cómo se celebra
—Se hace un desfile / una hoguera...
—Se decoran las fachadas...
—Se encienden luces...
—La gente suele...
—Lo normal es...
—Lo que se suele hacer es...
—Existe la costumbre de...

Palabras para actuar
Ropa y atuendo

Miramos las imágenes y las describimos utilizando las siguientes construcciones verbales. Hay varias posibilidades.

- **ponerse**
- **quitarse**
- **ir disfrazado / ir vestido de**
- **disfrazarse / vestirse de**
- **llevar**
- **pintarse / maquillarse**

01
TALLER DE USO

En parejas
Una fiesta de Latinoamérica

Vamos a presentar a los compañeros una fiesta popular de Latinoamérica. Para ello, seguimos estos pasos.

- Buscamos en internet imágenes sobre fiestas populares de Latinoamérica y escogemos una que nos llame la atención.
- Investigamos acerca de la fiesta que muestra: cómo se llama; qué, cuándo y dónde se celebra; cuál es su origen; en qué contexto histórico se desarrolló; qué hace la gente, etc.
- Explicamos si nos gustaría participar en ella y por qué.

Hacemos un guion de la presentación y recogemos material gráfico, sonoro, audiovisual, etc.

Presentamos nuestra fiesta a los compañeros. Después, ellos nos hacen preguntas. Si lo deseamos, podemos compartirla en nuestro espacio virtual.

Festival del mariachi y de los charros, Guadalajara (México)

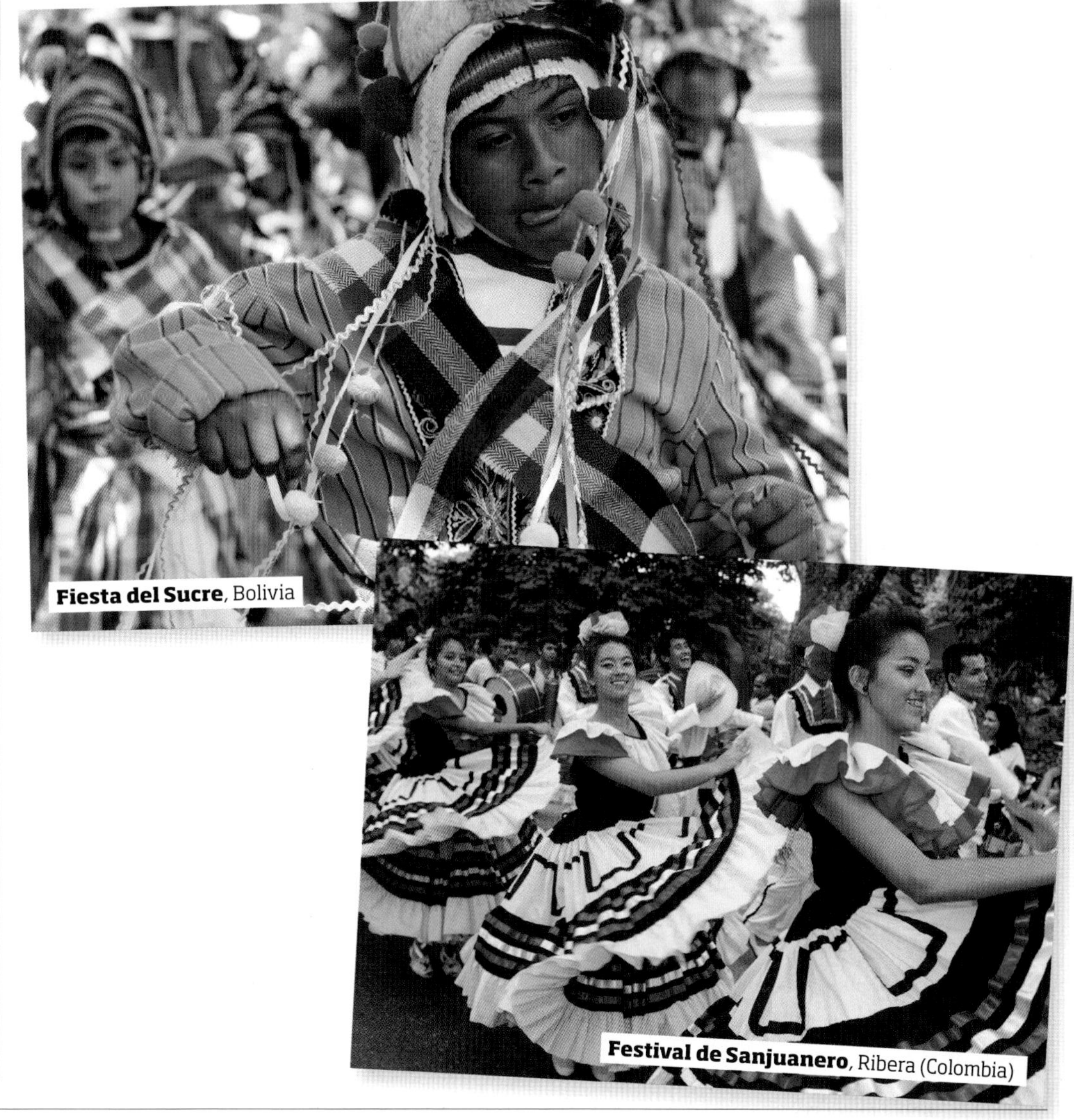

Fiesta del Sucre, Bolivia

Festival de Sanjuanero, Ribera (Colombia)

EL ARTE DE LA FIESTA

El solitario mexicano ama las fiestas y las reuniones públicas. Todo es ocasión para reunirse. Cualquier pretexto es bueno para interrumpir la marcha del tiempo y celebrar con festejos y ceremonias hombres y acontecimientos. (...) El arte de la fiesta, envilecido en casi todas partes, se conserva intacto entre nosotros. En pocos lugares del mundo se puede vivir un espectáculo parecido al de las grandes fiestas religiosas de México.
(...)
La vida de cada ciudad y de cada pueblo está regida por un santo, al que se festeja con devoción y regularidad. Los barrios y los gremios tienen también sus fiestas anuales, sus ceremonias y sus ferias. Y, en fin, cada uno de nosotros —ateos, católicos o indiferentes— poseemos nuestro santo, al que cada año honramos. Son incalculables las fiestas que celebramos y los recursos y tiempo que gastamos en festejar.
(...)
Nuestra pobreza puede medirse por el número y suntuosidad de las fiestas populares. Los países ricos tienen pocas: no hay tiempo, ni humor. Y no son necesarias; las gentes tienen otras cosas que hacer y cuando se divierten lo hacen en grupos pequeños. Las masas modernas son aglomeraciones de solitarios. En las grandes ocasiones, en París o en Nueva York, cuando el público se congrega en plazas o estadios, es notable la ausencia de pueblo: se ven parejas y grupos, nunca una comunidad viva (...). Las fiestas son nuestro único lujo; ellas substituyen, acaso con ventaja, al teatro y a las vacaciones, el week end y el cocktail party de los sajones, a las recepciones de la burguesía y al café de los mediterráneos.
(...)
En ciertas fiestas desaparece la noción misma de Orden. El caos regresa y reina la licencia. Todo se permite: desaparecen las jerarquías habituales, las distinciones sociales, los sexos, las clases, los gremios. Los hombres se disfrazan de mujeres, los señores de esclavos, los pobres de ricos. Se ridiculiza al ejército, al clero, a la magistratura. Gobiernan los niños o los locos.
(...)
A través de la Fiesta la sociedad se libera de las normas que se ha impuesto. Se burla de sus dioses, de sus principios y de sus leyes: se niega a sí misma.

El laberinto de la soledad, Octavio Paz.

02
EL ARTE DE LA FIESTA

Antes de leer
Fiestas populares

A

En pequeños grupos, discutimos sobre estas afirmaciones.

- Las fiestas populares son una diversión fundamental de un pueblo o comunidad.
- La mayoría de las fiestas populares tienen un carácter religioso.
- En el mundo desarrollado, muy individualista, han perdido la importancia que tenían antes.
- Las fiestas populares son diferentes a otras grandes concentraciones de gente.
- En las fiestas populares uno se libera y puede hacer lo que normalmente no está permitido el resto del año.

Texto y significado
Fiestas en México

B

Leemos el texto de Octavio Paz. ¿Qué dice sobre los temas anteriores refiriéndose a México? ¿Dónde y cómo lo dice? ¿Sucede algo parecido en tu entorno?

C

¿Qué sabemos acerca del Día de Muertos en México? Miramos las imágenes y hablamos con un compañero.

D

Escuchamos a un mexicano hablando de la celebración del Día de Muertos. ¿Qué cuenta sobre el origen de la tradición y su significado? ¿Cómo se celebra? ¿Se celebra igual en todo el país? ¿Ha cambiado algo últimamente?

E

¿Nos gustaría participar en esta fiesta?

Texto y lengua
Individuo y sociedad

F

Octavio Paz se refiere a **el mexicano** para hablar de todos los mexicanos. Buscamos en el texto formas de referirse a colectivos.

el solitario mexicano, nosotros...

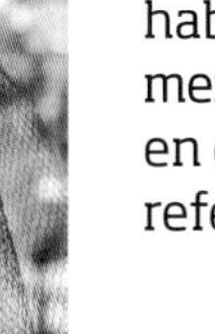

En español y en otras lenguas
Pasárselo bien, divertirse

¿Cómo traducimos a nuestra lengua o a otras que conocemos las palabras marcadas en amarillo?

Divertirse
—*Hoy me he divertido mucho en la fiesta de Carlos.*

Pasárselo bien
—*Nos lo pasamos muy bien ayer.*
—*Ayer en la cena no me lo pasé bien: no conocía a nadie y fue un rollo, la verdad.*

Pasarlo mal significa atravesar un momento difícil.

Cuando murió mi marido, **lo pasé** muy mal.

RG / P.177

Continuamos las frases utilizando los recursos.

Estuvimos bailando hasta las 5 h de la madrugada y ....

Vimos una exposición muy interesante y luego estuvimos charlando en un café; ....

Cuando se divorció, fue todo muy complicado y ....

Yo en ese tipo de fiestas me aburro mucho; la verdad es que ....

Palabras para actuar
Hablar de hábitos colectivos: se, la gente, uno...

RG / P.181

Observamos los recursos para expresar impersonalidad o hacer afirmaciones generales y los utilizamos para escribir sobre nuestro país o nuestra cultura.

Se + verbo en tercera persona

—*En mi ciudad se celebra mucho el carnaval.*

Segunda persona del singular

—*Cuando viajas a otro país, si no conoces las costumbres, te sientes inseguro.*

Uno + tercera persona del singular

—*Cuando uno se disfraza, se convierte en otra persona.*

Con verbos reflexivos no se puede expresar la impersonalidad con el pronombre **se**; se suele construir con **uno** (si el hablante se incluye) o con **la gente**, **los españoles**, etc. (si el hablante no se incluye):

En Navidad **se come** y **se bebe** mucho, y ~~se~~ **uno se propone** hacer muchas cosas el año siguiente.
En España en Navidad **se come** y **se bebe** mucho, y **todo el mundo se propone** hacer muchas cosas el año siguiente.

La gente, todo el mundo, los...

—*Aquí todo el mundo / toda la gente pasa las vacaciones en la playa.*
—*Los vascos lo celebran casi todo comiendo.*

Las gentes se usa solo en un registro literario.

El / La + sustantivo

—*El trabajador de clase media gana entre 700 y 2000 euros.*

Con **el / la** + sustantivo nos referimos a un prototipo o al representante ideal de una cierta categoría.

Reglas y ejemplos
Situar eventos: ser

¿Qué significa el verbo **ser** en estas frases?

1. ¿Cuándo **es** el carnaval?
se celebra

2. ¿Dónde **es** el desfile?

3. ¿A qué hora **es** la clase de música?

4. ¿Cuándo **es** el equinoccio de invierno?

5. La boda **será** en octubre.

6. La huelga **fue** en marzo.

02
TALLER DE USO

Entre todos
Jugamos

Vamos a jugar a adivinar una fiesta u otra actividad multitudinaria.

REGLAS DEL JUEGO
- Dividimos la clase en dos equipos.
- Cada equipo piensa en tres fiestas o actividades.
- Para cada actividad, piensa en diez pistas que irá desvelando al equipo contrario.
- Gana el equipo que consigue adivinar las tres actividades con menos pistas.

Si el equipo necesita:
1 pista, obtiene 10 puntos.
2 pistas, 9 puntos.
3 pistas, 8 puntos.
...

MIRAR UN CUADRO

Si el mundo fuera claro,
el arte no existiría.
Albert Camus

El arte es una mentira que
nos acerca a la verdad.
Pablo Picasso

Si el arte necesita una
explicación, ¿dónde está lo visual?
Leonora Carrington

El arte no es un espejo para
reflejar el mundo, sino un martillo
con el que golpearlo.
Vladimir Maiakovski

Me di cuenta de que, mediante
formas y colores, podía decir
cosas que no podía expresar
de otra manera, para las
que no tenía palabras.
Georgia O'Keefe

MUJER SALIENDO DEL PSICOANALISTA

Remedios Varo inventó un mundo mágico lleno de personajes y objetos fantásticos.
En el cuadro *Mujer saliendo del psicoanalista*, de 1960, es posible reconocer la influencia del movimiento surrealista, al que estuvo vinculada tanto en París como en México. La obra representa el universo interior de la artista y refleja su interés por el psicoanálisis y lo onírico.
Aunque muchos de sus cuadros son autorretratos, el personaje de *Mujer saliendo del psicoanalista* se parece poco a ella: tiene el cabello plateado, la frente ancha y los ojos rasgados y azules.
En el cesto, la mujer lleva algunos objetos que simbolizan lo que Varo definió como "desperdicios psicológicos": un reloj, símbolo del miedo a llegar tarde; una llave, un objeto parecido a un huso para hilar y una medialuna, símbolo de la feminidad. Sobre el vestido verde lleva una máscara que podría ser una referencia al inconsciente.
Al fondo, en la parte superior del cuadro, aparece un cielo nebuloso, vinculado a los sueños. Detrás de la mujer, en el cartel de la puerta, se lee la inscripción: "Doctor von FJA", que hace referencia a Freud, fundador del psicoanálisis, y a sus seguidores Jung y Adler.
Acerca del cuadro escribió la autora, en una nota dirigida a su hermano Rodrigo: "Esta señora sale del psicoanalista arrojando a un pozo la cabeza de su padre, como es correcto hacer al salir del psicoanalista".
La obra pertenece a la colección permanente del Museo de Arte Moderno de la Ciudad de México.

Texto adaptado de oncetv-ipn.net

03
MIRAR UN CUADRO

Antes de leer
Mirar un cuadro

¿Nos gusta el arte? ¿Para qué diríamos que sirve? ¿Hay cuadros o artistas que nos gusten especialmente? ¿Por qué? Hablamos en pequeños grupos.

Leemos las citas, las interpretamos y expresamos nuestra opinión sobre ellas.

Observamos el cuadro. En dos minutos, anotamos todo lo que nos sugiere o nos hace sentir. Luego ponemos en común nuestras notas con dos compañeros.

—Me recuerda a...
—Me sugiere...
—Me hace pensar en...
—Me produce una sensación de...
—Parece como si...
—Yo creo que simboliza...
—Parece de estilo...

¿Qué título le pondríamos?

Texto y significado
Remedios Varo

Leemos el texto sobre la obra *Mujer saliendo del psicoanalista*. ¿Aparecen ideas que hemos mencionado? ¿Hay algo que nos sorprenda o nos llame la atención?

Texto y significado
La Venus delante del espejo

 32 

Escuchamos a un guía de museo hablando sobre *La Venus del espejo* y anotamos lo que dice sobre estos aspectos.

Época en la que se pintó | Composición | Tema | Colores y luz | Interpretación

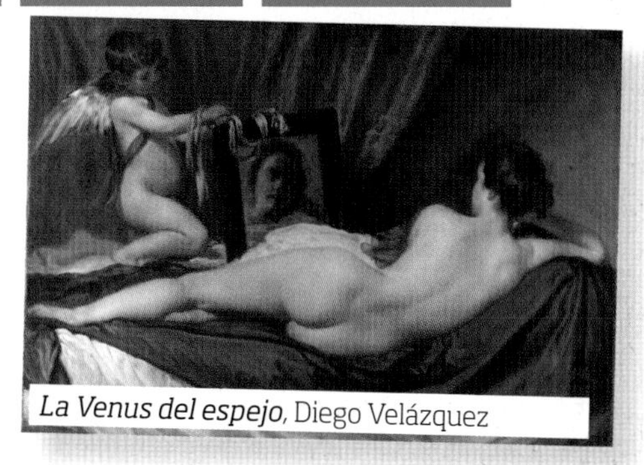

La Venus del espejo, Diego Velázquez

G 33-34 10

Dos amigos hablan de estos dos cuadros. ¿Qué dicen sobre cada uno? Tomamos notas. ¿Con quién nos sentimos más identificados?

La Venus del espejo

Hombre ....

Mujer ....

Mujer saliendo del psicoanalista

Hombre ....

Mujer ....

Texto y lengua
Hablar de un cuadro

Volvemos a leer el texto y leemos la transcripción de la grabación de E. Subrayamos las palabras y expresiones que sirven para hablar de un cuadro y con un compañero pensamos en una manera de organizarlas.

03
AGENDA DE APRENDIZAJE

Palabras para actuar
Hablar de una obra de arte

Observamos los recursos para hablar de una obra de arte y escribimos varias frases sobre un cuadro de nuestra elección.

Hablar del autor
—*Es el principal representante del movimiento...*
—*Es el pintor / escultor más importante del siglo...*
—*Desarrolla su actividad a principios del siglo...*
—*Se inspira en...*

Hablar del estilo o movimiento artístico
—*Lo que distingue a la pintura de este período es...*
—*La obra es de estilo...*
—*Este movimiento se caracteriza por...*
—*Este tema es típico del Barroco...*

Hablar de la obra
—*La obra es de tema mitológico / fantástico / social...*
—*Está considerada una de las más importantes del siglo...*
—*Sus temas principales son...*
—*El cuadro refleja el interés del pintor por...*
—*La mujer representa / simboliza...*
—*El reloj hace referencia a...*

Hablar de la composición, el color, la luz...
—*En la parte superior / inferior se ve...*
—*En el centro / Al fondo / En primer plano aparece...*
—*A los lados se ve(n)...*
—*Destaca el color...*
—*Los colores son vivos...*

Reglas y ejemplos
Destacar un elemento

Observamos los recursos y los numeramos según el grupo al que pertenecen.

- ☐ **Será en** París **donde** desarrollará todo su potencial.
- ☐ Este cuadro, ¿**lo** pinta cuando vivía en París?
- ☐ **Lo que** el autor quiere decir **es**...

1. Anteposición del complemento directo

Este cuadro **lo** pinta en 1945.

2. Oración de relativo + **ser**

Donde se ve su influencia **es** en...
Cuando realmente triunfa **es** en...

3. **Ser** + oración de relativo

Es en 1945 **cuando** pinta este cuadro.
Fueron Picasso y Braque **quienes** sentaron las bases del cubismo.

Palabras para actuar
Controlar la comunicación en el discurso oral

Relacionamos los siguientes recursos con la categoría adecuada.

- —*Miren / Mirad...* ☑ 1
- —*..., ¿me sigues?* ☐
- —*Mejor dicho:...* ☐
- —*..., ¿saben / sabéis qué quiero decir?* ☐
- —*..., en otras palabras,...* ☐

1. Llamar la atención del interlocutor
—*Fíjense / Fijaos...*

2. Regular la interacción
—*..., ¿de acuerdo?*
—*..., ¿ven / veis?*
—*..., ¿me entienden / me entendéis?*
—*..., ¿verdad?*
—*..., ¿sí?*

3. Pasar a otro tema
—*Bueno... y ahora fíjense en este otro artista.*

4. Aclarar, corregir o reformular una información
—*..., es decir,...*
—*..., esto es,...*
—*..., quiero decir,...*
—*..., o sea,...*

5. Hacer preguntas retóricas
—*¿Y saben qué significó ese hallazgo? Pues nada menos que...*

03

TALLER DE USO

Con lápiz o con ratón
Un mundo

A 

Observamos este cuadro y hablamos espontáneamente sobre él. ¿Qué vemos? ¿Qué nos sugiere? ¿Nos gusta? ¿Qué título le pondríamos?

"—A mí me gusta, pero me parece un poco oscuro, inquietante.
—¿Sí? A mí no me lo parece..."

B

Si nos ha gustado el cuadro *El mundo*, de Ángeles Santos, buscamos información. En caso contrario, escogemos otra obra de arte (fotografía, escultura, arquitectura, publicidad, etc.) y preparamos un guion para presentar la obra a los compañeros. Utilizamos los recursos de la agenda.

C

Presentamos nuestra obra o nos grabamos en audio o vídeo y lo compartimos en nuestro espacio virtual.

ARCHIVO DE LÉXICO

Palabras en compañía
Arte

1 13

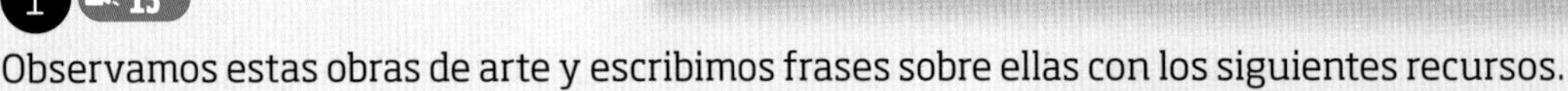

Observamos estas obras de arte y escribimos frases sobre ellas con los siguientes recursos.

arte → antiguo · románico · medieval · barroco · abstracto · precolombino · vanguardista

pintar → un paisaje

hacer → un dibujo · una escultura

una obra → figurativa · abstracta · moderna · contemporánea · clásica · incomprensible · única · inigualable

un artista → reconocido · desconocido · de culto · de éxito · maldito

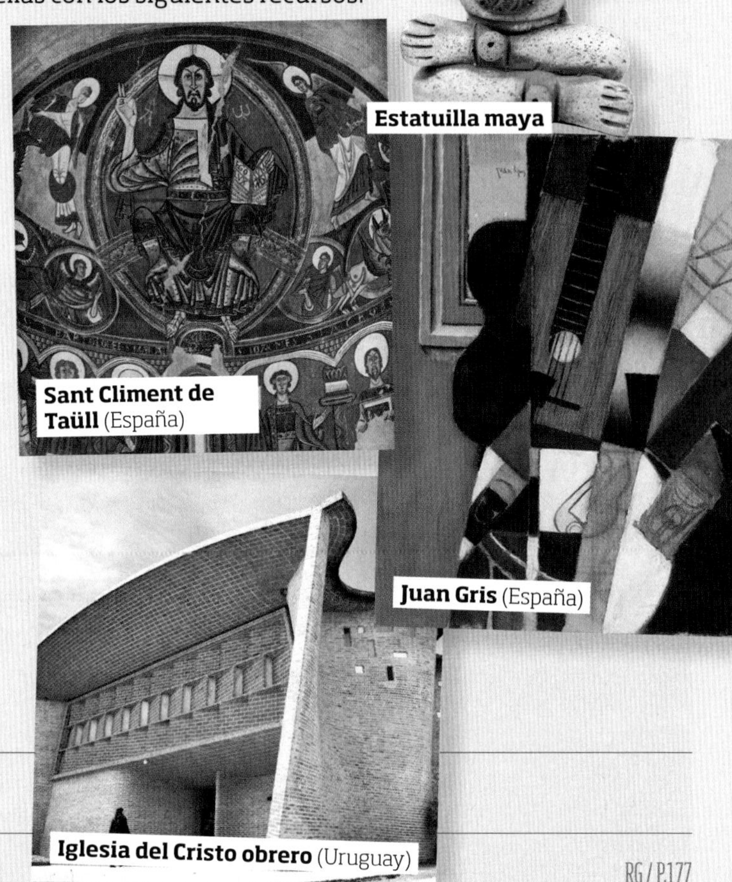

Joaquín Torres García (Chile)

Estatuilla maya

Sant Climent de Taüll (España)

Juan Gris (España)

Iglesia del Cristo obrero (Uruguay)

En español y en otras lenguas
Divertido, entretenido, gracioso

2

RG / P.177

¿Qué son para nosotros las siguientes cosas o personas?
¿Cómo lo diríamos en nuestra lengua o en otras que conocemos?

	Explicación	Traducción a mi lengua o a otras lenguas
una persona **divertida**	Alguien con quien te lo pasas bien.	
una película **divertida**		
una fiesta **divertida**		
una situación **divertida**		
una película **entretenida**		
una anécdota **graciosa**		

PROYECTOS

Palabras en compañía
Elogiar la belleza

Observamos los recursos y escribimos frases sobre cosas que nos parecen bonitas.

Cosas (un cuadro, un paisaje, un poema, un edificio...)
- **bonito**
- **precioso**
- **genial**
- **extraordinario**

—Es precioso, ¿no te parece?
—Sí, es realmente genial.

Un bebé, una mascota o ropa
- **mono**
- **monada**

—Esa falda es una monada.
—Sí, es muy mona.

Una persona
- **guapo**

—¡Qué guapa es Bea!, ¿no te parece?
—Guapísima... Tiene unos ojos impresionantes.

Algo o alguien de belleza extraordinaria
- **una belleza**

—Esta canción es una belleza.
—Este valle es una belleza.

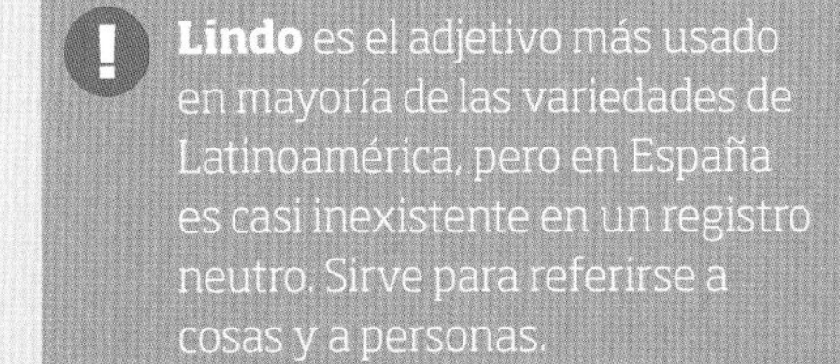

Lindo es el adjetivo más usado en mayoría de las variedades de Latinoamérica, pero en España es casi inexistente en un registro neutro. Sirve para referirse a cosas y a personas.

En España, **bello** y **hermoso** solo los encontramos en un registro literario o culto, tanto para personas como para cosas, muy frecuentemente antes del sustantivo: una **hermosa** región, unas **bellas** palabras.

Proyecto en grupo
Nuestra exposición de arte

En grupos, vamos a organizar una exposición de arte sobre un tema que escojamos. Seguimos estos pasos.

- Escogemos un tema sobre el que nos apetezca trabajar (la familia, la soledad, la primavera, etc.).
- Buscamos al menos tres cuadros de pintores y épocas diferentes, del mundo hispanohablante o de otros lugares del mundo.
- Investigamos acerca de cada uno y preparamos un guion para hacer la visita.
- Damos un título a nuestra exposición.
- Invitamos a los compañeros a visitar nuestra exposición, explicamos cada obra de arte y contestamos a sus preguntas.

Proyecto individual
Mi ciudad: arte y fiestas

Vamos a hacer un retrato artístico y festivo de nuestra ciudad o de una que nos interese. Escogemos un elemento para cada una de las siguientes categorías y preparamos una presentación. Podemos compartirla en nuestro espacio vitual.

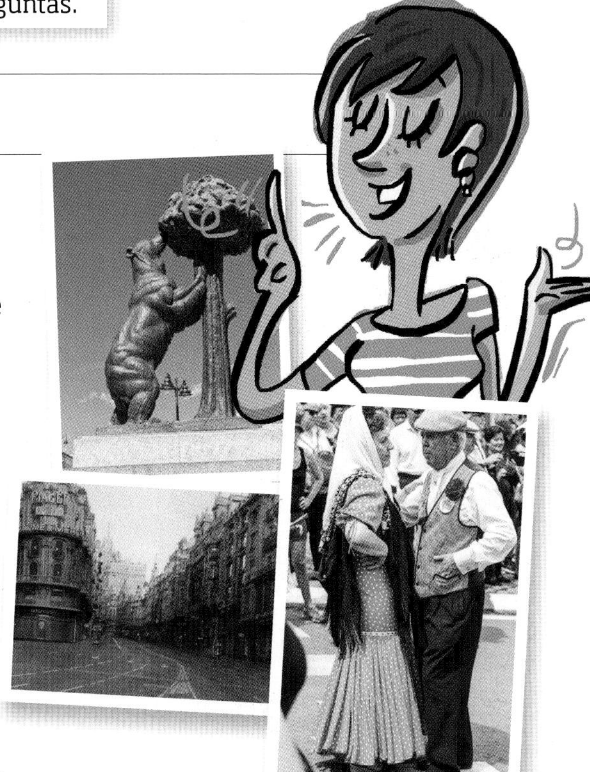

- un edificio
- un cuadro
- una escultura
- una fiesta
- una película
- un color
- una banda sonora original

INVESTIGACIÓN Y DESARROLLO

UNIDAD 9

DOCUMENTOS

DOSIER 01
Ciencia para todos los públicos
DOSIER 02
Los trabajos del futuro
DOSIER 03
La cocina de mañana

LÉXICO

- Disciplinas científicas y tecnología
- El cerebro: partes y funciones
- Verbos de lengua
- El futuro como metáfora conceptual
- Vocabulario científico básico
- Verbos relacionados con internet

GRAMÁTICA

- Construcciones temporales con subjuntivo
- Futuro compuesto
- Nexos consecutivos
- Marcadores temporales: **a medio o largo plazo**, **para** + fecha, etc.
- **Ya**, **ya no**, **aún**, **aún no**
- Verbos de cambio y evolución
- Imperativo en la primera persona del plural
- Predicciones con indicativo y subjuntivo
- **Cuanto más / menos... más / menos...**

COMUNICACIÓN

- Comprender textos científicos o técnicos
- El marcador **pues**
- Pronunciar un monólogo de divulgación
- Corregir o contrastar informaciones: **sé que..., pero...; de todas maneras...**
- Justificar una información: **ya que**, **puesto que...**
- Enumerar: **primero**, **segundo**, etc.
- Hacer predicciones
- Causa y consecuencia en registro formal
- Describir una innovación tecnológica
- Citar

CULTURA

- El fenómeno *youtuber* y la divulgación científica
- Valores asociados al trabajo

PROYECTOS

- Organizar unas olimpiadas de divulgación

PUNTO DE PARTIDA

Nube de palabras
Física, química, matemáticas

Miramos el título y imagen. ¿Con qué ideas los asociamos? Hacemos una lluvia de ideas.

Buscamos en la nube de palabras disciplinas científicas. ¿Qué otras conocemos? ¿Podemos explicar en qué consisten?

Estamos rodeados de ciencia. ¿En qué ámbitos de nuestra vida está presente? ¿Qué relación tienen las disciplinas científicas que hemos mencionado en B con nuestra vida cotidiana? Hablamos en grupos.

Pues, por ejemplo, la química está relacionada con los alimentos, porque cada vez les añaden más sustancias químicas. ”

Antes de leer
Divulgación

¿Seguimos algún programa o alguna publicación de divulgación? ¿Sobre qué? Hablamos con nuestros compañeros.

—*Yo escucho un podcast de Historia.*
—*Yo estoy suscrito a un canal de ciencia.*
—*Yo sigo en Twitter a...*
—*Yo leo una revista de Psicología.*
—*A mí me encanta un programa de televisión sobre ecología.*

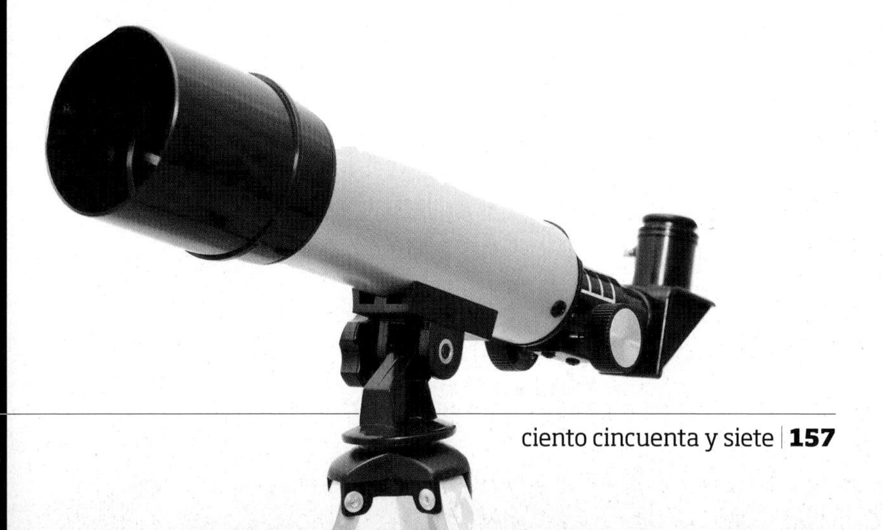

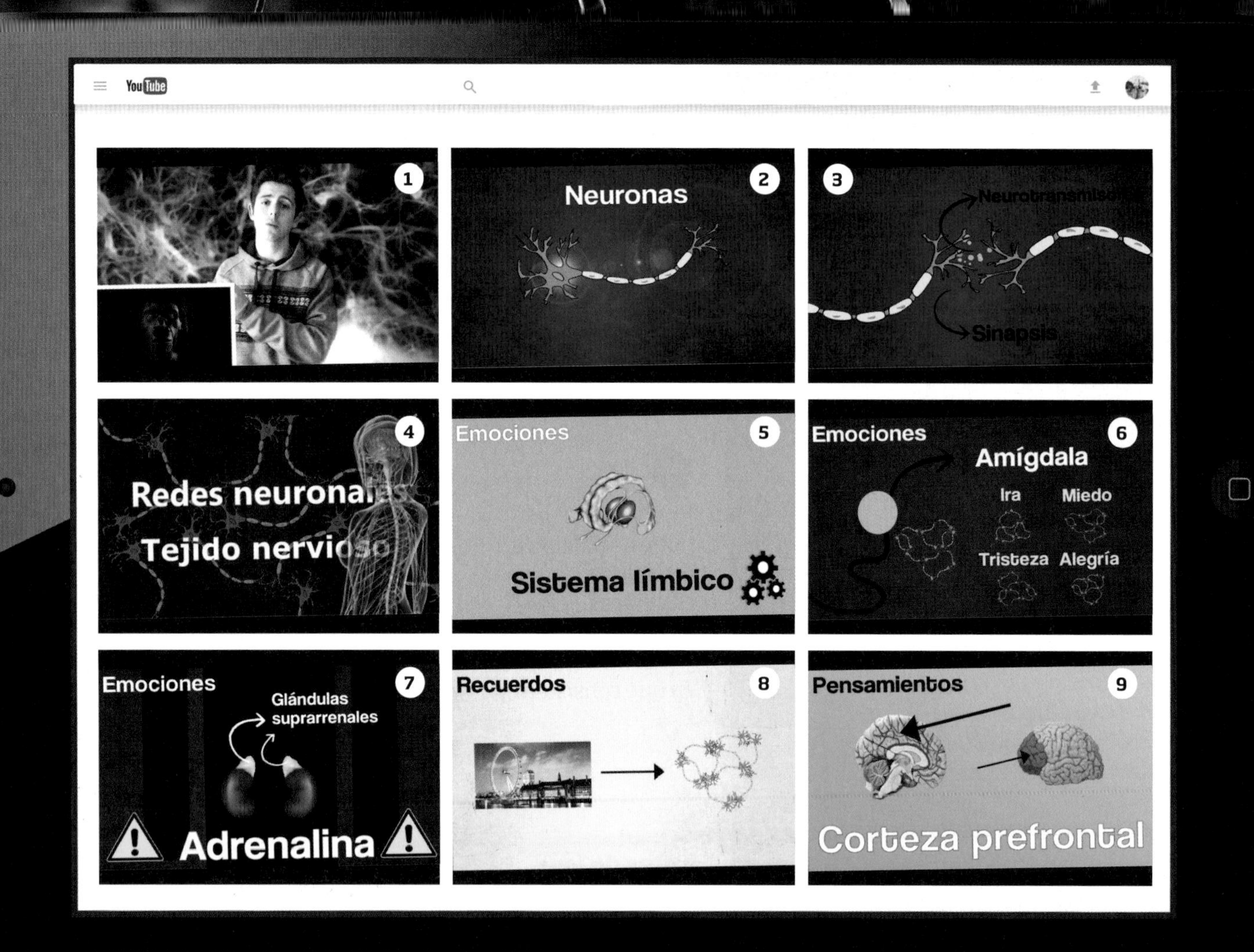

COMPETENCIA AUDIOVISUAL

CIENCIA PARA TODOS LOS PÚBLICOS

¿Pueden ayudarnos las matemáticas a ganar la lotería? ¿El Big Bang fue de verdad una explosión? ¿Qué tamaño tienen los átomos? Los seres humanos somos curiosos por naturaleza, y esto lo saben bien los *youtubers* que hacen divulgación científica. Estos jóvenes, divertidos y muy formados, transmiten en sus canales conocimiento sobre física, química, matemáticas, etc., mediante explicaciones entretenidas y accesibles. Para enganchar a un público interesado, pero no especializado, incluyen referencias a películas, series, memes, etc. Con este aprenderás cómo funciona el cerebro.

Texto adaptado de www.elconfidencial.com

“¿Cómo el ser humano, insignificante en el universo, ha sido capaz de conseguir cosas tan complejas como desarrollar teléfonos móviles o crear naves aeroespaciales?

“Aunque parezca que sabemos mucho sobre el cerebro, sigue siendo uno de los grandes enigmas para la humanidad.”

01
CIENCIA PARA TODOS LOS ...

Texto y significado
El *boom* de los *youtubers*

Leemos el texto. ¿Conocíamos este fenómeno? ¿Qué nos parece?

Antes de ver
El órgano maestro

Leemos las citas y las comentamos. ¿Qué sabemos sobre el cerebro?

¿Sabemos qué relación tienen estas cosas con el cerebro? Los fotogramas nos pueden ayudar.

- **neuronas**
- **tejido nervioso**
- **sistema límbico**
- **adrenalina**
- **amígdala**
- **corteza prefrontal**
- **sinapsis**

—Me imagino que es responsable de...
—Supongo que está relacionado con...
—Será donde se producen...

Texto e imágenes
Pensar, sentir, recordar

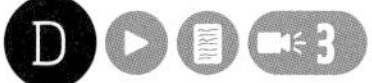

Vemos el vídeo y tomamos notas sobre cómo realiza el cerebro estas tres grandes funciones. Compartimos nuestras notas con un compañero.

pensar | sentir | recordar

Texto y lengua
Recibir, activar, agruparse...

Buscamos en la transcripción los siguientes verbos. ¿Comprendemos su significado? Hablamos en pequeños grupos y buscamos otros ejemplos en los que los podríamos usar.

- **convertirse en**
- **activar**
- **liberar**
- **llevar a cabo**
- **realizar**
- **transmitir**
- **formar**
- **encargarse de**
- **enviar a**
- **crear**
- **producir**
- **agruparse**

Texto y lengua
Monólogo científico

En parejas, buscamos en la transcripción dónde hace el *youtuber* las siguientes cosas.

1. Presentarse.
2. Introducir el tema del que va a hablar.
3. Comparar con cosas que conocemos.
4. Explicar cómo funciona algo.
5. Introducir un nuevo tema.
6. Dar un ejemplo.
7. Dar una definición.
8. Utilizar el humor.
9. Anunciar que el final se acerca.
10. Plantear una conclusión.
11. Despedirse.

AGENDA DE APRENDIZAJE

Reglas y ejemplos
Imperativo: Veamos

RG / P.187

Escribimos la primera persona del plural del imperativo que equivale a las siguientes formas.

Vamos a ver:
Veamos.

Vamos a continuar:
Continuemos.

Vamos a terminar:

Vamos a seguir:

Vamos a analizar este gráfico:

Vamos a imaginar:

Vamos a suponer:

! La primera persona del plural del imperativo coincide con la primera persona del plural del presente de subjuntivo. Es frecuente con algunas expresiones fijas para organizar un discurso académico o profesional.

Palabras para actuar
Pues

2

Observamos los ejemplos y reaccionamos a las frases.

—¿Queréis saber cómo funciona? Bien, pues os lo voy a contar.

—Fede me cae fenomenal; es muy divertido.
—Pues a mí me parece un poco pesado.

—Me encanta la cocina japonesa.
—Pues mi padre hace un sushi buenísimo.

! **Pues** se utiliza para cohesionar las interacciones orales. Presenta algo como estrechamente relacionado con lo que se acaba de decir. Puede indicar que lo que se dice continúa o contrasta con lo anterior, introducir una reacción, etc.

-Me encantaría ir en verano a Grecia.
-Pues ......

-Álvaro hace una fiesta en su casa este sábado.
-Pues ......

-Me interesa la física, pero me resulta difícil.
-Pues ......

Reglas y ejemplos
Cuanto/a/os/as... más/menos...

Observamos la siguiente estructura y escribimos nuestros propios ejemplos.

Cuanto más / menos + elemento 1, (**tanto**) **más / menos** + elemento 2

—Cuanto más calor hace, más me apetece ir a la playa.
—Cuanto más rápido hablas, menos te entiendo.

—Cuanto más rápido te vistas, antes (= más pronto) saldremos.
—Cuanto más lo conozcas, mejor te caerá.

! Cuando el verbo del elemento 1 se refiere al futuro, va en subjuntivo.

Mis ejemplos:

En español y en otras lenguas
Conectores

Observamos los siguientes conectores. ¿A qué equivalen en nuestra lengua?

Contraponer o matizar informaciones

—Es muy difícil conseguir una beca de investigación.
—(Ya) sé que es difícil, pero quiero intentarlo.
—Puede ser. De todas maneras, por intentarlo no pierdo nada.

Justificar una información

—La conferencia me ha resultado poco interesante. Es que había demasiadas cifras y ha leído todo.
—La situación de los agricultores es dramática, ya que a escasez de agua está afectando a las cosechas.

Expresar consecuencia

—El cerebro es un órgano del que sabemos poco, así (es) que es necesario seguir investigando.
—En los recuerdos el cerebro reconstruye la información. Por lo tanto, cada persona recuerda los hechos de una manera.

01 TALLER DE USO

Entre todos
El cerebro

Entre todos, vamos a escribir el guion de nuestro propio vídeo sobre las tres funciones principales del cerebro: pensar, sentir y recordar.

- Dividimos la clase en tres grupos: pensar, sentir y recordar.
- Cada grupo vuelve a ver la parte del vídeo que le corresponde y toma nota del léxico y las ideas más importantes.
- Cada grupo redacta su texto a partir de las notas y de los recursos de la agenda.
- Ponemos en común las tres partes.
- Al final, elegimos a una persona o a varias de la clase para representar el vídeo completo.
- Podemos grabarlo y compartirlo en nuestro espacio virtual.

1. Pensar:
crear patrones...

2. Sentir:
recibir un estímulo...

3. Recordar:
tener un recuerdo importante.

LOS TRABAJOS DEL FUTURO

En los últimos años, la vertiginosa aceleración de la tecnología ha provocado que muchos trabajos estén a punto de desaparecer. Así lo ven economistas y pensadores de todas las tendencias: todos señalan que dentro de unas décadas gran parte de los puestos de trabajo actuales habrán desaparecido y solo permanecerán aquellos que estén relacionados con el conocimiento.

Thomas Frey, director ejecutivo del DaVinci Institute, sostiene que para el año 2030 habrán desaparecido más de 2000 millones de puestos de trabajo. Al contrario de lo que otros opinan, para Frey este cambio supone una nueva oportunidad, ya que cuando algunos trabajos pierdan importancia, otros ganarán relevancia. En los próximos años nacerán nuevas industrias para las que harán falta directivos, ingenieros, diseñadores, abogados, psicólogos, etc.

Asimismo, se necesitarán muchos analistas de *big data*, pues las empresas manejarán cantidades de datos cada vez mayores. Al mismo tiempo, harán falta filósofos y expertos en ética de la privacidad, puesto que las incógnitas que plantea la sociedad de la comunicación serán cada vez más difíciles de resolver.

Algunas industrias del futuro serán, por ejemplo, la cosecha de agua de la atmósfera (derivada de la escasez de agua potable no contaminada), y es que cuando hayamos contaminado todos nuestros ríos, tendremos que recurrir a otras fuentes. También surgirán sistemas financieros alternativos como consecuencia del uso de monedas virtuales. En el ámbito educativo, se crearán microuniversidades con estudios mucho más cortos, y en el social será fundamental la atención a la tercera edad, dado que habrá cada vez más personas mayores y vivirán más tiempo. La industria química verá la aparición de biofábricas que, al trabajar con sustancias y productos naturales, transformarán este sector.

Otros sectores que se desarrollarán son la economía colaborativa, los drones comerciales, la impresión en 3D o la industria vinculada al internet de las cosas.

Texto adaptado de www.elconfidencial.com

02 LOS TRABAJOS DEL FUTURO

Antes de leer
Predicciones

Algunos expertos creen que en el futuro desaparecerán muchas profesiones y aparecerán otras. ¿Qué pensamos nosotros? Discutimos en pequeños grupos y hacemos una lista de las ideas surgidas.

—Lo más probable es que trabajemos desde casa.
—Seguramente habrá mucho trabajo en el área del big data.

Texto y significado
Los trabajos del futuro

Leemos el texto y, en grupos, ampliamos nuestra lista.

Texto y significado
El futuro

Varias personas hablan sobre estas tres profesiones. ¿Qué pensamos nosotros: creemos que tienen futuro?

- Traductor
- Ciberabogado
- Especialista en pedagogía en línea

 35-37 

Escuchamos el audio. ¿Qué dicen sobre ellas? ¿Coinciden con nuestras ideas?

Texto y lengua
Cambios

Buscamos en el texto recursos que expresen cambio o transformación y hacemos una lista entre todos.

Texto y lengua
Expresar causa y consecuencia

Observamos los siguientes recursos que se usan en el texto para expresar causa y consecuencia. Reformulamos los fragmentos usando **porque**, **como**, **causar**, **por** o **por eso**.

—La vertiginosa aceleración de la tecnología ha provocado que muchos trabajos estén a punto de desaparecer.
—Para Frey esto es una oportunidad, ya que cuando algunos trabajos pierdan importancia, otros ganarán mayor relevancia.
—Se necesitarán muchos analistas de big data, pues las empresas manejarán cantidades de datos cada vez mayores.
—... la cosecha de agua de la atmósfera (derivada de la escasez de agua potable no contaminada)...
—Surgirán sistemas financieros alternativos como consecuencia del uso de monedas virtuales.
—Las biofábricas, al trabajar con sustancias naturales, revolucionarán el sector químico.
—... dado que hay cada vez más personas mayores y viven más tiempo...

02

AGENDA DE APRENDIZAJE

Palabras para actuar
Expresar probabilidad

RG / P.193

Observamos los recursos y escribimos nuestros propios ejemplos.

Con subjuntivo

—Lo más seguro / probable es que dejemos de tener dinero.
—Es muy posible / probable que en el futuro todos trabajemos desde casa.
—Hay bastantes / muchas probabilidades de que desaparezcan los cines.
—Puede (ser) que dentro de unos años trabajemos con robots.
—No creo que en el futuro tengamos más paro que ahora.

Con indicativo o subjuntivo

—Tal vez / Posiblemente / Quizás se creen / crearán nuevas industrias.

Con indicativo

—Con toda seguridad se descubrirán nuevas fuentes de energía.
—Seguramente / Seguro que aparecerán industrias apasionantes.

Palabras para actuar
Expresión de causa y consecuencia

RG / P.183

Observamos los recursos y transformamos las frases usando **por**, **porque** y **por eso**. Luego escribimos nuestra opinión al respecto de cada afirmación.

Dado que / puesto que / ya que + indicativo

—No es necesario enseñar a los niños a escribir a mano, dado que cada vez escribimos más con los teclados.
—La creatividad y la flexibilidad serán fundamentales, ya que surgirán muchos trabajos que hoy desconocemos.
—La formación en Humanidades será fundamental, puesto que será necesario el pensamiento crítico.

Como consecuencia de + sustantivo

—Como consecuencia del uso continuado de pantallas, está disminuyendo la capacidad de concentración de las personas.

Al + infinitivo

—Al producir menos, los cultivos ecológicos son más caros.

Provocar / hacer que + subjuntivo

—El ritmo de vida de las sociedades desarrolladas está provocando que cada vez cocinemos menos.

Derivar de + sustantivo

—Muchas enfermedades derivan de una mala alimentación.

Pues

—Los costes médicos han aumentado. Habrá, pues, que invertir más en sanidad.

Reglas y ejemplos
El Futuro compuesto

RG / P.185

Observamos la forma y el uso del futuro compuesto y escribimos qué creemos que habrá pasado el año 2050.

haber	+ participio
hab**ré**	
hab**rás**	conseguido
hab**rá**	alcanzado
hab**remos**	producido
hab**réis**	
hab**rán**	

—Para el año 2030 habrán desaparecido más de 2000 millones de puestos de trabajo.

En el año 2050

En español y en otras lenguas
Temporales con perfecto de subjuntivo

RG / P.194

Observamos los recursos. ¿Cómo se traducen las frases a nuestra lengua?

Cuando hayamos contaminado todos los ríos, **tendremos que** cosechar agua de la atmósfera. (Acciones sucesivas)

Avísame **en cuanto hayas llegado** al aeropuerto. (Sucesión inmediata)

Utilizaremos el petróleo **hasta que se hayan agotado** todas las reservas. (Límite en el tiempo)

Palabras para actuar
Marcadores temporales

Observamos los recursos y escribimos qué creemos que sucederá en nuestro país en el futuro.

—En los próximos años veremos grandes cambios.
—En un futuro próximo todo estará en la nube.
—Es necesario tomar medidas a medio o largo plazo.
—Para el siglo XXV habremos integrado la inteligencia artificial en todos los ámbitos de la vida.
—Cuando se hayan agotado los recursos de la Tierra, tendremos que vivir en otros planetas.

En mi país:

En los próximos años ....

....

En un futuro próximo ....

....

A corto plazo ....

....

Para el siglo ....

....

Cuando ....

....

02 TALLER DE USO

En parejas
La sociedad del futuro

Leemos las siguientes opiniones de expertos, contestamos las preguntas y tomamos notas.

Algunos expertos creen que...
- Se venderán fármacos para aumentar la inteligencia y la productividad de los empleados.
- Los coches serán todos sin conductor.
- Se imprimirán edificios y órganos humanos en 3D.
- Se habilitarán espacios de meditación en las oficinas.
- Habrá empresas dedicadas a comerciar con pensamientos y recuerdos.
- Los seres humanos se verán discriminados frente a los robots.
- Habrá partidos políticos que defiendan los derechos de los androides.

1. ¿Creemos que sucederá?
2. ¿Con qué grado de certeza?
3. ¿Cuándo sucederá?
4. ¿Por qué?
5. ¿Qué consecuencias tendrá?

Vamos a desarrollar uno de los temas por escrito.

- Usamos las notas que hemos tomado.
- Buscamos más información en internet.
- Formulamos las ideas fundamentales, las causas y las consecuencias.
- Conectamos las ideas utilizando marcadores temporales.
- Redactamos nuestro texto.

Intercambiamos nuestro texto con otra pareja y le hacemos preguntas.

Volvemos a leer el texto de nuestros compañeros y les hacemos propuestas para mejorarlo.

LA COCINA DE MAÑANA

La cocina es el centro vital de la casa y de la vida familiar: se preparan alimentos, pero también se juega, se charla y se convive. Con toda seguridad, ese espacio evolucionará mucho en las próximas décadas. Las grandes ciudades seguirán creciendo y las casas serán cada vez más pequeñas. Se impondrá, sin duda, la necesidad de aprovechar el espacio y los recursos, y de poner la tecnología al servicio de una alimentación más sana y más sostenible. He aquí algunos ejemplos de estas tendencias.

PLATOS EN 3D

1 Según Hod Lipson, profesor de Ingeniería de la Universidad de Columbia y especialista en impresión en 3D, habrá un *boom* de esta tecnología aplicada a la gastronomía. Las impresoras 3D serán capaces de imprimir productos comestibles y nos permitirán preparar cualquier receta a partir de una inmensa base de datos en línea. Lo único que hará falta es cambiar el cartucho que necesita cada plato. Además, permitirá personalizar las recetas según las intolerancias alimentarias y las necesidades de cada persona.

COCINAS MINÚSCULAS E INTELIGENTES

2 Pronto en las cocinas podremos tener placas que interpretarán la información de los envases para cocinarlos, calcularán el valor nutricional de los ingredientes y detectarán la presencia de sustancias tóxicas o alergénicos, y evaluarán la frescura de los alimentos. Las aplicaciones controlarán nuestras neveras y despensas, y podrán organizar dietas personalizadas, listas de la compra, etc. Será habitual también que los desperdicios se reciclen y transformen los residuos vegetales en gas biometano o compost. Otras aplicaciones harán posible que cocinemos desde el sofá o incluso desde el lugar de trabajo.

Fuente: www.houzz.es

COCINA COGNITIVA

3 Lo llaman "cocina cognitiva". Chef Watson es un servicio web de IBM cuyo funcionamiento se parece al de la mente humana cuando está decidiendo qué cocinar. Además, aprende de los grandes chefs y utiliza la red para crear recetas espectaculares de manera sencilla. " Nuestra propuesta no es un sistema automatizado, hay lugar para la creación", señala Elisa Martín, de IBM. Para utilizarlo, no hace falta registrarse o facilitar datos personales. Simplemente hay que ir a la web, introducir los ingredientes que tienes en casa y seleccionar el tipo de cocina que te apetece. En unos segundos aparecerán varias recetas entre las que elegir.
Fuente: www.computerworld.es

ALGAS, INSECTOS Y HAMBURGUESAS IN VITRO

4 En el futuro, comeremos hamburguesas de carne fabricada a partir de células madre de vaca. Y es que, de acuerdo con un gran número de científicos, producir carne *in vitro* es la única manera de garantizar que podamos seguir alimentando al planeta en el año 2050, ya que no se podrá dedicar más superficie de suelo a la ganadería. Al mismo tiempo, si no frenamos el cambio climático, no podremos comprar chocolate, café ni cacahuetes en los supermercados; asimismo, muchos expertos aseguran que pronto, en un futuro no muy lejano, consumiremos habitualmente algas, saltamontes, grillos y huevos de hormigas.

03 LA COCINA DE MAÑANA

Antes de leer
Comer en 2050

¿Cómo creemos que serán la cocina y la alimentación del futuro? Hablamos en pequeños grupos sobre los siguientes temas.

- **la agricultura**
- **los alimentos**
- **la tecnología**

Yo he leído que vamos a comer cada vez más insectos.

¿Qué innovaciones tecnológicas conocemos relacionadas con la gastronomía? ¿Utilizamos alguna de ellas? Hablamos entre todos.

Texto y significado
La cocina del futuro

Leemos los textos y hablamos en pequeños grupos. ¿Hemos oído hablar de alguna de estas cosas? ¿Qué nos parecen? ¿Hemos probado alguna? ¿Cuáles nos gustaría probar ahora o en el futuro?

Tres personas hablan sobre dos de estas tendencias. ¿Sobre cuáles? ¿Qué opinan sobre ellas?

Situación 1

Persona 1: ....

Persona 2: ....

Situación 2

Persona 1: ....

Persona 2: ....

Texto y lengua
Tecnología y gastronomía

E

Buscamos en los textos palabras útiles para hablar de estos temas.

Tecnología	Gastronomía

Palabras para actuar
Describir un servicio o aplicación tecnológicos

Observamos los siguientes recursos y explicamos cómo funciona una aplicación o un servicio que nos guste o conozcamos bien.

Definir
—*Es un servicio web gracias al cual puedes preparar recetas originales con lo que tienes en casa.*
—*Es una aplicación con la que puedes pedir comida a domicilio.*

Hablar de sus características
—*Es gratuita / de pago.*
—*Es capaz de imprimir productos comestibles.*
—*Es fácil de usar.*

Hablar de su utilidad
—*Sirve para leer PDF en el móvil.*
—*Permite preparar cualquier receta.*

Definir comparando
—*Es como un escáner, pero para el móvil.*
—*Su funcionamiento se parece al de la mente humana.*

Valorar
—*Es genial porque te permite estar siempre al día.*
—*Es útil para orientarse, pero a mí no me convence.*
—*Me encanta porque es fácil de usar.*

Dar instrucciones de funcionamiento, instalación y uso
—*Introduces tus datos, seleccionas la ciudad y aparecen los resultados.*
—*(No) hace falta registrarse.*
—*Tienes que introducir tu número de cuenta.*

Reglas y ejemplos
Ya, aún, ya no, aún no

RG / P.183

Observamos cómo se utilizan estos marcadores y escribimos un ejemplo relacionado con nosotros.

Quiero comprarme un coche eléctrico, pero **todavía / aún** no puedo. **Todavía / aún** tengo que conducir con mi coche de gasolina.

¡**Ya no** tengo coche!

¡**Ya** tengo un coche eléctrico! ¡Por fin!

Palabras para actuar
Citar

Observamos los recursos y escribimos tres citas de personas que nos han impresionado.

HABRÁ UN BOOM DE IMPRESORAS 3D. SERÁN HERRAMIENTAS DE GRAN PRECISIÓN. Y LO MÁS IMPORTANTE: ASEQUIBLES PARA TODO EL MUNDO.

Referir una opinión incluyendo las palabras textuales
—"Habrá un boom de impresoras 3D", señala / declara / asegura / afirma Páez.

—Además, serán herramientas de gran precisión, añade. "Y lo más importante: asequibles para todo el mundo", destaca.

Referir una opinión sin las palabras textuales
—Según / Para / De acuerdo con Ana Páez, las impresoras 3D serán mucho más frecuentes, muy precisas y, además, estarán al alcance de todo el mundo.

....

....

....

....

....

....

....

....

03 TALLER DE USO

En grupos
Creamos una *app* o un servicio de ocio digital

En pequeños grupos, vamos a imaginar una aplicación o plataforma tecnológica para los estudios, el trabajo o el ocio, y vamos a presentársela a los compañeros. Primero completamos la siguiente ficha.

Nombre:
....

Necesidades o problemas que pretende atender:
....
....

Características:
....
....

Utilidad:
....
....

Instrucciones de funcionamiento:
....
....

Valoración:
....
....

Luego presentamos nuestra herramienta al resto del grupo. Entre todos, escogemos las tres más interesantes, divertidas o innovadoras.

ARCHIVO DE LÉXICO

Palabras para actuar
Cambio y evolución

Utilizamos los siguientes verbos para describir la vida de esta planta.

- aparecer
- aumentar
- cambiar
- comenzar a
- convertirse en
- crear
- crecer
- dejar de
- desaparecer
- desarrollar(se)
- eliminar
- evolucionar
- formarse
- haber más / menos
- sustituir por
- transformarse en

Palabras en compañía
Verbos de lengua

Observamos las series y las continuamos. Podemos hacer búsquedas en internet.

- **dar** → una conferencia → un discurso →
- **dar a conocer** → los resultados de un estudio →
- **hacer** → una presentación oral → un resumen →
- **explicar** → un fenómeno → cómo funciona algo →
- **exponer** → una situación → las causas de algo →
- **expresar** → dudas → una opinión →

Mis palabras
Disciplinas y trabajos

¿Qué disciplinas científicas y técnicas queremos aprender a nombrar en español? Las escribimos junto con los trabajos asociados a ellas.

Disciplina	Trabajo
física	físico/a
química	
economía	

PROYECTOS

En español y en otras lenguas
El futuro y sus metáforas

Observamos los siguientes dibujos. ¿Cuál de ellos representa mejor para nosotros la idea de futuro?

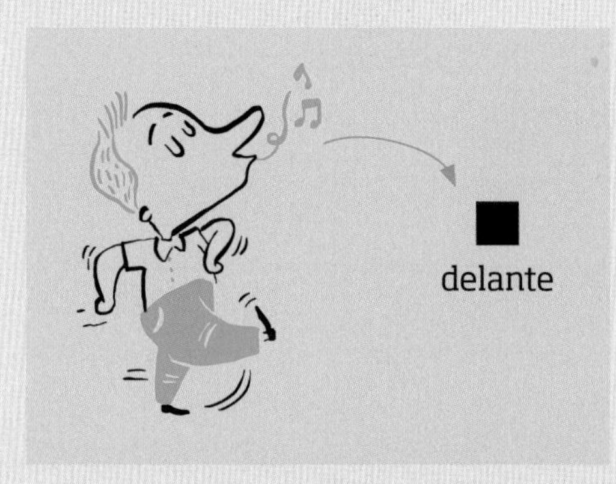

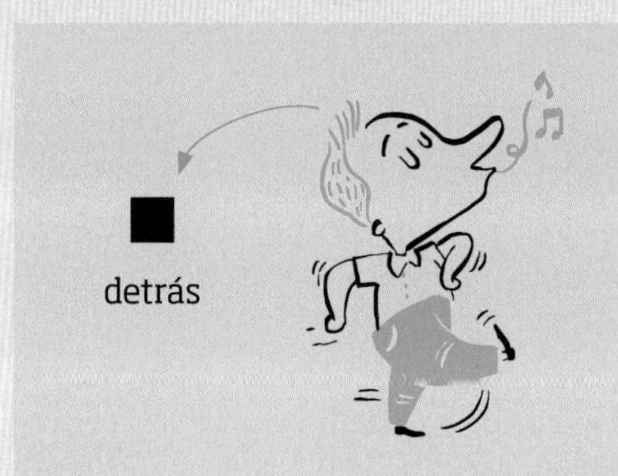

Ahora observamos las siguientes expresiones relacionadas con el futuro. ¿Sabemos qué significan? ¿Existen expresiones equivalentes en nuestra lengua?

—*Dejar algo para más adelante*
—*Tener mucho tiempo por delante*
—*Mirar hacia delante*
—*Tener toda la vida por delante*
—*Ser un adelantado para la época*
—*(No) adelantarse a los acontecimientos*
—*Seguir hacia delante*
—*Tirar para delante*
—*El porvenir*

Proyecto en grupo
Nuestras olimpiadas de divulgación

Vamos a organizar en la clase unas olimpiadas de divulgación. Para ello, seguimos estos pasos.

- En grupos de tres, cada uno comenta a los demás sobre qué temas sabe bastante.
- Elegimos uno de los tres temas para preparar una breve exposición oral.
- El "experto" en el tema elegido explica la información básica a los otros dos, que hacen preguntas para asegurarse de que lo entienden.
- Entre los tres elaboramos un guion.
- Pensamos en qué recursos retóricos vamos a emplear: citas, experiencias personales, definiciones, ejemplos, preguntas retóricas, toques de humor, etc., y dónde irá cada uno.
- Pensamos si vamos a utilizar imágenes, esquemas, objetos, etc.
- Los dos compañeros no especialistas deben exponer el tema ante la clase, con ayuda del experto si la necesitan.

Podemos grabar las exposiciones en vídeo, hacer nuestro propio canal de *youtubers* de la clase y compartirlo en el espacio virtual o en la red.

RESUMEN GRAMATICAL Y DICCIONARIO DE CONSTRUCCIONES VERBALES

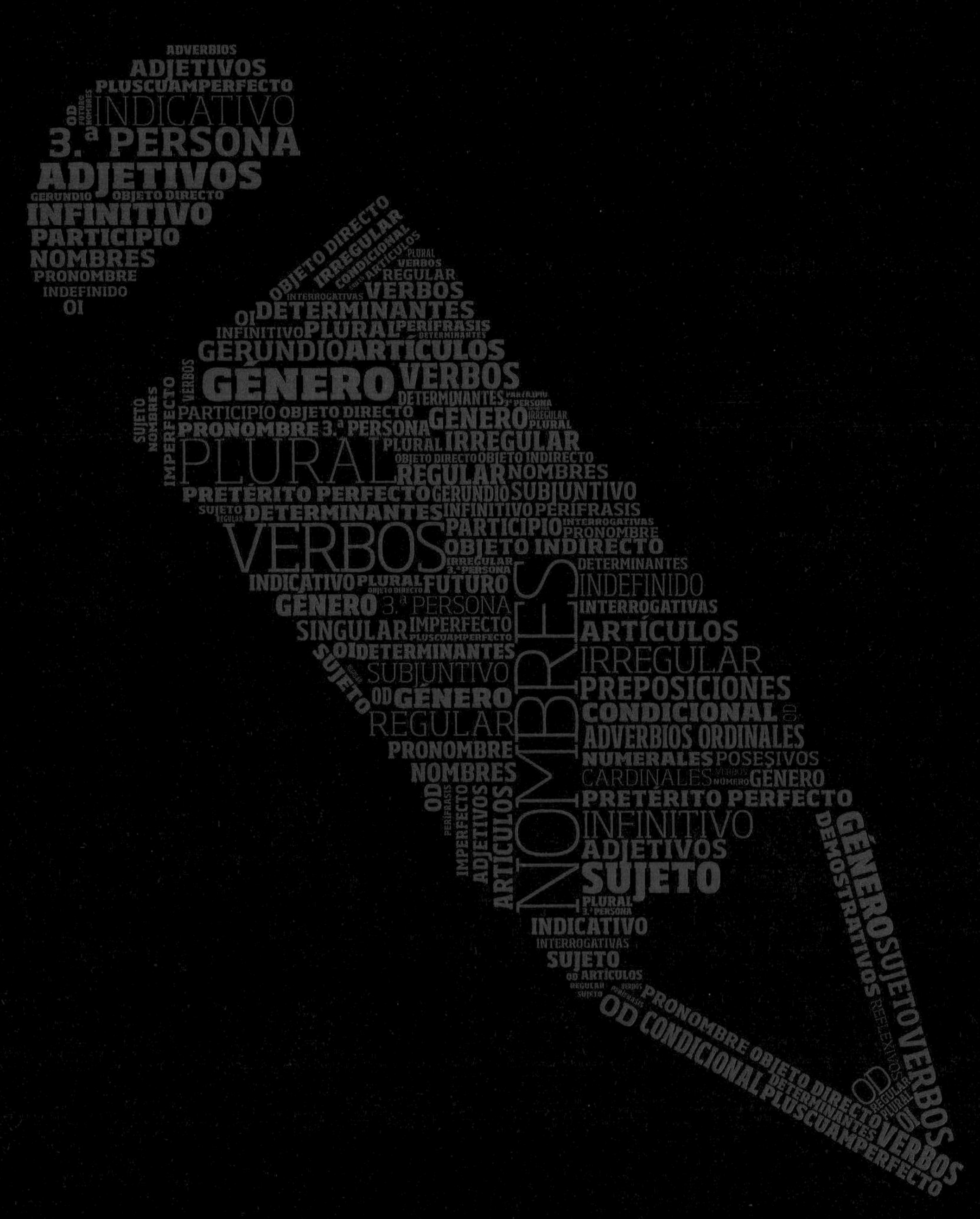

RESUMEN GRAMATICAL

RESUMEN GRAMATICAL

Los artículos
El artículo neutro lo

El artículo neutro **lo** equivale a "las cosas" o "el aspecto", y nunca va delante de un nombre.

Lo mejor (= el aspecto mejor, las cosas mejores)
Lo divertido (= el aspecto divertido, las cosas divertidas)
Lo que más me gusta (= el aspecto que más me gusta, las cosas que más me gustan)

■ **Lo de** (más un nombre o una referencia de lugar o tiempo) remite a una información ya conocida y compartida por los interlocutores.

—Lo de ayer fue maravilloso.
—Lo de Elisa y Jacinto es un problema.

■ **Lo de que** puede ir en una oración con indicativo o subjuntivo, para recuperar algo que se ha dicho, escrito o leído recientemente.

—Lo de que tengamos que pagar por anticipado me parece muy mal.
—Lo de que todo el mundo está bien informado no es cierto.

En estas estructuras, **lo** puede ser sustituido por el pronombre demostrativo **eso** (y también, aunque menos frecuentemente, por **esto** y **aquello**).

■ **Lo** aparece también delante de **que** en construcciones relativas.

—Lo que dijo ayer Luis es interesante. (las cosas que)

RESUMEN GRAMATICAL

Los artículos
Artículos determinados e indeterminados

Artículos determinados: el/la/los/las

■ Los usamos para referirnos a cosas, personas o ideas que nuestro interlocutor puede reconocer en su entorno, en sus recuerdos o en lo que se ha dicho anteriormente.

—*Toma, el libro que me dejaste.*
—*¿Me pasas el agua?*
—*Vivió unos años en el sur.*

Artículos indeterminados: un/una/unos/unas

■ Los usamos para referirnos a cosas, personas o ideas de las que no hemos hablado antes.

—*Conoció a un chico cuando estaba en la universidad.*
—*Acabo de leer un artículo realmente interesante.*
—*Vive en una ciudad del norte.*

Los artículos
Presencia / ausencia del artículo

■ En el sujeto de una oración, generalmente, el nombre va con artículo.

—*El pan es muy sano.*
—*La mesa del salón vale 300 euros.*
—*Ha venido un chico a verte.*

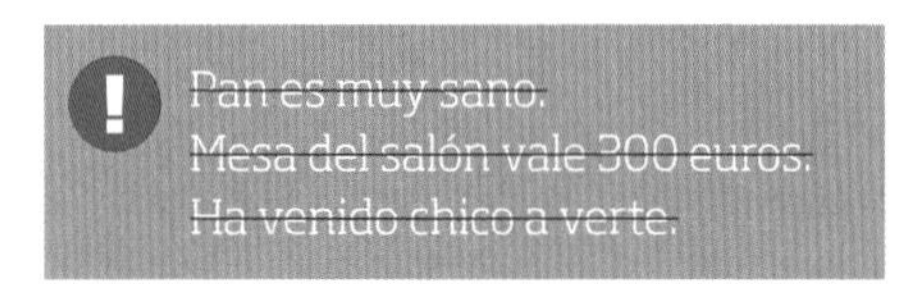

■ En la estructura **ser** + **un/ø** + nombre, cuando hablamos de personas, usamos **un/ø** en función de la información que queremos dar.

—*Javier Bardem es un famoso actor.* (¿Quién es?)
—*Estela y Judith son unas profesoras que tuve en el colegio.* (¿Quiénes son?)

—*Luis Alberto es actor de teatro.* (¿Qué es?, ¿a qué se dedica?)
—*Carla y Juana son profesoras.* (¿Qué son?)

—*Los pinos son árboles.* (¿Qué son?)
—*Los pinos son unos árboles muy resistentes.* (¿Cómo son?)

Nombres contables con los verbos tener, haber y llevar

■ Referido a un tipo de cosa (no a una cosa concreta de ese tipo): sin artículo.

—*La ciudad tiene aeropuerto.* (Importa si tiene o no ese tipo de infraestructura; no importan la cantidad ni las características)

—*Siempre lleva corbata.*

■ Referido a una cosa concreta: con artículo.

—*La ciudad tiene un aeropuerto muy pequeño.* (Importan las características de esa realidad)

—*Siempre lleva una corbata horrible.*

■ Referido a un tipo de cosa del que puede haber varios ejemplares: sin artículo y en plural.

—*¿No hay farmacias en este barrio?*
—*Sí, sí hay.*

La comparación
Con adjetivos, nombres y verbos

	adjetivos	
más **menos** **igual de**	bonito/a/os/as	**que...**

	adjetivos	
tan	bonito/a/os/as	**como...**

—*Sevilla es más grande que Córdoba.*
—*Almería no es tan grande como Málaga.*
—*En una dieta equilibrada, los hidratos de carbono son igual de importantes que las proteínas.*

La comparación
Con adjetivos, nombres y verbos

■ Con gradativos

un poco **ligeramente** **bastante** **mucho** **muchísimo**	**más** **menos**	importante interesante ...	**que**

—Los productos ecológicos son ligeramente más caros en una tienda especializada que en el supermercado.

	nombres	
más **menos** **tanto/a/os/as**	aceite sal ambiente	**que...** **como...**

—Sevilla tiene más habitantes que Córdoba.
—Almería no tiene tantos habitantes como Málaga.

verbos		
come	**más** **menos** **tanto/a/os/as**	**que...** **como...**

—Lidia come más que su hermana.
—Alfredo duerme menos que yo.
—Leo no trabaja tanto como su socio.
—No corras tanto.

■ Algunos adjetivos tienen formas especiales para la comparación.

mejor, peor, mayor, menor + que
—La dieta paleolítica me parece mucho mejor que la crudívora.

superior, inferior + a
—La cantidad de calorías es muy superior a la que te permite el médico.

La comparación
Tan ... / tanto/a/os/as ... / tanto (como)

■ Se usa para negar la afirmación de otra persona o corregirse a uno mismo.

—En la plaza había muchos manifestantes.
—No, no había tantos. (= tantos manifestantes como tú dices)

—En la plaza había cinco mil manifestantes... Bueno, no tantos. (= tantos manifestantes como los que acabo de decir)

■ También se usa para contradecir una supuesta opinión.

—Pues fuimos al nuevo museo y a mí no me pareció tan extraordinario. (= tan extraordinario como se dice)

La comparación
Cantidades

Más / Menos de + cifra

—Para adelgazar, no debes comer más de 1500 calorías al día.

Más / Menos de lo que + oración
—Si quieres cuidarte, no debes comer más de lo que te ha recomendado el médico.

El doble / la mitad /... de (lo que + frase**)**
—Los alimentos ecológicos pueden costar el doble de lo que cuestan los demás.

... veces más / menos que...
—En mi país se come tres veces más pescado que en Alemania.

Cuantificadores y gradativos
Con nombres, verbos y adjetivos

Con nombres contables

ningún **algún**	libro	**ninguna** **alguna**	novela
pocos **algunos** **varios** **bastantes** **muchos** **demasiados**	libros	**pocas** **algunas** **varias** **bastantes** **muchas** **demasiadas**	novelas

RESUMEN GRAMATICAL

Con nombres no contables

nada de **poco** **un poco de** **bastante** **mucho** **demasiado**	tiempo	**nada de** **poca** **un poco de** **bastante** **mucha** **demasiada**	agua

Con verbos

no trabaja	**nada**
trabaja	**poco** **un poco** **bastante** **mucho** **demasiado**

Con adjetivos

nada	grande/s
un poco*	grande/s
poco*	interesante/s
algo	arrogante/s
bastante	bonito/s
muy	nuevo/s
demasiado	complicado/s

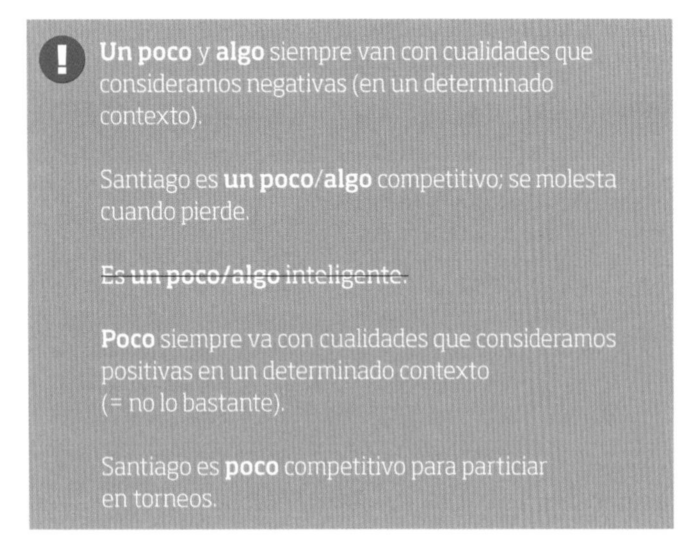

Los pronombres indefinidos
Alguien, nadie

■ Se refieren solo a personas. En función de objeto directo, llevan la preposición **a**.

—¿Alguien tiene un boli?
—¿Has visto a alguien en el concierto?
—A Ramiro y Marisa, pero no había nadie más.

COMBINACIONES FRECUENTES
Alguien más
Nadie más
Casi **nadie**

Los pronombres indefinidos
Algo, nada

■ Se refieren a cosas, objetos e ideas.

—¿Has comido algo?
—No, no había nada en el frigorífico.

COMBINACIONES FRECUENTES
Algo más
Nada más
Casi **nada**

Los indefinidos
Alguno, algún, ninguno, ningún

alguno **alguna** **algunos** **algunas**	**ninguno** **ninguna**

■ Pueden acompañar a un nombre o sustituirlo.

—¿Hay algún restaurante japonés por aquí cerca?
—No, no conozco ninguno.

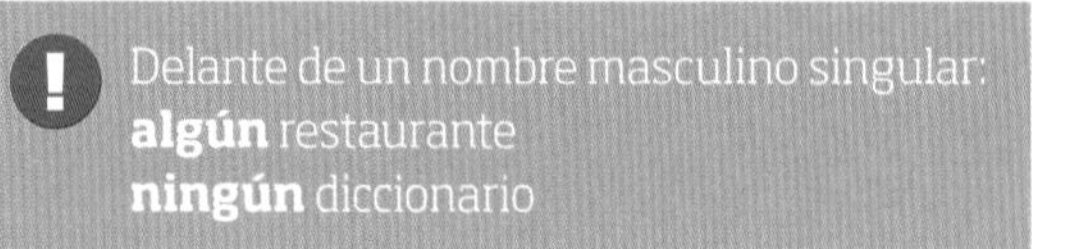

COMBINACIONES FRECUENTES
Ninguno de nosotros > ellos > sus amigos
Ninguna de nosotras > ellas > sus amigas
En ninguna parte
En ningún lado > lugar > sitio

Los indefinidos
Los/las demás, lo demás

adjetivo
—*Hoy dormimos en casa de Antonio. Los demás días dormiremos en un hotel.*

pronombre
—*Pon estas botellas en el frigorífico; las demás, en el armario.*

pronombre neutro
—*Esto es para ti. Lo demás es para tus hermanas.*

COMBINACIONES FRECUENTES

Todo lo demás
Todos los demás
Todas las demás

Los indefinidos
Cada, cada uno

■ **Cada** acompaña a un nombre, en singular y sin artículo. **Cada uno/una** lo sustituye.

—*Cada alumno tiene que elegir un tema diferente.*
—*En esta escuela los niños trabajan con ordenador, cada uno tiene el suyo.*

COMBINACIONES FRECUENTES

Cada día > semana > año
Cada dos horas > tres días > cien años
Cada uno de nosotros > vosotros > ustedes
Cada vez
Cada vez más/menos

Los indefinidos
Mismo/a/os/as

■ Puede acompañar a un nombre o sustituirlo.

—*Felipe y Carmen trabajan en la misma empresa.*
—*Felipe trabaja en la misma empresa que Carmen.*
—*¿Trabajáis en dos empresas diferentes o en la misma?*

■ Puede ir detrás de un adverbio (**ahora mismo**, **allí mismo**) para enfatizar la precisión o inmediatez.

—*Ahora mismo te lo digo.*
—*Podemos hacerlo aquí mismo.*

■ O detrás de un pronombre (**ellas mismas**, **nosotros mismos**) para destacar que se trata de esa persona o esa circunstancia y no de otra.

—*Ella misma pronunciará el discurso de apertura.*
(nadie en su lugar)

■ En las construcciones reflexivas puede ser obligatoria la presencia del adjetivo **mismo**.

—*Solamente se preocupa de sí mismo.*
—*¿Por qué no solemos hacernos regalos a nosotros mismos?*

COMBINACIONES FRECUENTES

Cuidar de sí **mismo**
Confianza en sí **mismo**
Yo > tú > él **mismo**
Yo > tú > ella **misma**
Ahora > esta tarde > hoy > esta semana **mismo**
Delante > detrás > al lado **mismo**

Los indefinidos
Todo/a/os/as

	+ nombre
todo el	aceite
toda la	comida
todos los	compañeros
todas las	personas

—*¿Todos los músicos son de aquí?*
—*Sí, todos.*

—*¿No queda mantequilla?*
—*No, la he usado toda para cocinar.*

Todos / todas
—*No empezamos hasta que no estemos todos.*

Todo (= todas las cosas)
—*Lo cocinamos todo nosotros mismos.*

Todo el mundo (= todas las personas o todo el planeta)
—*En mi clase a todo el mundo le gusta el fútbol.*
—*He viajado por todo el mundo.*

RESUMEN GRAMATICAL

De todo (= cosas de todos los tipos)
—*En los entrenamientos hacemos de todo.*
—*¿Tu novia come de todo o hay algo que no le gusta?*

* **Todo**, **toda**, **todos**, **todas** van siempre con un pronombre (**lo**/**la**/**los**/**las**) cuando son objeto directo.
- ¡Qué fotos tan bonitas! **Las** quiero **todas**.
~~¡Qué fotos tan bonitas! Quiero todas.~~

Los adverbios
Adverbios en -mente

■ Se construyen a partir de la forma femenina singular de adjetivos calificativos.

rápido	rápida**mente**
consciente	consciente**mente**
fácil	fácil**mente**

■ En su mayor parte, expresan la forma en que sucede algo y acompañan a un verbo o un adjetivo.

—*Entró silenciosamente.* (= de manera silenciosa)
—*El equipo local es claramente superior a su rival.* (= de manera clara)

■ **Solo** y **solamente** se usan indistintamente.
—*¿Solo hay una farmacia en el pueblo?*
—*¿Solamente hay una farmacia en el pueblo?*

Los adverbios
Adverbios en -mente: otros usos

■ Conectar dos enunciados.

Consecuentemente
Consiguientemente
Evidentemente
Lógicamente
Igualmente
...

—*María viajó en tren toda la noche. Lógicamente, cuando llegó estaba cansadísima.*

■ Expresar la actitud del hablante.

Francamente
Sinceramente
Verdaderamente
...

—*Sinceramente, la película me pareció un rollo.*

■ Expresar una valoración del hablante.

Desgraciadamente
Afortunadamente
Lamentablemente
...

—*Afortunadamente, no pasó nada grave.*

■ Expresar el grado de seguridad o probabilidad de lo que se dice.

Probablemente
Posiblemente
Seguramente
...

—*Seguramente, no lo sabía.*

■ Expresar la perspectiva desde la que se afirma algo.

Técnicamente
Económicamente
Musicalmente
...

—*Técnicamente, el partido fue muy bueno.*
(desde el punto de vista técnico)
—*El proyecto era inviable económicamente.*

■ Modificar un adjetivo o intensificarlo.

Realmente
Enormemente
Totalmente
Verdaderamente
Completamente
Excesivamente
Claramente
Absolutamente
Exactamente
...

—*Es una asignatura realmente difícil.*

■ Hablar de frecuencia y tiempo.

Constantemente
Habitualmente
Actualmente
Normalmente
Frecuentemente
Antiguamente
Recientemente

—*Antiguamente se escribían muchas más cartas.*

■ Como respuesta afirmativa.

Efectivamente
Absolutamente
Naturalmente
Evidentemente

—*No tenemos que estar todos de acuerdo.*
—*Evidentemente.*

Los pronombres
Reflexivos

1.ª pers. singular	**me** llamo
2.ª pers. singular	**te** llamas
3.ª pers. singular	**se** llama
1.ª pers. plural	**nos** llamamos
2.ª pers. plural	**os** llamáis
3.ª pers. plural	**se** llaman

Los pronombres
Reflexivos

■ El objeto directo o indirecto es la misma persona que el sujeto.

—*Laura no se mete nunca en el agua.*
—*Alba se cuida mucho la piel.*

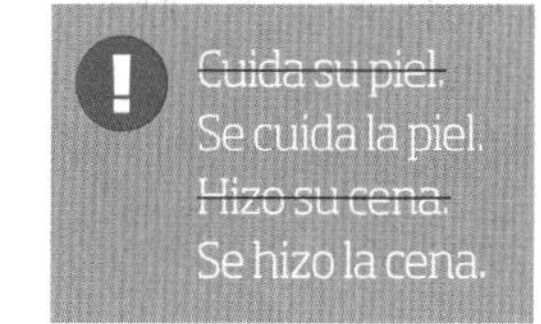

■ Con verbos de cambio de estado físico o anímico.

—*Rubén se ha vuelto muy antipático.*
—*Siéntate.*

■ Algunos verbos se usan siempre con el pronombre **se** (**enterarse**, **acordarse**, **encontrarse bien**...).

—*¿Te has enterado de lo que ha pasado en Santiago?*

■ Con verbos de realización, cuya acción se completa del todo. Llevan un objeto directo contable: **comerse una paella**, **leerse dos libros** (**comer paella**, **leer libros**).

■ Cuando se trata de procesos sobre objetos que se presentan como si no interviniera ningún agente, se usa **se**:

—*Se ha roto el vaso.*
—*Se ha abierto la ventana.*

■ Accidentes, procesos involuntarios que recaen en uno mismo (**romperse un brazo**, **hacerse daño**, **darse un golpe**, **quemarse**, **atragantarse**, **caerse**...).

—*Mi madre se ha caído por las escaleras.*

RESUMEN GRAMATICAL

Los pronombres
Recíprocos: nos, os, se

■ El sujeto son dos o más personas y el objeto directo o indirecto son esas mismas personas.

—Los invitados se saludaban al llegar a la fiesta.

■ Puede ir completado con la expresión **el uno al otro**.

—Los invitados se saludaban los unos a los otros al llegar.

nos / os / se	
conocerse	verse
quererse	odiarse
besarse	escribirse
abrazarse	caerse bien
mirarse	llamarse (por teléfono)

Los pronombres
En función de objeto directo (OD)

1.ª pers. singular	me	*—Tu madre me trata muy bien.*
2.ª pers. singular	te	*—¿Te llevo a tu casa?*
3.ª pers. singular	lo*, la	*—El coche lo tengo en el garaje.*
1.ª pers. plural	nos	*—Mis amigos de Toledo nos acompañaron al museo.*
2.ª pers. plural	os	*—¿Os llevamos al hotel?*
3.ª pers. plural	los, las	*—A Inés y a Tere no las veo desde hace meses.*

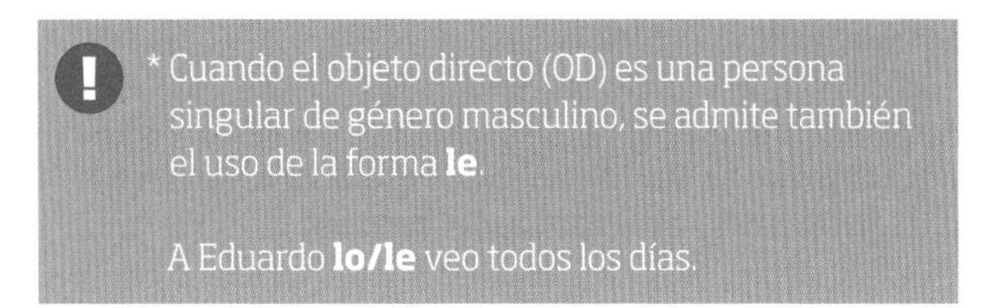

! * Cuando el objeto directo (OD) es una persona singular de género masculino, se admite también el uso de la forma **le**.

A Eduardo **lo/le** veo todos los días.

■ El objeto directo suele aparecer después del verbo. En ese caso, no aparece además el pronombre de objeto directo.

—Leí este artículo en inglés.

Si el objeto directo va antes que el verbo y va acompañado de un artículo determinado, un demostrativo o un posesivo, el pronombre de objeto directo aparece también en esa misma frase.

—Este artículo lo leí en inglés.
~~*Este artículo leí en inglés.*~~

■ Este recurso sirve para destacar o focalizar la atención en el objeto directo.

! Cuando un nombre que funciona como objeto directo se antepone al verbo y no va acompañado de artículos ni demostrativos ni posesivos, no aparece el pronombre de OD.
- Carne no como, gracias.
~~Carne no la como, gracias.~~

Los pronombres
Lo: otras funciones

■ La forma **lo**, además de un pronombre masculino, es un pronombre neutro de objeto directo: remite a una frase del texto o de la conversación.

—¿A qué hora llega Marta?
—No lo sé.

■ Se usa también en función de atributo con verbos como **ser**, **estar**, **parecer**, etc.: remite a un atributo anteriormente dicho.

—Iván se ha vuelto muy simpático; antes no lo era.

Los pronombres
En función de objeto indirecto (OI)

1.ª pers. singular	me	*—No me has dicho nada del viaje. ¿Vas a venir?*
2.ª pers. singular	te	*—¿Te cuento un secreto?*
3.ª pers. singular	le (se)	*—¿Quién le rompió el bolso a Lyona?*
1.ª pers. plural	nos	*—Carmen no nos ha dicho la verdad.*
2.ª pers. plural	os	*—Os voy a sacar una foto.*
3.ª pers. plural	les (se)	*—A Jesús y a Marta no les ha gustado nada la película.*

■ Al contrario de lo que sucede con el objeto directo, cuando el objeto indirecto aparece detrás del verbo, es normal que también aparezca el pronombre de objeto indirecto, aunque puede omitirse.

—No les digas nada de esto a tus amigos.
—No digas nada de esto a tus amigos.
—A tus amigos no les digas nada de esto.
—~~A tus amigos no digas nada de esto.~~

Los pronombres
El pronombre se impersonal

■ Se usa para no señalar el agente del verbo (porque no se conoce, porque se quiere ocultar o porque es general).

—En esta ciudad se vive muy bien.

■ Si hay objeto directo y está en plural, el verbo va en plural.

—En los últimos años se han construido varias autopistas.

■ Con verbos reflexivos no se puede expresar la impoersonalidad con el pronombre se; se suele construir con uno (si el hablante se incluye) o con la gente, los españoles, etc. (si el hablante no se incluye):

—En mi ciudad se celebra mucho el carnaval y todo el mundo se disfraza.

Los pronombres
Posición respecto al verbo

■ Los pronombres átonos (**me**, **nos**, **te**, **os**, **lo**, **los**, **la**, **las**, **les**, **le** y **se**) pueden ocupar diferentes posiciones. Con las formas personales del verbo se colocan delante de ellas.

—Te llamo mañana por teléfono.
—¿Me cuentas un cuento?

■ Con infinitivo, gerundio e imperativo afirmativo aparecen detrás del verbo; forman una sola palabra con él.

—Laura se fue sin darnos una explicación.
—Ignorándolos, nunca resolverás tus problemas.
—Carlos entró como loco, gritándole a todo el mundo.
—Déjame el boli un momento, por favor.

■ En combinaciones de un verbo conjugado con una forma personal, pueden aparecer delante o detrás, nunca entre los dos verbos.

—Siguieron viéndose unos meses, pero acabaron separándose.
—Se siguieron viendo unos años, pero luego se acabaron separando.
—~~Siguieron se viendo unos años.~~

—Estoy contándole a Ana lo que me pasó ayer.
—Le estoy contando a Ana lo que me pasó ayer.
—~~Estoy le contando a Ana lo que me pasó ayer.~~

—Quería invitaros a mi casa.
—Os quería invitar a mi casa.
—~~Quería os invitar a mi casa.~~

Los pronombres relativos
Oraciones de relativo explicativas y especificativas

■ Las frases de relativo sirven para completar con más datos la información que proporciona un nombre.

—*Hemos alquilado un apartamento que tiene mucha luz.*
—*No quiero vivir en un edificio que no tenga ascensor.*

■ De este modo, las frases relativas ayudan a distinguir un nombre de otros en las llamadas frases especificativas.

—*Vamos a ver una obra de teatro que han estrenado recientemente* (y no otra que lleva meses en la cartelera).

■ Hay nombres que ya se refieren de manera inequívoca a una realidad que no necesita más datos para ser identificada: un nombre propio (**Alejandra**), un pronombre personal (**ustedes**), una realidad única (**mi barrio**). En tales casos, la frase de relativo, llamada explicativa, añade alguna información sobre ese nombre. Se escribe entre comas y se pronuncia entre pausas.

—*Los hijos que vivían con ella la invitaron a un restaurante; la que vivía lejos le envió un ramo de flores.*
—*Sus hijos, que vivían lejos del pueblo, le enviaron un ramo de flores.*

Los pronombres relativos
Que

Es el pronombre relativo de uso más frecuente. Como el resto de los pronombres relativos, generalmente se refiere a algo que se acaba de mencionar.

■ Un nombre
—*El tema que nos has expuesto me ha parecido muy interesante.* (Nos has expuesto un tema; ese tema me ha parecido muy interesante)

■ Una oración entera introducida por **lo que**
—*Perdí el tren de las 10.15, lo que me impidió llegar a tiempo a la reunión.* (Perdí el tren de las 10:15; por eso no pude llegar a tiempo)

■ Si el verbo exige una preposición, el pronombre **que** lleva habitualmente el artículo y esa preposición.

—*El tema del que has hablado me ha parecido muy interesante.* (Has hablado de un tema; ese tema me parece interesante)
—*Su padre, del que tanto me había hablado, me cayó fenomenal.*

■ En estos casos, el pronombre **que** puede sustituirse por **cual/cuales**.

—*El tema del cual has hablado me ha parecido muy interesante.*
—*Estas son las personas sin las cuales este proyecto habría sido imposible.*
—*Desconozco los motivos por los cuales no se presentó.*

Los pronombres relativos
Quien, quienes

■ No tiene flexión de género, pero sí de número y se refiere siempre a personas. Puede ir a continuación del nombre o al principio de la frase.

—*Habló con el secretario, quien le dio instrucciones muy precisas.*
—*Quien/es no pueda/n asistir a la reunión debe/n avisar con antelación.* (La persona o las personas)

■ A continuación del nombre en frases explicativas. Puede sustituirse por **que**.

—*Saludó a Conchita Gómez, quien / que en aquel momento era la secretaria de la asociación.*

■ Si el verbo exige una preposición, el pronombre **quien** lleva siempre esa preposición.

—*Su padre, de quien tanto me había hablado, me cayó fenomenal.*
—*Las chicas con quienes viajamos eran de Portugal.*

Quien/Quienes no se puede usar en frases especificativas.
- ~~Saludó a un nuevo vecino quien acababa de instalarse en la casa.~~

Los pronombres relativos
Cuyo

■ Tiene flexión de género y de número y concuerda con el nombre de la oración que introduce.

—*Es una importante medida cuyos resultados pronto nos sorprenderán a todos.* (Es una importante medida. Los resultados de esa medida nos sorprenderán a todos)

—*La empresa cuya directora fue destituida está en quiebra.*

Los marcadores temporales
Ya, todavía, aún

■ Relacionan una acción o un estado en un momento determinado con otro momento anterior o posterior.

—*La tienda ya está abierta.* (Hace unos minutos, estaba cerrada)
—*La tienda todavía está cerrada.* (Hace unos minutos, estaba cerrada y no la han abierto)

■ Se refieren a la experiencia o a las expectativas de los hablantes, más que a la propia realidad.

—*La tienda Ø está cerrada.* (La situación objetiva es la misma que en los ejemplos anteriores)

Ya, ya no
■ La acción o estado a que se refieren es fruto de un cambio (producido o esperado).

—*Cuando llegues, te estará esperando un taxi.*
—*Cuando llegues, ya te estará esperando un taxi.*
—*En aquella época ya no vivía nadie en la casa.* (Antes había vivido alguien)

Aún/todavía, aún no/todavía no
■ La acción o el estado a que se refieren no ha sufrido modificación (se esperaba que esa modificación se produjera).

—*Marta todavía trabaja en la misma empresa.* (Antes también trabajaba en esa empresa)
—*La tienda aún está cerrada.*

■ **Aún** y **todavía** pueden sustituirse por la perífrasis **seguir** + gerundio o también combinarse con ella.

—*Marta sigue trabajando en la misma empresa.*
—*Marta todavía sigue trabajando en la misma empresa.*

■ En su forma negativa, **aún no** y **todavía no** implican que no se ha producido un cambio que se esperaba.

—*Todavía no me han llamado para la entrevista de trabajo.* (Espero que me llamen, tienen que llamarme)
—*Aún no me han llamado para la entrevista de trabajo.*

Los conectores
Y, ni, también, además, pero...

(Y) también/además
■ Añaden una palabra o una frase a otra.

—*Juega al tenis y al ajedrez. (Y) también practica la escalada.* (Los dos elementos tienen la misma importancia)
—*Juega al ajedrez. (Y) además da clases a niños que quieren aprender.* (Se destaca el elemento añadido)

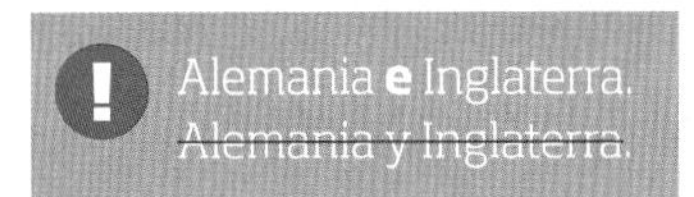

Ni
■ Une dos palabras o frases que están en forma negativa.

—*No come ni duerme bien.* (Los dos elementos tienen el mismo peso)
—*No come bien ni tampoco duerme bien.* (Se destaca el elemento añadido)

O
■ Presenta dos palabras o frases como alternativas.

—*En verano vamos a ir a España o a Portugal.*
—*¿Vienes con nosotros o te quedas en casa?*

Pero, sin embargo, en cambio
■ Unen dos frases indicando contraste.

—*Ha hecho varios cursos de alemán, pero habla muy mal.*
—*Todos mis hermanos son músicos; en cambio, yo no toco ningún instrumento.*

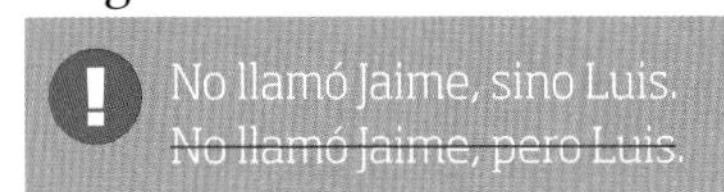

RESUMEN GRAMATICAL

Los conectores
Causa, consecuencia

Causa, consecuencia

Como + causa + consecuencia
Como hace mucho deporte, está en buena forma.
~~*Está en buena forma como hace mucho deporte.*~~

Al (+ infinitivo) + causa + consecuencia
—Al ser familia numerosa, puedes acceder a descuentos y tarifas especiales.

consecuencia + **porque** + causa
—Está en buena forma porque hace mucho deporte.

Extraer consecuencias

Causa + **(y) por eso** + consecuencia
—Hace mucho deporte, y por eso está en buena forma.

Causa + **entonces; o sea, que** + consecuencia
—El martes estoy de viaje.
—Entonces, ¿no vienes a la reunión?

—Este fin de semana ha nevado mucho; o sea, que el martes podremos ir a esquiar.

Puesto que, dado que, ya que + causa + efecto
—Puesto que / Dado que / Ya que no quieres ayudarme, escribiré el informe yo solo.

Consecuencia + **puesto que, dado que, ya que** + causa
—Escribiré el informe yo solo, puesto que / dado que / ya que no quieres ayudarme.

Tanto/a/os/as + nombre + **que**
—En esa calle había tanto ruido que nos mudamos.
—Hay tantos coches que no se puede salir a la calle.

Tan + adjetivo + **que**
—El río está tan contaminado que no puedes bañarte.

Verbo +**tanto** + **que**
—Los precios de los alquileres han subido tanto que los jóvenes tienen que irse del centro.

Causa + **así** + consecuencia
—El Gobierno dio más becas. Así, más jóvenes desfavorecidos tuvieron acceso a la universidad.

Causa + **así (es) que, entonces, o sea, (que)** + consecuencia
—El martes estoy de viaje, así que / entonces / o sea, que no podré asistir a la reunión.

Justificar, razonar

Es que, que
—Hace días que no te veo por la universidad.
—Es que he estado enfermo.

—Me voy, que me esperan en casa para cenar.

Doble negación
Frases negativas: nadie, nada, ninguno...

—En España nadie cena antes de las 7.
—En España no cena nadie antes de las 7.
—A ti nada te parece bien, eres muy perfeccionista.
—A ti no te parece bien nada, eres muy perfeccionista.
—En esta casa ninguna habitación tiene balcón.
—En esta casa no tiene balcón ninguna habitación.

Formas no personales del verbo
Gerundio simple y compuesto

infinitivo	gerundio	gerundio compuesto
comprar	compr**ando**	**habiendo comprado**
beber	beb**iendo**	**habiendo bebido**
subir	sub**iendo**	**habiendo subido**

Algunos verbos irregulares

infinitivo	gerundio
dormir	**durmiendo**
leer	**leyendo**
oír	**oyendo**
ir	**yendo**
sonreír	**sonriendo**
sentir	**sintiendo**

> **!** Son irregulares los siguientes verbos:
> - todos los verbos de cambio vocálico **e** > **i**: **sonreír** > **sonriendo**, **herir** > **hiriendo**, **pedir** > **pidiendo**.
> - todos los verbos de cambio vocálido **e** > **ie** de la tercera conjugación: **sentir** > **sintiendo**, **mentir** > **mintiendo**.
> - todos los verbos de cambio vocálido **o** > **ue** de la tercera conjugación: **dormir** > **durmiendo**, **morir** > **muriendo**.

■ Su uso más frecuente es con el verbo **estar**.

—¿Qué hace Juan?
—Está hablando por teléfono.

■ Se usa con otros verbos para indicar el modo en el que se produce una acción.

—Mi jefe ha entrado en la oficina gritando como un loco.
—Fran ha salido de clase llorando.
—Fui al examen habiendo estudiado muy poco.
(= había estudiado muy poco antes del examen)

■ También se usa para hablar de habilidades y aptitudes.

—Carlos es un desastre cocinando.
—Isabel es muy buena negociando con los clientes.

■ Aparece en perífrasis con **llevar**, **seguir**, **acabar** e **ir**.

—Llevo dos horas esperándote.
—Siguieron trabajando juntos después de divorciarse.
—Empezó como secretaria y acabó siendo gerente.
—Se nota que los estudiantes han ido mejorando.

Formas no personales del verbo
Infinitivo simple y compuesto

infinitivo	infinitivo compuesto
comprar	**haber comprado**
beber	**haber bebido**
subir	**haber subido**

—Trabajar y estudiar al mismo tiempo es duro.
—Haber estudiado mucho no me ha servido de nada.
—Deberías intervenir en las deliberaciones.
—Deberías haber intervenido en las deliberaciones.

■ Aparece en perífrasis con **tener que**, **ir a**, **acabar de**, **empezar a**, **ponerse a**, **dejar de**, **seguir sin**, **llevar** + tiempo + **sin**.

—Tengo que salir un momento. Ahora vuelvo.
—Voy a pasar las vacaciones en Irlanda.
—Acabo de enterarme de la noticia. ¡Qué alegría!
—Empezó a sentirse mal anoche.
—Se puso a llorar cuando vio a su madre.
—¡Niños, dejad de gritar!
—Sigo sin saber nada de Pablo. ¿Le habrá pasado algo?
—Llevo meses sin ver a mis hermanos.

Tiempos verbales
Futuro simple y compuesto

■ Las terminaciones son las mismas para los verbos de las tres conjugaciones.

Simple	**Compuesto**
vivir	salir
vivir**é**	habr**é salido**
vivir**ás**	habr**ás salido**
vivir**á**	habr**á salido**
vivir**emos**	habr**emos salido**
vivir**éis**	habr**éis salido**
vivir**án**	habr**án salido**

—Mañana saldré más temprano, pero vendré a comer.
—A las 5.00 ya habré terminado. Llámame entonces.

RESUMEN GRAMATICAL

Los verbos que tienen formas irregulares son: **hacer** (**haré**), **querer** (**querré**), **saber** (**sabré**), **poder** (**podré**), **decir** (**diré**), **tener** (**tendré**), **haber** (**habré**), **venir** (**vendré**), **poner** (**pondré**), **caber** (**cabré**), **valer** (**valdré**), **salir** (**saldré**).

■ Además de servir para predecir una acción o estado futuros, el futuro simple y compuesto sirven para formular hipótesis, es decir, expresar cosas posibles, pero de las que no estamos seguros.

Estamos seguros

—¿Dónde está Raúl?
—Está en la universidad.
—No, se ha ido a casa de su novia.

No estamos seguros. Formulamos hipótesis

—¿Dónde está Raúl?
*—No sé, **estará** en la universidad.*
*—No creo, se **habrá ido** a casa de su novia.*

Tiempos verbales
Condicional simple y compuesto

Regulares

trabajar	comer	vivir
trabajar**ía**	comer**ía**	vivir**ía**
trabajar**ías**	comer**ías**	vivir**ías**
trabajar**ía**	comer**ía**	vivir**ía**
trabajar**íamos**	comer**íamos**	vivir**íamos**
trabajar**íais**	comer**íais**	vivir**íais**
trabajar**ían**	comer**ían**	vivir**ían**

Irregulares

poder
podr**ía**
podr**ías**
podr**ía**
podr**íamos**
podr**íais**
podr**ían**

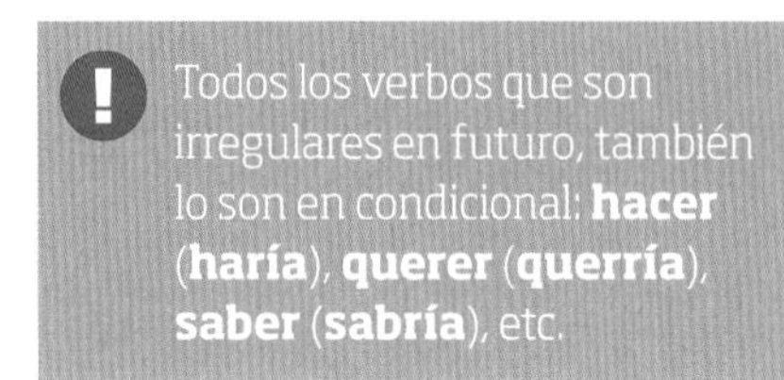

Todos los verbos que son irregulares en futuro, también lo son en condicional: **hacer** (**haría**), **querer** (**querría**), **saber** (**sabría**), etc.

Condicional compuesto

salir
habr**ía salido**
habr**ías salido**
habr**ía salido**
habr**íamos salido**
habr**íais salido**
habr**ían salido**

■ Además de servir para referirnos a acciones hipotéticas futuras, que dependen de condiciones que aún no se han cumplido, sirve para formular hipótesis sobre el pasado.

—¿Dónde estaba Raúl ayer?
*—No sé, **estaría** en la universidad.*
*—No creo, se **habría ido** a casa de su novia.*

■ Para recriminar, recomendar, hacer propuestas o lamentar con verbos como **tener que**, **deber** o **poder**.

*—No **deberías** comer tantas grasas.*
*—No **tendría** que haber ido. Me aburrí mucho.*
*—**Sería** conveniente preguntar a un especialista.*
*—**Deberíamos** ir a casa de tu madre.*
*—**Sería** importante que la población estuviera bien informada.*

■ En construcciones condicionales de difícil o imposible cumplimiento.

*—Si tuviera que trabajar de noche, **cambiaría** de trabajo.*
*—Si me hubieran aumentado el sueldo, no me **habría cambiado** de trabajo.*

■ En un registro culto o literario, para hacer una referencia al futuro respecto a una acción pasada.

*—Estudió en Oxford, donde, años después, **sería** profesor.*

■ En estilo indirecto, para referir un fragmento del discurso expresado en futuro.

*— "**Llegaré** después de comer".*
*> Dijo que **llegaría** después de comer.*

Tiempos verbales
Imperativo afirmativo

	comprar	comer	abrir
Tú	compr**a**	com**e**	abr**e**
Usted	compr**e**	com**a**	abr**a**
Nosotros/as	compr**emos**	com**amos**	abr**amos**
Vosotros/as	compr**ad**	com**ed**	abr**id**
Ustedes	compr**en**	com**an**	abr**an**

—Carlos, compra tomates, por favor.
—¿Me siguen? Veamos un ejemplo para entenderlo mejor.

■ Las formas para **nosotros**, **usted** y **ustedes** son las mismas que las del presente de subjuntivo.

Tiempos verbales
Imperativo negativo

	comprar	comer	abrir
Tú	no compr**es**	no com**as**	no abr**as**
Usted	no compr**e**	no com**a**	no abr**a**
Nosotros/as	no compr**emos**	no com**amos**	no abr**amos**
Vosotros/as	no compr**éis**	no com**áis**	no abr**áis**
Ustedes	no compr**en**	no com**an**	no abr**an**

—Carlos, no compres tomates, que aún tenemos.

■ Todas las formas del imperativo negativo son las mismas que las del presente de subjuntivo.

Tiempos verbales
Imperativo: posición de los pronombres

■ En las formas afirmativas, los pronombres van siempre detrás del verbo, formando una sola palabra con él. Si hay más de un pronombre, el orden es: reflexivo + OD u OI + OD.

—Callémonos.
—Cómpralo.
—Cómpratelo.
—Cómpraselo.

■ En las formas negativas, los pronombres átonos van siempre delante del verbo, separados de él. Si hay más de un pronombre, el orden es: reflexivo + OD u OI + OD.

—No os calléis.
—No os lo compréis.
—No se lo digáis.

Tiempos verbales
Presente de subjuntivo

Regulares

hablar	comer	vivir
habl**e**	com**a**	viv**a**
habl**es**	com**as**	viv**as**
habl**e**	com**a**	viv**a**
habl**emos**	com**amos**	viv**amos**
habl**éis**	com**áis**	viv**áis**
habl**en**	com**an**	viv**an**

Irregulares

querer	poder	jugar
qu**ie**ra	p**ue**da	j**ue**gue
qu**ie**ras	p**ue**das	j**ue**gues
qu**ie**ra	p**ue**da	j**ue**gue
queramos	podamos	juguemos
queráis	podáis	juguéis
qu**ie**ran	p**ue**dan	j**ue**guen

■ Muchos verbos que presentan una irregularidad en la primera persona del presente de indicativo tienen esa misma irregularidad en todas las personas del presente de subjuntivo. Esto incluye los verbos con cambio vocálico **e-i** (**pedir**, **seguir**, **reír**...) y con cambio **z-zc** (**conocer**).

tener (tengo)
tenga
tengas
tenga
tengamos
tengáis
tengan

hago ➡ **hag**a...
pongo ➡ **pong**a...
salgo ➡ **salg**a...
vengo ➡ **veng**a...
digo ➡ **dig**a...
oigo ➡ **oig**a...
pida ➡ **pid**a...
conozco ➡ **conozc**a...

Algunos verbos tienen formas especiales:
saber ➡ **sep**a...
ir ➡ **vay**a...
haber ➡ **hay**a...

RESUMEN GRAMATICAL

Subjuntivo
Frases independientes con que

■ El subjuntivo se usa principalmente en construcciones subordinadas.

— *Es importante que los niños aprendan idiomas.*
—*Cuando convivamos con los robots, no nos parecerá extraño.*
—*Es una pena que se malgasten tantos alimentos.*
—*Dile a Esteban que venga a mi despacho.*

■ En oraciones simples, aparece en expresiones de buenos deseos para el interlocutor, cuando su realización no depende de la acción del sujeto, y para transmitir o repetir órdenes.

—*Que tengas suerte.*
—*Que tengas un buen viaje.*
—*Que descanses.*
—*Que duermas bien.*

—*Ayúdame un momento, por favor.*
—*¿Cómo dices?*
—*Que me ayudes.*

■ También se usa con algunas expresiones o recursos para expresar probabilidad.

—*Quizá pueda ir a verte el domingo.*
—*Tal vez pueda ir a verte el domingo.*

Tiempos verbales
Pretérito perfecto de subjuntivo

		participio
Yo	**haya**	
Tú	**haya**	
Usted	**hayas**	hablado comido salido
Nosotros/as	**haya**	
Vosotros/as	**hayamos**	
Ustedes	**hayáis**	

■ Se suele usar en aquellas construcciones que, exigiendo subjuntivo, remiten a una acción pasada relacionada con el presente (que, en una frase simple, se expresaría en pretérito perfecto).

—*Es una pena que no hayas podido venir.* (No has podido venir)
—*Quizá haya perdido el tren.* (Ha perdido el tren)

Tiempos verbales
Imperfecto de subjuntivo

hablar	comer	vivir
habla**ra** / habla**se**	comie**ra** / comie**se**	vivie**ra** / vivie**se**
habla**ras** / habla**ses**	comie**ras** / comie**ses**	vivie**ras** / vivie**ses**
habla**ra** / habla**se**	comie**ra** / comie**se**	vivie**ra** / vivie**se**
hablá**ramos** / hablá**semos**	comié**ramos** / comié**semos**	vivié**ramos** / vivié**semos**
habla**rais** / habla**seis**	comie**rais** / comie**seis**	vivie**rais** / vivie**seis**
habla**ran** / habla**sen**	comie**ran** / comie**sen**	vivie**ran** / vivie**sen**

■ Se forma a partir de la tercera del plural del indefinido.

Comie~~ron~~ > Comiera, comiese
Dije~~ron~~ > Dijera, dijese

■ Se suele usar en aquellas construcciones que requieren subjuntivo y se refieren al pasado (que, en una frase simple, se expresaría en imperfecto o indefinido).

—*Era importante que los niños aprendieran idiomas.* (Aprendían idiomas)
—*Fue una pena que se malgastaran tantos alimentos.* (Se malgastaron alimentos)

■ En oraciones condicionales de cumplimiento poco probable.

—*No me iría a vivir a otra ciudad, salvo que fuera imprescindible.*
—*Si supiera la verdad, se enfadaría.*

Tiempos verbales
Pluscuamperfecto de subjuntivo

imperfecto de subjuntivo de **haber**	participio
hubiera / hubiese	
hubiera / hubiese	
hubiera / hubiese	hablado comido vivido
hubiera / hubiese	
hubiera / hubiese	
hubiera / hubiese	

- Se forma con el pretérito imperfecto de subjuntivo del verbo **haber** y el participio del verbo principal.

- En las construcciones condicionales indica que la condición ya no es posible.

—Si hubiera podido, me habría ido a vivir a Alemania.
(Ya no podré)

Tiempos y modos del verbo
Tiempos compuestos

Los tiempos compuestos se usan para expresar una acción anterior a la del tiempo simple correspondiente

- **Infinitivo compuesto** (infinitivo + participio)

—La invitaron por ser presidenta de la asociación de periodistas de su país. (Era presidenta en el momento de la invitación).
—La invitaron por haber sido presidenta de la asociación de periodistas de su país. (Ya no era presidenta en el momento de la invitación).

- **Gerundio compuesto** (gerundio de haber + participio)

—Aun leyéndolo con toda mi atención, no acabo de entender este artículo. (Lo estoy leyendo ahora)
—Aun habiéndolo leído varias veces, no acabo de entender este artículo. (Ya lo he leído)

- **Pretérito pluscuamperfecto de indicativo**
(pretérito imperfecto de haber + participio)

—Publicaron la noticia el domingo, pero el accidente había ocurrido el sábado.
—Vivían en Barcelona porque a su mujer la habían trasladado allí.

- **Futuro compuesto** (futuro de indicativo de **haber** + participio)

—Saldré a las doce. Para entonces ya habré terminado.

- **Pretérito perfecto de subjuntivo**
(presente de subjuntivo de **haber**+ participio)

—No le gusta que estés en el grupo de teatro.
(Estás ahora en el grupo, o vas a estarlo)
—No le gusta que hayas estado en el grupo de teatro.
(Ya no estás en el grupo).

- **Pretérito pluscuamperfecto de subjuntivo**
(imperfecto de subjuntivo del verbo **haber** + participio)

—Me parece muy mal que nos mintiera.
(Ahora o en el futuro)
—Me pareció muy mal que nos hubiera mentido.
(En el pasado)

- **Condicional compuesto** (condicional del verbo **haber** + participio)

—Si pudiera, me iría a vivir a Alemania.
—Si hubiera podido, me habría ido a vivir a Alemania.
(Ya no podré)

RESUMEN GRAMATICAL

Perífrasis verbales
Con infinitivo

Empezar a + infinitivo (inicio de una acción)

—He empezado a hacer yoga; lo necesitaba.

Ponerse a + infinitivo (inicio de una acción)

—Como quería irse en verano de viaje y necesitaba dinero, se puso a trabajar de camarera por las tardes.

Dejar de + infinitivo (interrupción de una acción)

—He dejado de fumar y la verdad es que me encuentro muchísimo mejor.

No dejar de + infinitivo (acción repetida o no interrumpida)

—Hace dos meses que no veo a Pilar, pero la verdad es que no dejo de pensar en ella.

Seguir sin + infinitivo (continuación de la no realización de una acción)

—Sigo sin entender qué te pasa, de verdad.

Llevar + tiempo + **sin** + infinitivo (duración de una acción no realizada)

—Llevaba mucho tiempo sin trabajar, así que decidió montar su propia empresa.

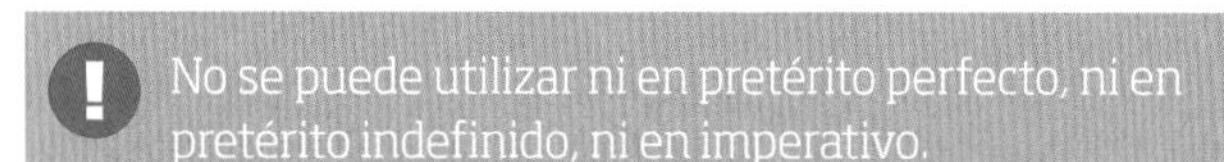

— **Volver a** + infinitivo (repetición de una acción)

—Se ha vuelto a enamorar de Julia.

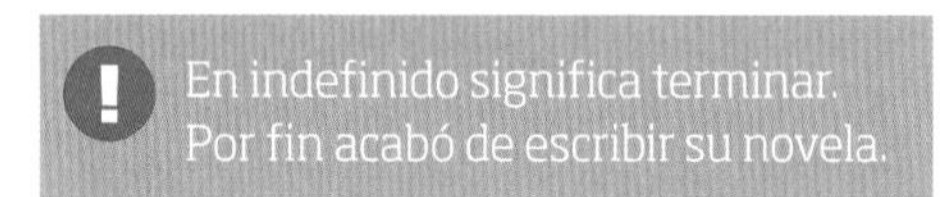

Acabar de + infinitivo (pasado inmediato)

—Acaban de anunciar el ganador del concurso.
—Acababan de conocerse cuando se fueron a vivir juntos.

Perífrasis verbales
Con gerundio

Seguir / continuar + gerundio (continuación de una acción)

—Después de separarse, siguieron viéndose durante un tiempo.

llevar + cantidad de tiempo + gerundio (duración de una acción)

—Llevo dos años estudiando chino, pero aún no sé mucho.

No se puede utilizar ni en ni en perfecto, ni en indefinido, ni en imperativo.

Acabar + gerundio (resultado de un proceso)

—Trabajaba muy mal y acabaron despidiéndole.

Ir+ gerundio (acción que se presenta como un proceso gradual)

—Al principio nos caímos muy mal, pero fuimos conociéndonos y ahora somos muy amigos.

La voz pasiva
Ser + participio

- Se utiliza por lo general en un registro escrito culto.

ser + participio (o/a/os/as) (+ **por**)
—La sierra fue declarada Parque Nacional el 25 de junio de 2013.

—Se calcula que algunas zonas del Parque serán visitadas por más de 2,4 millones de habitantes al año.

Construcciones impersonales
Infinitivo / subjuntivo

Ser importante / bueno / una pena / normal...
+ infinitivo

—Es importante comprar juguetes de calidad. *—No es bueno hacer demasiado deporte.* *—Es una pena no haberlo sabido antes.* *—Es estupendo haber hablado del tema. Ahora estoy más tranquilo.* *—Fue una pena tener que terminar tan pronto.* *—Antes era muy normal escribir cartas.*	Está claro quién es el sujeto o es todo el mundo.

Ser importante / bueno / una pena / normal...
+ **que** + subjuntivo

—Es importante que los niños jueguen al aire libre. *—No es bueno que hagas tanto deporte.* *—Es una pena que se hayan separado.* *—Es normal que se enfadara. Le hablaste muy mal.* *—Fue una pena que tuviéramos que terminar tan pronto.* *Antes era muy normal que los novios se escribieran cartas.*	Hay que indicar quién es el sujeto.

Indicativo / Subjuntivo
Verbo + que + verbo

Como principio general, en estas construcciones se usa indicativo después de **que** cuando el contenido de la frase es una información que da el interlocutor. Se usa subjuntivo cuando el contenido no es una información nueva, bien porque los interlocutores disponen ya de la información, bien porque no se tiene constancia de ella.

- Cuando la acción se refiere al presente, el verbo de la oración subordinada va en presente de indicativo.

—Sus compañeros no permiten que se burlen de él o lo discriminen.
—Es una vergüenza que no dejen subir sillas de ruedas eléctricas al autobús.

- Cuando la acción se refiere al pasado, el verbo de la oración subordinada va en imperfecto de indicativo.

—Sus compañeros no permitieron que se burlaran de él o lo discriminaran.
—Era una vergüenza que no dejaran subir sillas de ruedas eléctricas al autobús.

Indicativo / Subjuntivo
Verbo + que + verbo: valorar

	adjetivo/nombre	
ser **parecer**	increíble sorprendente fantástico interesante normal una pena una vergüenza una tontería una maravilla	**que** + subjuntivo
estar	bien mal	**que** + subjuntivo

—Me parece fantástico que vengas a verme.
—Está bien que los niños jueguen al aire libre.
—No es normal que haga tanto calor en junio.
—Me pareció una vergüenza que no nos pagaran las horas extras.

RESUMEN GRAMATICAL

Indicativo / Subjuntivo
Verbo + que + verbo: opinar, afirmar

■ Opinar, afirmar o expresar certeza.

creer **pensar** **opinar** **parecer** **considerar** **tener la impresión de** **suponer** **imaginar** ...	**que** + indicativo

—*Yo creo que es bueno hacer ejercicio.*
—*Considero que es fundamental ser sincero con la pareja.*
—*Pensó que era una buena idea irse a Estados Unidos.*

	adjetivo/nombre	
ser	verdad cierto evidente indudable	**que** + indicativo
estar	demostrado claro probado ...	

—*Es verdad que el deporte es bueno para el corazón.*
—*Está demostrado que hay un calentamiento global.*
—*Estaba claro que nos estaba engañando.*

■ Negar, cuestionar, desmentir una información, expresar intercidumbre.

no creer **no pensar** **no opinar** **no parecer** **no considerar** **no ver** ...	**que** + subjuntivo

—*Yo no creo que sea bueno decir siempre lo que piensas.*
—*Yo no*

	adjetivo/nombre	
no ser	verdad cierto evidente indudable ...	**que** + subjuntivo

	adjetivo	
no estar	demostrado claro probado ...	**que** + subjuntivo

—*No está demostrado que ese medicamento sea eficaz.*
—*No está probado que el acusado haya actuado/ actuara de forma delictiva.*

Indicativo / Subjuntivo
Verbo + que + verbo: creía, no sabía...

■ Hechos presentes

—*No sabía que México era / fuera tan grande.*
(información nueva)

—*Creía que en Brasil la lengua oficial era el español.*
(información errónea)

■ Hechos pasados

(No) sabía que + pluscuamperfecto de indicativo o subjuntivo
—*No sabía que habías/hubieras nacido en Chile.*
(información nueva)

Creía / Pensaba que + pluscuamperfecto de indicativo
—*Yo pensaba que los incas habían vivido en México.*
(información errónea)

Indicativo / Subjuntivo
Verbo + que + verbo: expresar probabilidad

Construcción impersonal de probabilidad	
lo más seguro es **lo más probable es** **es muy posible** **es probable** **hay muchas posibilidades de** **puede ser** ...	**que** + subjuntivo

—Lo mas seguro es que dejemos de usar dinero.
—Es muy posible que en el futuro todos trabajemos desde casa.
—Había bastantes probabilidades de que no llegaran a tiempo.
—Puede (ser) que estuviera enfermo.

Indicativo / Subjuntivo
Verbo + que + verbo: gustos, reacciones...

gustar **no soportar** **encantar** **alegrar** **estar** **contento de** **detestar** **odiar** **sentir** ...	**que** + subjuntivo

—Me gusta que la gente diga lo que piensa.
—De pequeña, no soportaba que me pusieran vestidos.

Indicativo / Subjuntivo
Verbo + que + verbo: influir en otro sujeto

querer **desear** **recomendar** **sugerir** **rogar** ...	**que** + subjuntivo

—¿Quieres que vaya contigo?
—Te recomiendo que leas a García Lorca.
—Me pidió que no se lo contara a nadie.

Indicativo / Subjuntivo
Verbo + que + verbo: acuerdo y desacuerdo

Ante una opinión
estar de acuerdo en que + indicativo
—Yo estoy de acuerdo en que estamos excesivamente informados.

no estar de acuerdo en que + subjuntivo
—Yo no estoy de acuerdo en que estemos excesivamente informados.

Funcionan igual otras expresiones similares como: **yo también veo / encuentro que**, **a mí también me parece que**...

Ante una propuesta
estar de acuerdo en + infinitivo
—Yo (no) estoy de acuerdo en cambiar el horario.

estar de acuerdo en que + subjuntivo
—Yo estoy de acuerdo en que cambiemos el horario.
—Yo no estoy de acuerdo en que cambiemos el horario.

RESUMEN GRAMATICAL

Indicativo / Subjuntivo
Oraciones temporales

- Referencias al tiempo presente: presente de indicativo

—Cuando / Siempre que / En cuanto tienen el frigorífico vacío, van al supermercado.
—No hacen la compra hasta que / mientras tienen vacío el frigorífico.

- Referencias al tiempo futuro: subjuntivo

—Cuando tengan el frigorífico vacío, harán la compra.
—No harán la compra hasta que tengan vacío el frigorífico.
—Cuando hayas terminado, ven a buscarme.

- Referencias al futuro del pasado: imperfecto o pluscuamperfecto de subjuntivo.

—Sus padres tenían muy claro que, cuando fuera mayor, tendría que valerse por sí mismo.
—Le dijeron que hasta que no hubiera terminado la carrera, no podría ponerse a trabajar.

Indicativo / Subjuntivo
Oraciones temporales: cuando, hasta que...

Cuando

—Cuando comen, ven la televisión.
—Cuando comían, veían la televisión.
—Cuando dormían, entraron unos ladrones.
—Cuando entre, avísame.

En las oraciones temporales referidas al futuro, no se puede usar nunca el futuro imperfecto.
~~**Cuando entrará**~~, avísame.
Cuando entre, avísame.

Hasta que

—Siempre se queda con él hasta que se duerme.
—Todas las noches se quedaba con él hasta que se dormía.
—Me quedaré con ella hasta que se duerma.

En cuanto

—En cuanto nos den los resultados, te llamo.
—Compra las entradas en cuanto las pongan a la venta, que se agotan muy pronto.

Cuando hayamos contaminado todos los ríos, **tendremos que** cosechar agua de la atmósfera. (=acciones sucesivas)

Utilizaremos el petróleo **hasta que se hayan agotado** todas las reservas. (=límite en el tiempo).

Avísame **en cuanto hayas llegado** al aeropuerto. (=sucesión inmediata)

Mientras

—Mientras comen, ven la televisión.
—Mientras comían, veían la televisión.
—Mientras dormían, entraron unos ladrones.
—Mientras duerma, no te vayas.

Mientras introduce oraciones temporales y expresa la simultaneidad de estas con el verbo de la oración principal.

Mientras que es un conector que equivale a **en cambio, por el contrario**.

Me encanta jugar al fútbol, **mientras que** no soporto verlo en la televisión.

- **Al** + infinitivo

—El nuevo compañero es muy amable. Al entrar en la oficina, siempre me saluda y charlamos un rato.
—Al entrar, me saludó y se fue a buscar a Carlos.
—Al entrar, me saludará, ya verás.

Indicativo / Subjuntivo
Oraciones condicionales

si **excepto si**	+ indicativo

a menos que **a no ser que** **salvo que** **excepto que** **en el caso de que** **siempre y cuando**	+ subjuntivo

El nexo condicional **si** nunca lleva presente de subjuntivo, futuro de indicativo o condicional. El resto de nexos condicionales siempre se usan con subjuntivo.

- En el momento presente, habitualmente o en el futuro.

Condiciones de posible cumplimiento

—Si hay mucha niebla, dejo el coche en el garaje y tomo el tren. (habitualmente)
—Si hay mucha niebla dejad el coche en el garaje y tomad el tren. (en este momento o en el futuro)
—Si hay mucha niebla dejaremos el coche en el garaje y tomaremos el tren. (en el futuro)

—Va en su propio coche excepto si hay mucha niebla. (habitualmente)
—Va en su propio coche, salvo que haya mucha niebla. (habitualmente)
—Irá en su propio coche, salvo que haya mucha niebla. (en el futuro)

Condiciones de improbable cumplimento

—Si hubiera mucha niebla, dejaría el coche en el garaje y tomaría el tren. (en este momento o en el futuro)
—Si hubiera mucha niebla, dejad el coche en el garaje y tomad el tren. (en este momento o en el futuro)

—Irá / iría en su propio coche excepto si hubiera mucha niebla . (en el futuro)
—Irá / iría en su propio coche salvo que hubiera mucha niebla.

- En el pasado.

Condiciones de posible cumplimiento

—Si había niebla, dejaba el coche en el garaje y tomaba el tren.
—Siempre iba en su propio coche (excepto) si había mucha niebla.
—Siempre iba en su propio coche, salvo que hubiera mucha niebla.

Condiciones de imposible cumplimiento

—Si hubiera habido mucha niebla, habría / hubiera dejado el coche en el garaje.
—Si hubiera habido mucha niebla, ahora no estaría aquí con vosotros.

RESUMEN GRAMATICAL

Indicativo / Subjuntivo
Oraciones concesivas

Los nexos concesivos sirven para marcar que la información que sigue no es la que consideraríamos previsible o normal.

aunque	+ indicativo / subjuntivo
a pesar de **por mucho** **por mucho/a/os/as +** nombre **por muy +** adjetivo / adverbio **por más +** nombre **por más**	**que** + indicativo / subjuntivo
aun	+ gerundio

Con indicativo: la información se presenta como nueva.

—Aunque va a hacer calor, llévate una chaqueta, por si acaso.
—A pesar de que era antipático, tenía bastantes amigos.
—Juanjo está desesperado. Por mucho que estudia, no consigue aprobar.
—Aunque había estudiado mucho, no consiguió aprobar.

■ Con subjuntivo: la información se presenta como compartida.

—Pancho no quiere salir. Es que tiene frío.
—Pues aunque tenga frío, hay que sacarlo.

—Ana es muy inteligente.
—Bueno, por muy inteligente que sea, tiene que estudiar.

—¿Qué tal le fue a Marcos en el examan? Creo que había estudiado mucho.
—Pues la verdad es que aunque hubiera estudiado, no consiguió aprobar.

—Por mucho que grites, no te daré la razón.

Cuando se refiere al pasado, el verbo de la oración concesiva aparece en tiempos del pasado de indicativo o subjuntivo.

Creen que, **aunque tenga** una discapacidad, puede salir adelante.
Creían que, **aunque tuviera** una discapacidad, podía salir adelante.

■ **aun** + gerundio

—Aun siendo muy amigos, se ven muy poco.
—Aun habiendo ganado millones, Luis murió en la pobreza.

Indicativo / Subjuntivo
Oraciones finales: para, para que

■ Cuando el sujeto de la oración subordinada es el mismo que el de la oración principal, el verbo va en infinitivo.

—Voy a ir a verte para hablar de un tema que me preocupa.

■ Cuando el sujeto de la oración subordinada no es el mismo que el de la oración principal, el verbo va en subjuntivo.

Cuando la acción se refiere al presente (o al futuro), el verbo va en presente de subjuntivo.

—Voy a llamar para que venga el técnico a reparar la caldera. (La acción se refiere al presente o al futuro)

Cuando la acción se refiere al pasado, el verbo va en imperfecto o perfecto de subjuntivo.

—Llamé ayer para que viniera el técnico a reparar la caldera. (La acción se refiere al pasado)

Indicativo / Subjuntivo
Oraciones de relativo

■ Cuando describimos personas o cosas concretas, que conocemos o sabemos que existen, el verbo de la oración relativa va en indicativo.

—*Tengo una amiga que me entiende.*
—*Tengo unos amigos con los que salgo a menudo.*

■ Cuando describimos características de personas o cosas desconocidas, no concretas o hipotéticas, el verbo de la oración relativa va en subjuntivo.

—*Quiero conocer a alguien con quien pueda viajar.*
—*Quería conocer a alguien con quien pudiera viajar.*

En frases negativas con **nadie**, **ningún**... o que contienen el gradativo **poco/a/os/as**, el verbo va siempre en subjuntivo.

No conozco a **nadie** que **opine** lo mismo que yo.
Hay muy poca gente que **sea** realmente tolerante.

■ Si las oraciones se refieren al pasado, se construyen con tiempos del pasado de subjuntivo.

—*Ramón necesitaba tener un trabajo en el que pudiera desarrollar su creatividad.*

Indicativo / Subjuntivo
Me gustaría... + oraciones de relativo

■ Cuando presentamos un deseo como posible, el verbo de la oración subordinada aparece en presente de subjuntivo.

—*Para nuestro departamento de exportación nos gustaría contratar al alguien que hable alemán.*

■ Cuando presentamos el deseo como difícil o poco probable, el verbo aparece en imperfecto de subjuntivo.

—*Para nuestro departamento de exportación nos gustaría contratar a alguien que hablara alemán.*

Estilo indirecto
Referir preguntas

■ Preguntas de respuesta **sí/no**, sin pronombres interrogativos.

—*"¿Vas a venir mañana?"*
>*Ana me ha preguntado si voy a ir mañana.*

■ Preguntas con pronombres interrogativos.
—*"¿A qué hora vas a venir?*
>*Ana me ha preguntado a qué hora vas a venir.*
—*"¿Quién va a venir?"*
>*Ana me ha preguntado quién va a venir.*
—*"¿Dónde es la cena?"*
>*Ana me ha preguntado dónde es la cena.*
—*"¿Cuántas personas habrá?"*
>*Ana ha preguntado cuántas personas habrá.*
—*"¿Cómo vas a venir?"*
>*Ana me ha preguntado cómo voy a ir.*

Estilo indirecto
Indicativo/Subjuntivo

■ Usamos verbos en indicativo cuando transmitimos una información con verbos como **decir**, **contar**...

—*Dice que la película empieza a las 8.*
—*Susana me ha contado que se casa.*
—*El pastor dijo que quería salvar a la princesa.*

■ Usamos verbos en subjuntivo cuando transmitimos órdenes o peticiones.

—*Carlos dice que entremos ya.*

RESUMEN GRAMATICAL

Estilo indirecto
Correlación de tiempos

■ Cuando referimos una conversación al cabo de poco tiempo, cuando las circunstancias no han cambiado, los tiempos verbales utilizados en estilo directo se mantienen en el estilo indirecto.

Presente de indicativo > presente de indicativo
— "Mire, quiero cancelar mi reserva".
> El cliente ha dicho que quiere cancelar su reserva.

Futuro simple > futuro simple
"Ahora mismo *traerán* el paquete".
> Dicen que ahora mismo traerán el paquete.

Pretérito perfecto > pretérito perfecto.
— "Esta mañana me he encontrado a Pedro en el parque".
> Dice que esta mañan se ha encontrado A Pedro en el parque.

Imperfecto > imperfecto
■ *"Ayer no funcionaba la calefacción".*
> El cliente ha dicho que ayer no funcionaba la calefacción.

Indefinido > indefinido
— "Ayer inauguraron la piscina municipal".
> Me han dicho que ayer inauguraron la piscina municipal.

Imperativo > presente de subjuntivo
— "Oye, Patricia, cuéntame lo de Manuel".
>Patricia me ha pedido que le cuente lo de Manuel.

■ Cuando referimos la conversación al día siguiente o más tarde, el verbo de lengua (**decir**, **asegurar**, **comentar**...) aparece en un tiempo del pasado, normalmente en indefinido. En los verbos de la oración subordinada se dan los siguientes cambios.

Presente de indicativo > imperfecto de indicativo
— "Mire, quiero cancelar mi reserva".
> El cliente dijo que quería cancelar su reserva.

Futuro simple > Condicional simple
— "Ahora mismo traerán el paquete".
> Dijeron que enseguida traerían el paquete.

Pretérito perfecto > Pretérito pluscuamperfecto
— "Hoy me he encontrado a Pedro en el parque".
> Lidia me dijo que ese día se había encontrado a Pedro en el parque.

Imperfecto > Imperfecto
— "Ayer no funcionaba la calefacción".
> El cliente dijo que ayer no funcionaba la calefacción.

Indefinido > pluscuamperfecto de indicativo
— "Ayer inauguraron la piscina municipal".
> Me dijeron que el día anterior habían inaugurado la piscina municipal.

Imperativo > imperfecto de subjuntivo
— "Oye, Patricia, cuéntame lo de Manuel.
>Patricia me pidió que le contara lo de Manuel.

Estilo indirecto
Referencias personales, espaciales y temporales

— "Me voy a mi casa".
> Dice que se va a su casa.

— "Venid a mi casa".
> Dice que vayamos a su casa.

— "Este no es mi coche".
> Dijo que aquel no era su coche.

— "He aparcado aquí mismo".
> Dijo que había aparcado allí mismo.

— "Traedme un kilo de arroz".
> Dice que le llevemos un kilo de arroz.

— "Salgo de viaje mañana".
> Dijo que salía de viaje al día siguiente.

— "Salgo de viaje dentro de dos días".
> Dijo que salía de viaje dos días después.

— "Llegué anoche".
> Dijo que había llegado la noche anterior.

DICCIONARIO DE CONSTRUCCIONES VERBALES

La selección de los verbos y las construcciones verbales de este diccionario se ha hecho de acuerdo con los siguientes criterios: adecuación al nivel, rentabilidad comunicativa y dificultad sintáctica.

Se han excluido algunas construcciones que por nivel los alumnos deberían conocer, pero se mantienen aquellos usos de verbos con varios significados que presentan una especial complejidad.

ACABAR (1)

SIGNIFICA llegar a su final

(algo) **acaba** (de un cierto modo o en un momento)	*La fiesta acabó con un concierto.* *¿Cuándo acaba el curso?*

Combinaciones frecuentes
Acabar bien > mal

ACABAR (2)

SIGNIFICA completar una tarea

(alguien) **acaba** algo (en un determinado tiempo)	*F. López acabó esta novela en tres meses.* *Cuando acabe esto, te ayudo.*

ACABAR (3)

SE USA PARA hablar de un pasado muy reciente

(alguien / algo) **acaba de** hacer algo (algo) **acaba de** pasar/suceder	*Acabo de oír en la radio que mañana lloverá.* *Acaba de declararse un incendio en la sierra.*

ACABARSE

SIGNIFICA agotarse, terminarse

(algo) **se acaba** (algo) **se le acaba** a alguien	*Se ha acabado el pan. ¿Puedes ir a comprar?* *Lo siento, se nos ha acabado la paella.*

ACLARAR

SIGNIFICA explicar algún aspecto de un tema, un asunto

(alguien) (le) **aclara** algo (a alguien)	*La portavoz del Gobierno aclaró a los periodistas algunos puntos del proyecto presentado.*

Combinaciones frecuentes
Aclarar un punto > algún aspecto

Palabras emparentadas
La **aclaración**

ACLARARSE

SIGNIFICA dominar mentalmente o prácticamente una situación o problema

(alguien) **se aclara**	*No me aclaro con las instrucciones de uso de este aparato.*

Combinaciones frecuentes
No aclararse

AFIRMAR

SIGNIFICA asegurar ante alguien, dar algo por cierto

(alguien) **afirma** (a alguien) que + indicativo	*Todos los clientes afirman que están satisfechos con el servicio.*

Palabras emparentadas
La **afirmación**

DICCIONARIO DE CONSTRUCCIONES VERBALES

ARREPENTIRSE

SIGNIFICA
lamentar haber hecho algo, o no haberlo hecho

(alguien) **se arrepiente** (de + haber hecho algo)

No te arrepentirás de habernos ayudado.

Combinaciones frecuentes
No me arrepiento de nada.

Palabras emparentadas
El **arrepentimiento**
Los **arrepentidos**

ASEGURAR

SIGNIFICA
afirmar que algo es cierto

(alguien) (le) **asegura** (a alguien) que + indicativo

Me aseguró que había visto el accidente.

CAER
Irregular

SE USA PARA
valorar si alguien nos gusta o no

(alguien) **le cae** bien / mal a alguien

Tus amigos me han caído muy bien.
Cuando nos presentaron, nos caímos muy bien.

Combinaciones frecuentes
Caer genial > fatal

COLGAR (1)

SIGNIFICA
sujetar por su parte superior, sin que se apoye en el suelo

(alguien) **cuelga** algo (de un objeto o en una superficie)

¿Me ayudas a colgar este cuadro en la pared del comedor?

Combinaciones frecuentes
Colgar un cuadro > una prenda de vestir > un cartel > un anuncio

Palabras emparentadas
El **colgador**
El **colgante**

COLGAR (2)

SIGNIFICA
subir algo a internet

(alguien) **cuelga** algo **en internet**

Todos los días cuelga un vídeo en internet.

COMENZAR (1)

SIGNIFICA
empezar

(algo) **comienza**

El concierto comienza a las ocho.

Palabras emparentadas
El **comienzo**

COMENZAR (2)

SIGNIFICA
empezar

(alguien) **comienza** algo

Todavía no hemos comenzado las obras en el garaje.

Combinaciones frecuentes
Comenzar de nuevo > desde el principio

Palabras emparentadas
El **comienzo**

COMENZAR (3)

SIGNIFICA
empezar

(alguien o algo) **comienza a** + infinitivo

El fuego comenzó a arder con gran fuerza.

COMETER

SIGNIFICA
hacer algo que es un error, una falta o un delito

(alguien) **comete** algo

Haciendo esas declaraciones, cometiste una gran equivocación.

Combinaciones frecuentes
Cometer un robo > un crimen > un delito > una falta (de ortografía) > una equivocación > un error > una infracción (de tráfico)

Palabras emparentadas
La **comisión** de un delito

CONFESAR

SIGNIFICA
declarar o reconocer un error, una falta o un delito

(alguien) (le) **confiesa** (algo / verbo en infinitivo / que + indicativo) (a alguien)

Confieso que estaba equivocado.

Combinaciones frecuentes
Confesar la verdad

Palabras emparentadas
La **confesión**

CONSIDERAR (1)

SIGNIFICA
tener una opinión sobre algo

(alguien) **considera** que + indicativo

Considero que por el momento es mejor esperar.

Palabras emparentadas
La **consideración**
Hacer algunas **consideraciones**

CONSIDERAR (2)

SIGNIFICA
tener una opinión sobre alguien o sobre algo

(alguien) **considera** a alguien o a algo + adjetivo

Consideramos muy importante este asunto.

Palabras emparentadas
Tener a alguien en buena **consideración**

CONVERTIR

SIGNIFICA
transformar (algo o alguien) en (otra cosa)

(algo o alguien) **convierte** a alguien o a algo **en** algo o alguien diferente
(algo o alguien) **se convierte en** algo o alguien diferente

El éxito lo ha convertido en una persona vanidosa.
Con el tiempo, esto puede convertirse en un serio problema.

CREER (1)

SIGNIFICA
tener una opinión o una hipótesis

(alguien) **cree** que + indicativo

Creo que lo mejor será esperar a ver qué pasa.

Palabras emparentadas
La **creencia**

CREER (2)

SIGNIFICA
aceptar como verdad lo que alguien dice

(alguien) **cree** a alguien / (alguien) **cree** algo

Combinaciones frecuentes
Te creo
¿No me crees?
Lo creo

CREER EN (3)

SIGNIFICA
tener confianza en alguien (por sus valores o sus capacidades) o en algo (por su eficacia o su valor)

(alguien) **cree en** alguien

Yo no creo en soluciones mágicas.
Mis padres siempre creyeron mucho en mí.

CREER EN (4)

SIGNIFICA
tener fe en una religión

(alguien) **cree** (**en** algo)

Dijo que no creía en el infierno.

Combinaciones frecuentes
Creer en Dios > en la otra vida

Palabras emparentadas
La **creencia**
Los **creyentes**

DICCIONARIO DE CONSTRUCCIONES VERBALES

CREERSE (5)

SIGNIFICA
dar por cierta una información

(alguien) **se cree** algo / que + indicativo

Te conozco bien y no me creo que vayas a cambiar.

CREERSE (6)

SIGNIFICA
tener una cierta opinión sobre sí mismo

(alguien) **se cree** + adjetivo

Se creen los dueños del país.

Combinaciones frecuentes
¿Quién te has creído que eres?
Se cree muy listo

Palabras emparentadas
Ser un **creído**

DAR (1)

Irregular

SIGNIFICA
entregar

(alguien) **da** algo (**a** alguien)

Este reloj me lo dio mi abuela.

DAR (2)

SE USA PARA
expresar lo que nos provoca algo o alguien

(algo) (**le**) **da** un sentimiento / una sensación (**a** alguien)

(alguien) (**le**) **da** un valor (**a** algo)

La carne cruda me da asco.
Me da miedo que te pueda pasar algo malo.
A Carmen le da vergüenza hablar en público.
Me dio mucha pena irme de mi ciudad.
Clara no le da importancia a lo que dicen los demás.

Combinaciones frecuentes
Dar miedo > pena > rabia > vergüenza > ganas de
Dar igual > lo mismo

DAR (3)

SIGNIFICA
proporcionar información, decir

(alguien) (**le**) **da** algo (**a** alguien)

Jaime me dio las gracias por la invitación.
¿Me das tu número de teléfono?

Combinaciones frecuentes
Dar un consejo > una explicación > una respuesta > permiso
Dar la dirección > el correo electrónico > los datos personales
Dar los buenos días > la bienvenida > el pésame

DAR (4)

SIGNIFICA
comunicar delante de una audiencia

(alguien) (**le**) **da** algo (**a** alguien)

Emma les da clases de inglés a mis hijos.
Shakira ha dado más de 50 conciertos este año.

Combinaciones frecuentes
Dar un concierto > una conferencia > una charla
Dar clase

DARSE CUENTA

SIGNIFICA
percibir algo mentalmente o sensorialmente, que previamente no se había percibido

(alguien) **se da cuenta** (de algo, de que + indicativo)

¿No te das cuenta de que te están engañando?

DEBER (1)

SIGNIFICA
tener una deuda

(alguien) (le) **debe** algo (**a** alguien)

Esta empresa debe muchos miles de euros.

Combinaciones frecuentes
Deber dinero
Deber un favor

Palabras emparentadas
La **deuda**

DEBER (2)

SIGNIFICA
tener la obligación

(alguien) **debe** hacer algo

Hoy debemos entregar todos los trabajos.

Palabras emparentadas
El **deber** (la obligación)
Los **deberes** (las tareas escolares)

DEBER (3)

SE USA PARA
indicar que algo no es conveniente o ético

no se debe hacer algo

No se deben volver a congelar los alimentos.

Palabras emparentadas
El **deber**

DEBER (4)

SE USA PARA
indicar probabilidad

(alguien o algo) **debe de** hacer algo

En este momento debe de estar llegando el tren.
¿Qué hora debe de ser?

DECLARAR (1)

SIGNIFICA
decir en público una información

(alguien) **declara** (que + indicativo)

Declaró solemnemente que no había participado en aquel delito.

Palabras emparentadas
La **declaración**

DECLARAR (2)

SIGNIFICA
conferir a algo o a alguien un nuevo estatus

(alguien) **declara** algo o a alguien de una determinada manera

Van a declarar este monumento Patrimonio de la Humanidad.

Combinaciones frecuentes
Os declaro marido y mujer
Declarar inocente > culpable

Palabras emparentadas
La **declaración**

DECLARARSE

SIGNIFICA
manifestar en público la adhesión a un movimiento o una teorías

(alguien) **se declara** + adjetivo

Se declaró convencido partidario de la teoría evolucionista.

Combinaciones frecuentes
Declararse ateo > agnóstico > partidario de > inocente / culpable

Palabras emparentadas
La **declaración**

DEJAR (1)

SIGNIFICA
poner

(alguien) **deja** algo (**en** un lugar)

¿Dónde dejo esta maleta?
De momento, déjala en mi habitación.

DEJAR (2)

SE USA PARA
indicar la interrupción de una acción

(alguien/algo) **deja de** hacer algo

¿Podrías dejar de hacer ruido, por favor?

DEJAR (3)

SIGNIFICA
permitir

(alguien/algo) (le) **deja** (**a** alguien) hacer algo

El ruido de la calle no me dejó dormir.
Los padres de Lía no la dejan salir sola por la noche.

Combinaciones frecuentes
Dejar pasar > entrar > salir
Déjame decir una cosa
Dejar en paz > tranquilo

DEJAR (4)

SIGNIFICA
prestar

(alguien) (le) **deja** algo (**a** alguien)

Juana me ha dejado su coche para las vacaciones.

Combinaciones frecuentes
Dejar dinero

DEJAR (5)

SE USA PARA
expresar el resultado de acciones

(alguien) **deja a** alguien o algo (en un estado)

He dejado la comida hecha. La tienes en la nevera.
Emilio me dejó muy preocupado.
Cuando te vayas, deja la casa limpia.

Combinaciones frecuentes
Dejar hecho > preparado > terminado > colgado

DEJAR (6)

SIGNIFICA
abandonar

(alguien) **deja a** alguien, algo o un lugar

Rosa ha dejado a Marcos. Está destrozado.
He dejado los estudios. Quiero trabajar.
En 2014 dejé Madrid y me vine a la montaña.

DISFRAZARSE

SIGNIFICA
adoptar alguien un aspecto (en la vestimenta y objetos personales) que no le corresponde

(alguien) **se disfraza** (de algo)

En la fiesta de carnaval siempre se disfrazaba de torero.

Palabras emparentadas
El **disfraz**

ELIMINAR

SIGNIFICA
suprimir, quitar

(alguien o algo) **elimina** algo

Hay que eliminar esta cláusula del contrato.

Combinaciones frecuentes
Eliminar un archivo > los residuos > lo innecesario

EMPEÑARSE EN

SIGNIFICA
estar resuelto a conseguir algo haciendo todos los esfuerzos necesarios

(alguien) **se empeña en** infinitivo / que + subjuntivo

Se ha empeñado en ser el próximo presidente.
No te empeñes en que todo el mundo te siga.

Combinaciones frecuentes
Poner todo su empeño en algo
Empeñarse a toda costa

Palabras emparentadas
El **empeño**

ENCONTRAR (1)

Irregular

SIGNIFICA
localizar algo perdido

(alguien) **encuentra** (algo) (**en** un lugar)

Alba ya ha encontrado sus llaves. Se las había dejado en el coche.

ENCONTRAR (2)

SE USA PARA
valorar

(alguien) **encuentra** algo o **a** alguien con alguna característica
(alguien) **encuentra que** + indicativo

Este tipo de cine lo encuentro un poco pesado.
¿No encuentras que es un poco caro este hotel?

Combinaciones frecuentes
Encontrar bien > mal
Encontrar curioso > raro > interesante

ESFORZARSE EN

SIGNIFICA
poner voluntad y actuar para resolver una tarea o comportarse de una determinada manera

(alguien) **se esfuerza en** infinitivo

Pobre, se esfuerza en ser muy amable, pero no lo consigue.

Combinaciones frecuentes
Hacer esfuerzos

Palabras emparentadas
El **esfuerzo**

ESTAR (1)

Irregular

SE USA PARA
ubicar

(alguien/algo) **está** (**en** un lugar)

El aeropuerto está a 15 km de la ciudad.
Paco y Loli están en Berlín.
Emilia no está. Ha salido.

ESTAR (2)

SE USA PARA
indicar el resultado de una acción

(alguien/algo) **está** de algún modo

Juan aún no está preparado para salir.
La obra aún no está terminada.
Esta camisa está sucia.

Combinaciones frecuentes
Estar roto > estropeado

Palabras emparentadas
El **estado**

ESTAR (3)

SE USA PARA
valorar

(alguien/algo) **está** bien/mal
(alguien/algo) **está** + cualidad

Esta película está muy bien.
Este vino está buenísimo.

Combinaciones frecuentes
Estar genial > increíble > horrible > fatal

ESTAR (4)

SE USA PARA
hablar de situaciones pasajeras

(alguien) **está** en una situación provisional

Estoy en el paro desde agosto.
Inés está de camarera en un hotel de la costa.
Ana está enferma.

Combinaciones frecuentes
Estar de viaje > de vacaciones
Estar de huelga
Estar de buen > mal humor
Estar triste > alegre > nervioso

ESTAR (5)

SE USA PARA
hablar del desarrollo de una acción

(alguien) **está** haciendo algo

Ayer, estaba dando un paseo y me encontré a Luis
Ha estado lloviendo toda la semana.

DICCIONARIO DE CONSTRUCCIONES VERBALES

ESTAR DE ACUERDO

SIGNIFICA
compartir (con otra persona, o varias personas entre sí) la misma opinión o valoración de un asunto

(alguien) **está de acuerdo** (con alguien) (en algo / infinitivo / que + indicativo / subjuntivo)

En eso, estoy de acuerdo contigo.
Estamos de acuerdo en volver a hablar de este asunto dentro de una semana.
No estoy de acuerdo en que la reunión se celebre a puerta cerrada.

Palabras emparentadas
Acordar
El **acuerdo**

EXPONER (1)

SIGNIFICA
presentar en público un proyecto, una teoría, una situación

(alguien) (le) **expone** (a alguien) algo

Galileo expuso su teoría en la Universidad de Padua.

Combinaciones frecuentes
Exponer razonadamente > brillantemente > brevemente > con gran detalle

Palabras emparentadas
Una **exposición**

EXPONER (2)

SIGNIFICA
presentar en público una obra de arte

(alguien) **expone** algo

Está muy contento porque va a exponer su obra en una famosa galería de Barcelona.

Palabras emparentadas
Una **exposición retrospectiva**

EXPRESAR

SIGNIFICA
transmitir mediante palabras, gestos u otros medios lo que uno siente o piensa

(alguien o algo) **expresa** algo

Su mirada expresaba una gran alegría.

Combinaciones frecuentes
Expresar dudas > agrado > satisfacción > alegría > dolor > tristeza > amor > odio > acuerdo > desacuerdo

Palabras emparentadas
La **expresión**
Expresamente

EXPRESARSE

SIGNIFICA
hablar de una determinada manera

(alguien) **se expresa** de una determinada manera

No sé si me he expresado con suficiente claridad.

Combinaciones frecuentes
Expresarse bien > mal > correctamente

GUARDAR

SIGNIFICA
poner algo en un lugar para usarlo más tarde

(alguien) **guarda** algo

Guarda esta tarjeta en la cartera.

Combinaciones frecuentes
Guardar un archivo en el ordenador

GUSTAR

SIGNIFICA
sentir atracción o simpatía por alguien

(a alguien) **le gusta** (alguien)
(dos personas) **se gustan**

Elisa y Alberto se gustaron desde el primer momento.

Palabras emparentadas
Gusto
Buen **gusto**
Mal **gusto**

HABLARSE

SIGNIFICA
dirigirse la palabra (usado preferentemente en forma negativa: no hablarse)

(alguien) no **se habla** con alguien
(dos o más personas) no **se hablan**

Desde que tuvieron aquel enfrentamiento, no se hablan.

HACER (1)

Irregular

SIGNIFICA
elaborar, producir, fabricar

(alguien) **hace** algo

Hoy para comer voy a hacer una paella.
En esta zona hacen unos vinos muy buenos.

Combinaciones frecuentes
Hacer la comida > la cena
Hacer una tortilla > una paella > un pastel
Hacer café > té

HACER (2)

SIGNIFICA
realizar, efectuar

(alguien) **hace** algo

Mañana tengo que hacer un examen de inglés.

Combinaciones frecuentes
Hacer un viaje > una excursión > un examen
No hacer nada
Hacer una película > un programa en la tele
Hacer gimnasia > deporte > teatro

HACER (3)

SIGNIFICA
causar, provocar

(alguien/algo) (**le**) **hace** + infinitivo (**a** alguien)

Esas películas me hacen reír.

HACER (4)

SE USA PARA
hablar del tiempo meteorológico

hace tiempo meteorológico

Hoy hace mucho frío.

Combinaciones frecuentes
Hacer frío > calor > sol > viento > mal tiempo > buen tiempo

HACER (5)

SE USA PARA
referirse a lo dicho previamente

(alguien) **lo hace**

Iba a cerrar la puerta, pero no lo he hecho.
Si no has comprado el billete, lo hago yo.

IMPEDIR

SIGNIFICA
no dejar que se produzca algo

alguien **impide** algo / que + subjuntivo

La policía impidió que los estudiantes entraran en el edificio.

Palabras emparentadas
El **impedimento**

INTENTAR

SIGNIFICA
tratar de hacer algo o que suceda algo

(alguien) **intenta** infinitivo / que + subjuntivo

Antes de pedir ayuda, intenta resolver tú mismo el problema.
Tenemos que intentar que la reunión no se alargue.

Combinaciones frecuentes
Intentarlo por última vez / una vez más

Palabras emparentadas
Un **intento**
La **intención**

DICCIONARIO DE CONSTRUCCIONES VERBALES

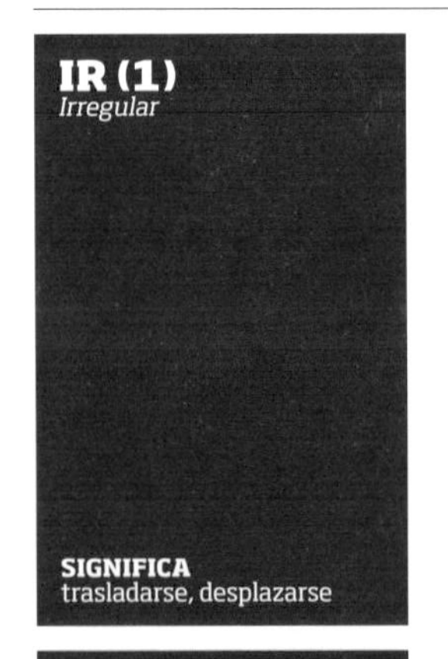

IR (1)
Irregular

SIGNIFICA
trasladarse, desplazarse

(alguien/algo) **va** (**a** un sitio)

Este autobús va a la Plaza Mayor.
¿Cuándo vas a Sevilla?
Fui la semana pasada.

Combinaciones frecuentes
Ir a clase > al teatro > al cine
Ir al médico > al dentista
Ir en coche > en tren > en avión > en barco
Ir a pie > a caballo
Ir juntos
Ir andando > corriendo
Ya voy

Palabras emparentadas
La **ida**

IR (2)

SIGNIFICA
realizar una actividad

(alguien) **va de** + nombre

Esta tarde vamos de compras, ¿vienes?

Combinaciones frecuentes
Ir de viaje > paseo > compras > vacaciones > excursión

IR (3)

SE USA PARA
referirse a acciones futuras

(alguien/algo) **va a** hacer algo

Voy a leer un rato.
Este invierno va a nevar mucho.

IRSE (4)

SIGNIFICA
marcharse, abandonar un lugar

(alguien/algo) **se va** (de un sitio)

¿Ya te vas?
Nos vamos; ya hemos terminado.

Combinaciones frecuentes
Irse a casa > a su país
Irse a dormir > a la cama

LOGRAR

SIGNIFICA
conseguir o alcanzar un propósito

(alguien) **logra** algo + infinitivo / que + subjuntivo

Por fin logró su ansiado premio Nobel.
El sindicato logró que la empresa volviera a admitir al empleado.

Combinaciones frecuentes
¡Lo hemos logrado!

Palabras emparentadas
El **logro**

LLEVAR (1)

SIGNIFICA
transportar

(alguien/algo) **lleva** algo / **a** alguien (**a** un sitio)
(alguien/algo) **lleva** algo (**a** alguien)
(alguien/algo) se **lleva** algo (**de** algún lugar)

Voy a llevar a unos amigos al aeropuerto.
Por favor, llévale este libro a Manuela.
Carla, me llevo este paraguas, que está lloviendo.

LLEVAR (2)

SIGNIFICA
tener consigo

(alguien) **lleva** (algo)

¿Alguien lleva un espejo?
Lo siento, yo no llevo.

LLEVAR (3)

SIGNIFICA
tener, contener

(alguien/algo) **lleva** algo

Lola lleva el pelo largo.
El gazpacho lleva ajo.

Combinaciones frecuentes
Llevar ajo > cebolla > mantequilla
Llevar abrigo > gafas > el pelo largo
Llevar acento > mayúscula

LLEVAR (4)

SIGNIFICA
estar, permanecer

(alguien/algo) **lleva** un tiempo **en** un lugar
(alguien/algo) **lleva** un tiempo (haciendo algo / **sin** hacer algo)

Lleva tres años en Perú.
Lleva dos horas durmiendo.
Lleva dos días sin comer.

LLEVAR (5)

SIGNIFICA
conducir

(una persona) **lleva** algo o a alguien (a un lugar)

Puedo llevarte a tu casa en mi coche.

LLEVAR (6)

SIGNIFICA
transportar, tener encima

(una persona) **lleva** algo

En la cartera llevo la copia del contrato.

Combinaciones frecuentes
Llevar algo > en la maleta > en el bolso > en el bolsillo > en la mano
Llevar mucho > poco equipaje.

LLEVAR (7)

SIGNIFICA
se usa para ropa, accesorios, atuendo

(una persona) **lleva** algo

El novio de Ana lleva un piercing *en la oreja.*

Combinaciones frecuentes
Llevar gafas > pantalones > falda > sombrero > el pelo corto > los labios pintados

Palabras emparentadas
Llevar a cabo

MANIFESTAR (1)

SIGNIFICA
decir públicamente una opinión, una idea o un sentimiento

(alguien) **manifiesta** algo / que + indicativo

La actriz manifestó su malestar por el tratamiento que la prensa dio del asunto.

Palabras emparentadas
La **manifestación**
El **manifiesto**

MANIFESTARSE (2)

SIGNIFICA
exponer la propia opinión

(alguien) **se manifiesta** (con respecto a un tema, una situación o un problema)

Combinaciones frecuentes
Manifestarse a favor > en contra de
No manifestarse

MANIFESTARSE (3)

SIGNIFICA
participar en una marcha o desfile colectivo para reivindicar algo

(alguien) **se manifiesta**

Esta mañana los trabajadores de la Sanidad se han manifestado por el Paseo Colón.

Palabras emparentadas
La **manifestación** (La **mani**)
Los **manifestantes**
El **manifiesto**

DICCIONARIO DE CONSTRUCCIONES VERBALES

METER

SIGNIFICA
poner una cosa en el interior de otra

(alguien) **mete** algo (en un lugar) — *¿Dónde has metido la ropa sucia?*

Combinaciones frecuentes
Meter la pata

MORIR (1)

SIGNIFICA
dejar de vivir una persona, un animal o una planta (instante preciso de la muerte)

(alguien o algo) **muere** — *Cada 15 días muere una lengua en algún lugar del mundo.*

Combinaciones frecuentes
Morir de un accidente > de una grave enfermedad
Morir por un ideal
Morir en la miseria
Morir abandonado

Palabras emparentadas
La **muerte**
Los **muertos**
La **mortalidad**
Moribundo
Mortal

MORIR (2)

SIGNIFICA
desaparecer o finalizar una entidad por completo

(algo) **muere** — *Su recuerdo no morirá.*
El Tajo muere en Lisboa.

Palabras emparentadas
La **muerte**

MORIRSE (1)

SIGNIFICADO
pasar una persona, un animal o una planta por el trance de la muerte (proceso más o menos dilatado: morirse en un hospital, en su propia cama)

(alguien o algo) **se muere** — *Estas plantas se están muriendo, hay que regarlas.*

Combinaciones frecuentes
Morirse en un hospital > en su propia cama

MORIRSE DE (2)

SIGNIFICA
experimentar una sensación, una emoción o un sentimiento intensos

(alguien) **se muere de** (algo)

Combinaciones frecuentes
Morirse de miedo > de risa > de vergüenza > de ganas > de hambre > de sueño > de sed > de cansancio

Palabras emparentadas
La **muerte**
Morirse de vergüenza

OBTENER

SIGNIFICA
conseguir lo que se pretende tener

(alguien) **obtiene** algo — *Nuestra empresa obtuvo el año pasado grandes beneficios.*

Combinaciones frecuentes
Obtener un resultado > un permiso > una autorización >una buena nota

Palabras emparentadas
La **obtención**

PASAR (1)

SIGNIFICA
suceder, acontecer

algo **pasa** (en un lugar y en un tiempo) — *En este pueblo nunca pasa nada especial.*

Combinaciones frecuentes
¿Qué pasa?
¿Qué ha pasado?
¿Qué pasó?

PASAR (2)

SIGNIFICA
experimentar, sufrir

a alguien **le pasa** algo — *No sé qué les pasa a los niños, están nerviosos.*

Combinaciones frecuentes

¿Qué te pasa?
¿Qué te ha pasado?
No me pasa nada.

PASAR (3)

SIGNIFICA
atravesar

(una persona, un vehículo, un camino, un río) **pasa** por un lugar — *El río Ebro pasa por Zaragoza.* *Vamos a Austria pasando por Italia.*

Palabras emparentadas

El **paso** (el paso del Ecuador)

PASAR (4)

SIGNIFICA
vivir, residir

(alguien) **pasa** un tiempo (en un lugar o en una situación) — *Voy a pasar seis meses en Cuba.*

PASAR (5)

SIGNIFICA
experimentar

(alguien) **pasa** una emoción, un sentimiento, un estado físico — *En Soria pasamos mucho frío.*

Combinaciones frecuentes

Pasar vergüenza > miedo > frío > nervios
Pasar una enfermedad > un mal rato
Pasarlo bien > mal

PASÁRSELE

SIGNIFICA
terminar una emoción, sentimiento o estado físico

(a alguien) **se le pasa** (una emoción, un sentimiento, un estado físico) — *Se enfadó mucho conmigo, pero por suerte ya se le ha pasado.*

PERMITIR

SIGNIFICA
autorizar o dejar que alguien haga algo

(alguien o una norma) **permite** (a alguien) algo / infinitivo / que + subjuntivo — *El reglamento no permite votar a distancia / el voto a distancia / que votemos a distancia.*

Palabras emparentadas

El **permiso**
Permisible
Pedir / dar permiso para

PONER (1)

Irregular

SIGNIFICA
colocar, meter

(alguien) **pone** algo (en un sitio) — *Esta mesa la pondremos junto a la ventana.* *Pon este dinero en un sobre cerrado.*

PONER (2)

SIGNIFICA
decir, estar escrito

(en un texto/lugar) **pone** algo — *En ese cartel pone que no se puede entrar.*

Combinaciones frecuentes

Aquí pone (que)...
¿Qué pone?
Poner una nota

DICCIONARIO DE CONSTRUCCIONES VERBALES

PONER (3)

SIGNIFICA
encender, activar

(alguien) **pone** algo

Pon la tele, que van a empezar las noticias.
Entró en el coche, lo puso en marcha y se fue.

Combinaciones frecuentes
Poner la tele > la calefacción > la lavadora
Poner música > una película
Poner en marcha

PONER (4)

SIGNIFICA
conectar un aparato

(alguien) **pone algo**

Pon la tele y veremos las noticias.

Combinaciones frecuentes
Poner la tele > la radio > la lavadora > el lavavajillas

PONERSE (1)

SIGNIFICA
vestirse, aplicarse

(alguien) **se pone** ropa
(alguien) **se pone** un producto

Si no te pones el abrigo, tendrás frío.
Si vas a la playa, ponte crema solar.

PONERSE (2)

SIGNIFICA
empezar a estar

(alguien) **se pone** en un estado físico o anímico

En los exámenes me pongo muy nervioso.
El vecino del quinto se puso de pie y empezó a gritar.

Combinaciones frecuentes
Ponerse enfermo > nervioso > contento > triste > de mal humor > colorado > celoso > enfermo
Ponerse de pie > de rodillas > boca arriba > boca abajo > de frente
Ponte en mi lugar
No te pongas así

PONERSE (3)

SIGNIFICA
vestirse o usar algún objeto personal

(Alguien) **se pone** algo

Ponte el vestido verde, que te queda muy bien.

Combinaciones frecuentes
Ponerse las gafas > los zapatos > la corbata > el abrigo

PROCURAR

SIGNIFICA
esforzarse en lograr un propósito

(alguien) **procura** + infinitivo / que + subjuntivo

He procurado siempre hacer bien las cosas.
Procure usted que nadie se entere de esto.

PRODUCIR

SIGNIFICA
elaborar, fabricar

(alguien o algo) **produce** algo

Este país produce mucho petróleo.

Combinaciones frecuentes
Producir vino
Producir beneficios

Palabras emparentadas
La **producción**
El **producto**
El **productor**

QUEDAR (1)

SIGNIFICA
haber/tener todavía

(a alguien) **le queda** algo	*Me quedan cincuenta euros.*
queda (algo)	*Voy a comprar naranjas, que no quedan.*

QUEDAR (2)

SIGNIFICA
permanecer

(alguien) **se queda** (en un lugar)	*Inés se quedará una semana en mi casa.*

Combinaciones frecuentes
Quedarse en casa

QUEDAR (3)

SIGNIFICA
tener una cita

(alguien) **queda** (**con** alguien)	*He quedado con Luisa para ir al cine.* *Hoy no puedo ayudarte: he quedado.*

Combinaciones frecuentes
Quedar con un amigo

QUEDARSE (1)

(alguien) **se queda** de una forma	*A causa del accidente se quedó paralítico.*

Combinaciones frecuentes
Quedarse sin trabajo
Quedarse ciego

QUEDARSE (2)

SIGNIFICA
sufrir una pérdida en la salud, en la economía, o en otros aspectos de la vida

(alguien) **se queda** de una determinada manera	*Se quedó ciego en un accidente.* *Se quedó sin dinero en la crisis económica.*

Combinaciones frecuentes
Quedarse ciego > paralítico > sordo > viudo > huérfano
Quedarse en la calle > sin recursos

QUEDARSE (3)

SIGNIFICA
adoptar un estado de ánimo o una posición o actitud (generalmente, pasivos pero no necesariamente negativos)

(alguien) **se queda** de una determinada manera	*Después de oírte, nos hemos quedado muy preocupados.*

Combinaciones frecuentes
Quedarse tranquilo > preocupado > sorprendido > admirado
Quedarse en silencio > quieto
Quedarse dormido > sentado > de pie

QUEJARSE

SIGNIFICA
manifestar dolor

(alguien) **se queja** (**de** un dolor o una molestia)	*Te quejas de la espalda desde hace días. Ve al médico.*
(alguien) **se queja** (**de** algo) (**a** alguien)	*Me quejé del ruido al recepcionista. No podía dormir.*

Combinaciones frecuentes
No te quejes
Quejarse por todo

Palabras emparentadas
La **queja**

QUITARSE

SIGNIFICA
desprenderse de ropa o de algún objeto personal

(Alguien) **se quita** algo	*Se quitó la ropa y se tiró al agua.*

Combinaciones frecuentes
Quitarse las gafas > los zapatos > la corbata > el abrigo

DICCIONARIO DE CONSTRUCCIONES VERBALES

RECONOCER

SIGNIFICA
aceptar que los otros tienen razón, o bien que uno está equivocado

(alguien) **reconoce** que + indicativo

Tienes que reconocer que estuviste muy desagradable con Elvira.

Combinaciones frecuentes
Reconocer un error

REÍR(SE) (1)

SIGNIFICA
manifestar con risa una emoción (alegría, diversión, sorpresa...)

(alguien) (se) **ríe**

(Nos) reímos mucho con las películas de los Hermanos Marx.

Palabras emparentadas
La **risa**

REÍRSE (2)

SIGNIFICA
hacer burla o desprecio de algo o de alguien

(alguien) **se ríe de** alguien o de algo

No te rías de Carlos. No es justo.

Combinaciones frecuentes
Reírse de los demás > de uno mismo

Palabras emparentadas
Risible
Irrisorio

RESULTAR

SIGNIFICA
ser de una determinada manera como consecuencia de algo

(alguien o algo) (le) **resulta** (a alguien) (de una determinada manera)

De tanto que habla resulta agotador.

Combinaciones frecuentes
resultar simpático > agotador > pesado
resultar caro > barato > imposible

Palabras emparentadas
El **resultado**

ROMPER (1)

SIGNIFICA
deshacer un objeto en fragmentos a la fuerza

(alguien) **rompe** algo
(algo) **se rompe**

Lo siento, sin querer he roto este vaso.
Se me ha roto el jarrón del salón.

Combinaciones frecuentes
Romper un plato
Romperse el brazo

Palabras emparentadas
La **rotura**

ROMPER (2)

SIGNIFICA
Interrumpir o abandonar una relación

(alguien) **rompe** (algo) (con alguien)

Los delegados de los dos países han roto las negociaciones.

Combinaciones frecuentes
Romper la amistad > un pacto > un acuerdo
Romper con su pareja

Palabras emparentadas
La **ruptura**

SALIR (1)

SIGNIFICA
ir de dentro a fuera

(alguien o algo) **sale** (de un lugar) (a otro lugar)

Nunca sale de casa.
¿A qué hora sales del colegio?

Combinaciones frecuentes
Salir de casa > de la habitación > de la ciudad > del país
Salir del trabajo > de la escuela > de la universidad
Salir a la calle > al campo

Palabras emparentadas
La **salida del trabajo**

SALIR (2)

SIGNIFICA
ir a lugares de ocio

(alguien) **sale**

Le gusta mucho salir con amigos. Van al cine, al teatro o a bailar.

Combinaciones frecuentes
Salir con amigos > de noche > a comer > a cenar

SALIR (3)

SIGNIFICA
partir

(una persona o un vehículo) **sale** (en una fecha y hora)

El próximo tren a Sevilla sale a las 17.15 h.
Mañana salimos hacia Chile.

Combinaciones frecuentes
Salir puntual > con retraso

Palabras emparentadas
La **salida**

SALIR (4)

SIGNIFICA
estar en una relación sentimental

(alguien) **sale con** alguien
(dos personas) **salen**

¿Sabes que Lidia y Julio están saliendo?

SENTAR BIEN / MAL (1)

SIGNIFICA
beneficiar o perjudicar la salud

(algo) (le) **sienta** bien / mal a alguien

La cena de anoche me sentó mal.
Tómate una sopa caliente. Te sentará bien.

SENTAR MAL (2)

SIGNIFICA
agradar o desagradar

(a alguien) **le sienta** bien / mal algo / que + subjuntivo

Me sentaron muy mal tus palabras.
No me sentó bien que me dijeras aquello.

SENTIR

Irregular

SIGNIFICA
experimentar una sensación, lamentar

(alguien) **siente** algo

Siento molestias en este brazo desde hace unos días.

(alguien) **siente que** + subjuntivo

Siento que no puedas venir a la cena.

Combinaciones frecuentes
Sentir dolor > molestias
Lo siento

Palabras emparentadas
La **sensación**
El **sentimiento**

SER (1)

Irregular

(alguien/algo) **es** algo

Su madre era médico.
Si llaman a la puerta, abre; es el cartero.
Bogotá es la capital de Colombia.

Combinaciones frecuentes
Soy yo
¿Quién es?
Es bueno > malo para
Es importante > necesario

Palabras emparentadas
El **ser** humano
Los **seres** humanos

DICCIONARIO DE CONSTRUCCIONES VERBALES

SER (2) **SIGNIFICA** proceder de un lugar	(alguien/algo) **es de** algún lugar	*Soy de Mallorca.* *Este queso es de Asturias.*
SER (3) **SIGNIFICA** pertenecer, ser obra de	(algo) **es de** alguien	*Esta cartera es de Pablo.* *Este poema es de Neruda.*
SER (4) **SE USA PARA** situar en el tiempo	**es** + una referencia temporal **Combinaciones frecuentes** Es de día > de noche Es pronto > tarde	*Es la una.* *Son las ocho de la tarde.* *¿Ya es primavera?*
SER (5) **SE USA PARA** ubicar eventos	(algo) **es** en un lugar o fecha	*La reunión es en la primera planta.* *La boda es en octubre.*
SOPORTAR **SIGNIFICA** aceptar algún inconveniente sin pretender eliminarlo	(alguien) **soporta** a alguien (alguien) **soporta** que + subjuntivo **Combinaciones frecuentes** Soportar con paciencia > con resignación ¡No lo soporto!	*No soporto a Benítez. ¡Es tan arrogante!* *No soportaba que le dijeran qué tenía que hacer.* **Palabras emparentadas** **Insoportable**
SUPONER (1) **SIGNIFICA** considerar que algo puede ser cierto	(alguien) **supone** que + indicativo	*Supongo que Teresa está enfadada. No me ha saludado al verme.* **Palabras emparentadas** La **suposición**
SUPONER (2) **SIGNIFICA** implicar, causar	(algo) **supone** algo / que + indicativo	*Estas medidas del Gobierno supondrán un grave perjuicio para la clase trabajadora.* *Las medidas supondrán que todos perderemos poder adquisitivo.*
SUSTITUIR **SIGNIFICA** poner a una persona o cosa en lugar de otra para	(alguien) **sustituye** algo o a alguien (por algo o por alguien)	*García Puente sustituyó a Rodríguez al frente de la empresa.* **Palabras emparentadas** La **sustitución** El **sustituto** / La **sustituta**

TRANSMITIR

SIGNIFICA
hacer llegar un mensaje a alguien

(alguien) (le) **transmite** algo (a alguien)

Todos los periódicos transmitieron la noticia.

Palabras emparentadas
La **transmisión**
El **transmisor**

TENER (1)
Irregular

SIGNIFICA
poseer, disponer de

(alguien) **tiene** algo

Marta tiene un apartamento en la playa.

Combinaciones frecuentes
Tener gimnasio > terraza > tres habitaciones
Tener los ojos grandes > la boca pequeña
¿Tienes un/una...?
Tener un problema > una idea

TENER (2)

SE USA PARA
referirse a relaciones personales

(alguien) **tiene** + relación personal

Tengo dos hermanas.
Tengo un amigo colombiano, de Cali.

Combinaciones frecuentes
Tener amigos > conocidos > padres > hijos > hermanas > novio/a

TENER (3)

SIGNIFICA
estar obligado

(alguien) **tiene que** hacer algo

No puedo salir: tengo que estudiar.

TENER (4)

SE USA PARA
expresar sensaciones

(alguien) **tiene** algo

¿Me das un vaso de agua? Tengo mucha sed.

Combinaciones frecuentes
Tener hambre > sed > sueño > dolor
Tener calor > frío

TENER (5)

SE USA PARA
indicar la edad

(alguien/algo) **tiene** una edad

Mi hermano tiene seis años.
Esta catedral tiene 800 años.

TENER (6)

SE USA PARA
referirse a tareas que hacer

(alguien/algo) **tiene** algo

Mañana tengo un examen.
Ayer tuvimos una reunión larguísima.

Combinaciones frecuentes
Tener clase > un examen > una cita > una reunión
Tener médico > dentista > judo
Tener deberes > trabajo > mucho que hacer

TRATAR (1)

SIGNIFICA
comportarse con alguien de una determinada manera

(alguien) **trata** a alguien de una determinada manera

Quiero agradeceros lo bien que me habéis tratado.
Lo trataron como a un extraño.

Combinaciones frecuentes
Tratar con cariño > con desprecio > bien > mal > como a...

Palabras emparentadas
El **trato**

DICCIONARIO DE CONSTRUCCIONES VERBALES

TRATAR DE (2)

SIGNIFICA
tener algo como tema del que se habla, referirse a un asunto

(alguien o un texto) **trata de** algo

Su último libro trata de la esclavitud en las colonias.

Palabras emparentadas
el **tratamiento**

TRATAR DE (3)

SIGNIFICA
procurar el logro de un propósito

(alguien) **trata de** + infinitivo / que + subjuntivo

¿Por qué no tratas de ser más amable?
Trataré de que la doctora la vea hoy.

Combinaciones frecuentes
Se trata de que...

TRATAR DE (4)

SIGNIFICA
dirigirse a con alguien una forma de cortesía o de confianza

(alguien) **trata** a alguien **de** + tratamiento

No me trates de usted, vamos a tutearnos.

VER (1)

SIGNIFICA
percibir con los ojos

(una persona o un animal) **ve** algo

Todos los meses veo cuatro o cinco películas.

Palabras emparentadas
La **vista** (sentido)
La **visión**

VER (2)

SIGNIFICA
contemplar, visitar

(una persona) **ve** algo

En este viaje vamos a ver las principales ciudades del país.

Combinaciones frecuentes
Ver un país > una ciudad > un monumento > un museo > un paisaje > la naturaleza > los animales

Palabras emparentadas
La **vista** (panorámica)
La **visión**

VER (3)

SIGNIFICA
visitar, encontrarse con

(una persona) **ve** a alguien

Mañana voy a ver a unos amigos. Hace tiempo que no nos vemos.

Combinaciones frecuentes
Ver a unos amigos
¿Cuándo / Dónde / A qué hora nos vemos?

VER (4)

SIGNIFICA
comprender

(una persona) **ve** algo

Todos se lo dicen, pero él no quiere verlo.

Combinaciones frecuentes
Ya lo veo.
¿No ves que...?

Palabras emparentadas
La **visión** (de la vida, del mundo, de un problema)

VER (5)

SIGNIFICA
considerar algo de una determinada manera

(alguien) **ve** algo + adjetivo / que + indicativo	*Tú lo ves todo muy fácil.* *Veo muy difícil que podamos terminar antes de fin de mes.*

Combinaciones frecuentes
Yo no lo veo
Yo lo veo igual que tú
Lo veo bien

VOLVER (1)

SIGNIFICA
regresar

(una persona, un animal o un vehículo) **vuelve** (de un lugar a otro lugar)	*Todos los días vuelvo a casa a las 7 de la tarde.* *¿A qué hora vuelves del trabajo?*

Combinaciones frecuentes
Volver a casa > a su país > al trabajo > a su sitio

Palabras emparentadas
La **vuelta**

VOLVER (2)

SIGNIFICA
orientar el propio cuerpo o un objeto en otra dirección

(una persona o un animal) **vuelve** (una parte de su cuerpo) (alguien) **vuelve** algo	*Me volví cuando escuché que me llamaba.* *Al volver la cabeza, me hice daño en el cuello.*

Combinaciones frecuentes
Volver la mirada > la cabeza
Volverse de espaldas
Volver del revés

Palabras emparentadas
Darse la vuelta
Darle la vuelta

VOLVER A

SE USA PARA
indicar la repetición de una acción

(alguien/algo) **vuelve a** hacer algo	*Estoy segura de que volveremos a vernos pronto.*

VOLVERSE

SIGNIFICA
cambiar de carácter o de ideología

(Una persona o un animal) **se vuelve** de una determinada manera	*Cuando murió su mujer, se volvió más solitario.* *¡Se ha vuelto loco! ¿Cómo vamos a hacer eso?*

Combinaciones frecuentes
Volverse loco > desconfiado > vanidoso > más comunicativo > más tolerante
Volverse anarquista > conservador > progresista

PREPARACIÓN AL DELE

DELE B2

PRUEBA 1
Comprensión de lectura
- Tarea 1
- Tarea 2
- Tarea 3
- Tarea 4

PRUEBA 2
Comprensión auditiva
- Tarea 1
- Tarea 2
- Tarea 3
- Tarea 4
- Tarea 5

PRUEBA 3
Expresión e interacción escritas
- Tarea 1
- Tarea 2

PRUEBA 4
Expresión e interacción orales
- Tarea 1
- Tarea 2
- Tarea 3

QUÉ SON LOS DELE

Los **DELE** o **Diplomas de Español como Lengua Extranjera** son el título oficial que otorga el **Instituto Cervantes**. Acreditan el nivel de competencia de la lengua española en las siguientes actividades comunicativas de la lengua: **comprensión de lectura**, **comprensión auditiva**, **expresión e interacción escritas** y **expresión e interacción orales**.

Existen **seis niveles**, que corresponden a los reconocidos por el Consejo de Europa: **A1**, **A2**, **B1**, **B2**, **C1** y **C2**.

ESTRUCTURA DEL DELE B2

Prueba 1
COMPRENSIÓN DE LECTURA
Contiene cuatro tareas y se debe responder a un total de 36 ítems.

Prueba 2
COMPRENSIÓN AUDITIVA
Contiene cinco tareas y se debe responder a un total de 30 ítems.

Prueba 3
EXPRESIÓN E INTERACCIÓN ESCRITAS
Contiene dos tareas.

Prueba 4
EXPRESIÓN E INTERACCIÓN ORALES
Contiene tres tareas.

En el examen te entregarán una **Hoja de respuestas**. En ella debes:

- Anotar tus opciones para las pruebas de Comprensión de lectura y Comprensión auditiva.
- Hacer las tareas de la prueba de Expresión e Interacción escritas.

Puedes ampliar la información en la página oficial de los diplomas de español DELE del Instituto Cervantes:

examenes.cervantes.es

PRUEBA 1 COMPRENSIÓN DE LECTURA

CARACTERÍSTICAS DE LA PRUEBA

- La prueba de Comprensión de lectura tiene cuatro tareas.
- Debes responder a 36 preguntas o ítems.
- La duración es de 70 minutos.
- Cuenta un 25 % de la calificación total del examen.
- Debes contestar en la Hoja de respuestas y marcar las respuestas correctas con un lápiz.

INFORMACIÓN ÚTIL

- Lee cada texto de manera independiente.
- Lee con atención.
- Las instrucciones son muy importantes. Es esencial entenderlas antes de empezar a leer los textos.
- Si hay palabras que no entiendes, pregúntate si se parecen a palabras en tu lengua e intenta deducir su significado apoyándote en las que sí comprendes, en el contexto.
- No se penalizan las respuestas incorrectas.

PRUEBA DE COMPRENSIÓN DE LECTURA TAREA 1

Tipos de texto
Textos informativos complejos (de entre 400 y 450 palabras) de los ámbitos público y profesional.

Número de ítems
6

Qué tengo que hacer
Leer un texto y contestar a seis preguntas de selección múltiple con tres opciones de respuesta.

Nuestros consejos

- Dedica a esta tarea unos 15 minutos, ya que la prueba consta de cuatro tareas en total y tienes 70 minutos para realizarla.
- Puede ser útil leer las preguntas antes de leer el texto, pues te ayudará a localizar la información relevante.
- Ten en cuenta que, muchas veces, lo que se te pide en la pregunta aparecerá en el texto con sinónimos o con expresiones diferentes.
- Si el tiempo se acaba y no tienes clara alguna de las respuestas, marca la que creas más probable, ya que las opciones incorrectas no se penalizan.

Instrucciones
Usted va a leer un texto sobre trastornos del sueño. Después, debe contestar a las preguntas (1-6). Seleccione la respuesta correcta (a / b / c). Marque las opciones elegidas en la **Hoja de respuestas**.

PRUEBA DE COMPRENSIÓN DE LECTURA
TAREA 1

A menudo, anteponemos otras prioridades a tener una adecuada higiene del sueño -variedad de prácticas y hábitos que son necesarios para tener una buena calidad de sueño-, lo que podría afectar a nuestra salud mental y física.

De hecho, entre el 20 y 48 % de la población adulta sufre, en algún momento, dificultad para iniciar o mantener el sueño, mientras que un 30 % se medica para dormir con fármacos, lo que puede entrañar graves riesgos para la salud. El doctor Javier Albares de la Unidad del Sueño del Centro Médico Teknon asegura que hay una serie de trastornos que son muy prevalentes entre la población -existen cerca de cien dolencias, aunque la mayoría son modificables y controlables con la ayuda de un especialista-. Tres de los más frecuentes son:

1. Síndrome de las piernas inquietas

"Los pacientes presentan unos síntomas que son difíciles de describir para ellos: inquietud, intranquilidad, así como una fuerte necesidad de moverse y tener que cambiar de posición constantemente; síntomas que sobre todo aparecen por la noche y también cuando están en reposo", explica el especialista.

Esta sensación de desasosiego se suele repetir casi todas las noches, e incluso en momentos en los que se está despierto, por lo que sienten la necesidad de mover las piernas para aliviar ese hormigueo o incomodidad, que volverá a aparecer con la inactividad. Esto provoca que los pacientes presenten dificultades para conciliar el sueño o "insomnio de conciliación".

Aunque no tiene cura, con un tratamiento eficaz sintomático se experimenta una gran mejoría. "Se puede dar en todas las edades, incluida la infancia", sentencia el experto.

2. Síndrome de la fase retrasada

Es muy común en los adolescentes, ya que se produce un desajuste entre su reloj biológico y sus necesidades académicas y familiares. "La hora a la que tienen sueño se retrasa y cada vez es más tardía. Hay varios motivos, en parte porque la biología de la adolescencia ya tiende a retrasarlo y en parte por una cuestión social, ya que solemos tener malos horarios".

El doctor explica que casi todos estos trastornos tienen tratamiento, aunque siempre hay que hacer un estudio cronobiológico previo para saber cuál es el desajuste. En este caso, se suele tratar o corregir con luz natural y un aporte externo de melatonina, sustancia que fabrica nuestro cerebro para dormir.

3. Síndrome de apnea del sueño

Sufrido por un 10 % de la población -de los cuales, la gran mayoría no están diagnosticados-, está relacionado con el ronquido. Es molesto e impide descansar a quienes duermen con estos pacientes, pero también impide a quienes lo sufren dormir un sueño reparador, y aumenta la tendencia a subir de peso o a que aparezcan repercusiones cardiovasculares, entre otros problemas.

Texto adaptado de www.clarin.com

1. Según el texto...
a. un tercio de la población adulta toma medicinas para conciliar el sueño.
b. casi la mitad de la población tiene dificultades para conciliar el sueño.
c. la falta de sueño es consecuencia de una mala salud mental y física.

2. Según el doctor Javier Albares...
a. los trastornos del dueño provocan dolencias crónicas.
b. los especialistas pueden curar los trastornos del sueño.
c. algunos trastornos del sueño son más comunes que otros.

3. Según el doctor, el síndrome de las piernas inquietas...
a. es un mecanismo para calmar el nerviosismo.
b. se produce cuando no se puede conciliar el sueño.
c. se da, sobre todo, en los niños.

4. El texto afirma que...
a. los trastornos del sueño de los adolescentes se deben a las exigencias académicas.
b. los adolescentes tardan más en conciliar el sueño.
c. es necesario cambiar los horarios de los adolescentes.

5. Según el texto, el síndrome de la fase retardada puede solucionarse...
a. ajustando los horarios.
b. si se sabe dónde está el problema.
c. con sustancias que estimulen la producción de melatonina.

6. Según el texto, muchas personas que sufren el síndrome de la apnea del sueño...
a. no son conscientes de ello.
b. tienen problemas de corazón.
c. tienen sobrepeso.

PRUEBA DE COMPRENSIÓN DE LECTURA
TAREA 2

Tipos de texto
Textos expositivos personales (de entre 130 y 150 palabras cada uno) que contienen puntos de vista, comentarios, opiniones o anécdotas de los ámbitos público y profesional.

Número de ítems
10

Qué tengo que hacer
Relacionar cuatro textos con diez enunciados o preguntas.

Nuestros consejos

- Antes de leer los textos, asegúrate de que entiendes bien las preguntas.
- Lee cada uno de los textos e intenta localizar la información que necesitas. Es muy probable que esta información se exprese en los textos con algún sinónimo.
- Ten en cuenta que en esta tarea siempre hay cuatro textos con información sobre el mismo tema, y, por tanto, con contenidos muy parecidos.
- En algunos casos, deberás inferir valoraciones, sentimientos o actitudes.

Instrucciones
Usted va a leer cuatro textos en los que cuatro personas hablan sobre su experiencia en programas de voluntariado. Relacione las preguntas (7-16) con los textos (A, B, C y D). Marque las opciones elegidas en la **Hoja de respuestas**.

A. BELÉN

El año pasado tomé la decisión de dejar mi trabajo y mi ciudad natal para embarcarme en la aventura de un voluntariado en la India. Allí he hecho un poco de todo: reportajes fotográficos, dar clases de informática, cocina e inglés para jóvenes; crear un sistema de evaluación para profesores.... Realmente, la experiencia ha sido fantástica. La diferencia entre "hacer turismo" y "vivir" en la India es abismal. He aprendido muchas cosas que de otra forma no hubiera podido aprender, he conocido a gente muy interesante, y ahora sé mucho más sobre mí misma y sobre lo que es trabajar en un país tan diferente al mío. Desde luego, es una experiencia vital que puede cambiarte la vida, pero antes de embarcarte en ella, tienes que pensarlo muy bien y hacerlo solo si sientes que estás preparado.

B. JAVIER

Llegué al albergue de la ONG y me encontré con un grupo humano valiosísimo y totalmente entregado a la labor que allí realiza. Desde el primer día, me hizo sentir como uno más. El lugar donde se encuentra el albergue, en plena selva, y los niños que viven allí hicieron que cada día de voluntariado fuera toda una experiencia.
Los pequeños son lo mejor del proyecto y la convivencia es maravillosa. Se aprende mucho de ellos y de la realidad que viven, totalmente diferente a la realidad en la que yo crecí. Es una experiencia que sin duda repetiría. El entorno y el día a día con estos niños que viven alejados de sus familias hace que te sientas como uno más en la pequeña familia que forma este albergue.

PRUEBA DE COMPRENSIÓN DE LECTURA
TAREA 2

C. EVA

Comencé en el mundo del voluntariado en agosto de 2011, en Guatemala. De esa maravillosa experiencia aprendí la importancia y el valor real de las cosas, al mismo tiempo que me sirvió para extraer algunas reflexiones para aplicar en mi día a día.
Este verano repetí, participando como voluntaria en un proyecto de rehabilitación e integración de la discapacidad infantil en Marruecos. En este proyecto nos planteamos varios objetivos: evaluar y tratar a niños con discapacidad, incluir la discapacidad en la sociedad a partir de actividades lúdicas y de ocio, crear una escuela de padres y conseguir que el centro contara con profesionales locales.
Aún no había despegado el avión de regreso a casa cuando supe que pronto volvería con algún proyecto bajo el brazo, para que el trabajo de grandes profesionales no cayera en saco roto.

D. LUZ

Cuando llegué de Colombia a España y después de terminar mis estudios en cooperación internacional, comencé a buscar un lugar donde hacer un voluntariado y poner en práctica todo lo que había aprendido. Así fue como conocí una pequeña asociación que trabaja para personas inmigrantes. Conocí gente entrañable, personas que con mucho esfuerzo habían llegado a España y que querían una mejor educación y mejores posibilidades para sus hijos. Personas inmigrantes como yo, pero con una historia de vida y un recorrido muy distinto al mío.
Ese año, la asociación cumplió tres años de vida, y con ello se abrían las posibilidades de presentarnos a convocatorias públicas, y fue así como comencé a formular proyectos que dieran continuidad al trabajo iniciado . Durante tres años realizamos proyectos en diferentes barrios de Madrid, en los que participé, de manera intermitente, como voluntaria o como profesional remunerada.

Adaptado de https://www.hacesfalta.org

	A. Belén	B. Javier	C. Eva	D. Luz
7. Afirma que antes de regresar ya estaba convencido/a de que repetiría la experiencia.	☐	☐	☐	☐
8. Compara su propia infancia con la de los niños con los que ha trabajado como voluntario/a.	☐	☐	☐	☐
9. Explica que cobró por su trabajo.	☐	☐	☐	☐
10. Dice que de su primera experiencia aprendió cosas que le sirvieron para su vida cotidiana.	☐	☐	☐	☐
11. Considera su experiencia como parte de su formación académica.	☐	☐	☐	☐
12. Da un consejo a las personas que quieran hacer un voluntariado.	☐	☐	☐	☐
13. Destaca la buena acogida por parte de sus compañeros.	☐	☐	☐	☐
14. Dice que trabajó como docente.	☐	☐	☐	☐
15. Cuenta su segunda experiencia de voluntariado.	☐	☐	☐	☐
16. Afirma que volvería a vivir esa experiencia.	☐	☐	☐	☐

PRUEBA DE COMPRENSIÓN DE LECTURA
TAREA 3

Tipos de texto
Artículos de opinión, noticias, cartas al director, guías de viaje, etc., (de entre 400 y 450 palabras) de los ámbitos público, profesional y académico.

Número de ítems
6

Qué tengo que hacer
Colocar seis de los ocho fragmentos numerados en el espacio del texto correspondiente.

Nuestros consejos

- Fíjate en que el fragmento elegido tenga coherencia con los enunciados anteriores y posteriores.
- Presta atención a las palabras del texto que pueden hacer referencia a otras que hay en el fragmento (pronombres, demostrativos, palabras sinónimas...).
- Recuerda que todavía te queda una tarea más por completar. Si encuentras dificultades para relacionar alguno de los fragmentos, déjalo para más tarde e inténtalo con los siguientes.
- Al finalizar la tarea, vuelve a leer el texto con los fragmentos seleccionados. Así verás si suena bien.

Instrucciones
Lea el siguiente texto, del que se han extraído seis fragmentos. A continuación, lea los ocho fragmentos propuestos (A-H) y decida en qué lugar del texto (17-22) hay que colocar cada uno de ellos.
Hay dos fragmentos que no tiene que elegir. Marque las opciones elegidas en la **Hoja de respuestas.**

Tiempos mejores

Organizar nuestra convivencia en función del bien común es el objetivo de la política. Y la distribución de nuestras actividades durante el año es, por esa razón, un asunto político. **17** .... Chile es un país con niveles de estrés preocupantes, y todo nuevo gobierno debería preguntarse cómo moderar este fenómeno, tan vinculado, por lo demás, a la violencia, la obesidad, la depresión y otros males.

Facilitar las comunicaciones, en este sentido, resulta una prioridad ineludible. **18** .... Lo mismo ocurre con todo trámite que es reducido, eliminado u ofrecido virtualmente. Si a esta interconexión le sumamos mejores modales, que hagan fluir con mayor suavidad nuestra interacción cotidiana, el resultado se multiplica.

19 .... Diciembre, nuestro diciembre es una de las peores herencias involuntarias de la colonización europea. En el hemisferio norte la Navidad y el Año Nuevo están muy lejos del verano y del cierre de año de las instituciones. Estas fiestas ocurren dentro de sus vacaciones de invierno, un periodo de paz y de encuentro hogareño, mientras afuera cae la nieve y predomina la oscuridad. **20** ....

Esta acumulación de cierres de año significa: fiestas y paseos de oficina, compras frenéticas de regalos para Navidad, exámenes universitarios, cierre de actas, postulación a becas y posgrados, movilizaciones en el sector estatal y en el privado para ganar terreno en el presupuesto del año siguiente, niños aburridos en la casa, comidas familiares, entrega de proyectos, congresos, foros, seminarios...Todo esto bajo un sol inclemente, y aderezado con miles de cumpleaños y nacimientos, dada la popularidad conceptiva del período marzo-abril. **21** ....

Diciembre, en suma, es un mes agotador.
22 ....

Si lográsemos mejorar nuestras comunicaciones, modales y organización del año, nuestra experiencia del tiempo cambiaría. Nuestras vidas se harían más dulces y tranquilas. Viviríamos, literalmente, tiempos mejores.

Adaptado de www.quepasa.cl

PRUEBA DE COMPRENSIÓN DE LECTURA
TAREA 3

A. Pero hay otro elemento tremendamente importante, además de las comunicaciones, que afecta a nuestra vida: la organización del año.

B. Ofrecer la posibilidad a los ciudadanos de realizar algunos trámites por internet mejoraría su calidad de vida.

C. Y eso sin mencionar los matrimonios y uniones civiles, que se concentran desproporcionadamente en el verano.

D. Toda mejora en el transporte urbano, por pequeña que sea, afecta positivamente a la calidad de vida de millones de personas.

E. El ritmo de nuestra agenda afecta profundamente a nuestra calidad de vida, productividad, ánimo, salud y vida familiar.

F. Y sería bueno para nuestra calidad de vida desplazar su carga hacia otros períodos del año menos intensos.

G. En estas circunstancias es mucho más fácil reducir el estrés que estas fiestas pueden provocar.

H. En nuestro caso, en cambio, en diciembre se agolpan sin piedad Navidad, Año Nuevo y el cierre del año escolar, económico, fiscal, tributario y laboral.

PRUEBA DE COMPRENSIÓN DE LECTURA
TAREA 4

Tipos de texto
Textos literarios e históricos, biografías, etc., (de entre 400 y 450 palabras) de los ámbitos público, profesional y académico.

Número de ítems
14

Qué tengo que hacer
Leer un texto y completar los huecos seleccionando una de la tres opciones de respuesta para cada uno de ellos.

 **Nuestros consejos**

- Fíjate en el tipo de palabra que va inmediatamente después del espacio que tienes que completar. Te ayudará a descartar alguna de las opciones.
- Haz una primera lectura del texto imaginando la palabra que pondrías en el hueco. En una segunda lectura, mira las opciones y decide cuál te parece la más adecuada.
- Si has llegado a esta última tarea con poco tiempo, recuerda no dejar ninguna de las respuestas en blanco. Marca siempre alguna de las opciones.
- Si tienes tiempo, haz una última lectura del texto con las opciones que has elegido y comprueba si suena bien.

Instrucciones
Lea el texto y rellene los huecos (23-36) con la opción correcta (a / b / c).
Marque las opciones elegidas en la **Hoja de respuestas**.

Estimado Google, esta solicitud mantiene cierta distancia con respecto al poder de las palabras. Espera hacer nacer en aquel o aquella a quien **23** .... designado para leerla un recuerdo ajeno, una voz que se vea como el viento en las cosas que mueve, los peinados, las ramas, las mangas rojas y blancas a los lados de la carretera. **24** .... Mateo y Olga prefieren no identificarse, suponen que tienes constancia de su ubicación y que no te preocupa. Su poder adquisitivo es escaso, tampoco representan un peligro y no hay nada en las redes sociales que llame la **25** .... sobre ellos. Son un número, un dato entre los millones de datos que archivas por inercia cada segundo. No te importan. Aunque eso puede cambiar.

Mateo, antes de conocer a Olga, quiso que le **26** .... en un curso de tu célebre Universidad de la Singularidad. En aquella ocasión procuró cumplir las reglas, atenerse al formulario: debía **27** .... "en menos de doscientas cincuenta palabras, cuál era la idea magnífica **28** .... pensaba impactar a mil millones de personas en diez años, y cómo esperaba conseguir que se **29** .... en una empresa". Debía hablar de las iniciativas y las compañías que ya había puesto en marcha, si había puesto, hablar de lo que salió bien y mal y de cómo **30** .... su éxito. Luego debía filmar un vídeo hablando un máximo de dos minutos en inglés para que vieran su cara y sus gestos: dos minutos para seducir con su lenguaje corporal, **31** .... curiosidad y pasión, mostrar que no causaría problemas y que sería capaz, en ese escaso tiempo, de hacer sonreír al interlocutor con frases divertidas, brillantes y, por supuesto, amables.

Mateo ni siquiera terminó de rellenar las casillas. **32** .... sabes, para los cursos de la universidad no se envía una solicitud, **33** .... que se van rellenando los datos del formulario que aparece en la pantalla. Se supone que este formulario solo está en el ordenador del solicitante hasta que pulsa el botón de enviar. Sin embargo, al otro lado alguien detecta que el formulario está **34** .... Por eso Mateo un día recibió un *mail* rutinario: habían notado que la solicitud estaba sin terminar, le daban consejos e instrucciones. Sugerían, por ejemplo, que antes de grabar el vídeo -uno de los apartados que le faltaban- escribiera el guion. Ese guion de menos **35** .... dos minutos. Luego le recordaban que el plazo terminaba en tres semanas. El mensaje venía sin firma. Mateo dio por hecho que **36** .... de un correo automatizado.

Belén Gopegui, *Quédate este día y esta noche conmigo*. Penguin Random House

	a.	b.	c.
23.	**a.** habrá	**b.** ha habido	**c.** haya
24.	**a.** Y eso que	**b.** Aunque	**c.** Aun así
25.	**a.** voz	**b.** atención	**c.** situación
26.	**a.** admitas	**b.** admitieras	**c.** hayas admitido
27.	**a.** exponer	**b.** invocar	**c.** exhibir
28.	**a.** con la que	**b.** con lo que	**c.** con quien
29.	**a.** convirtiera	**b.** creara	**c.** volviera
30.	**a.** medía	**b.** había medido	**c.** midiera
31.	**a.** transmitir	**b.** hacer	**c.** realizar
32.	**a.** como	**b.** porque	**c.** ya que
33.	**a.** pero	**b.** sino	**c.** aun
34.	**a.** a medias	**b.** en mitad	**c.** a medio
35.	**a.** que	**b.** de	**c.** para
36.	**a.** se trataba	**b.** trataba	**c.** describía

PRUEBA 2 COMPRENSIÓN AUDITIVA

CARACTERÍSTICAS DE LA PRUEBA

- La prueba de Comprensión auditiva tiene cinco tareas.
- Debes responder a 30 preguntas o ítems.
- La duración es de 40 minutos.
- Cuenta un 25 % de la calificación total del examen.
- Debes contestar en la Hoja de respuestas y marcar las respuestas correctas con un lápiz.

INFORMACIÓN ÚTIL

- Cada diálogo o texto se escucha dos veces.
- Antes de escuchar por primera vez, tienes unos segundos para leer las preguntas. Empieza por leerlas detenidamente.
- Sigue el orden de las tareas.
- Si hay palabras que no conoces, intenta relacionarlas con aquellas que son similares en tu lengua. Intenta también deducir su significado por el contexto.
- Revisa bien las instrucciones, las preguntas y las respuestas. En cada tarea hay diferentes tipos de texto.
- No se penalizan las respuestas incorrectas.

PRUEBA DE COMPRENSIÓN AUDITIVA TAREA 1

Tipos de texto
Conversaciones formales e informales cortas (de entre 40 y 60 palabras cada una) de los ámbitos personal, profesional, público y académico.

Número de ítems
6

Qué tengo que hacer
Escuchar seis conversaciones y responder a una pregunta sobre cada una. Para cada pregunta se dan tres opciones de las que solo una es correcta.

Nuestros consejos

- Lee atentamente las instrucciones, en ellas se dice qué tipo de textos vas a escuchar.
- Lee las opciones de respuesta que se ofrecen para cada pregunta y fíjate en las palabras clave. Piensa que en la grabación se puede dar esa información con palabras parecidas o con sinónimos.
- La primera vez que escuches el texto, intenta entender de qué trata y qué información proporciona. Antes de escuchar la segunda vez, procura anticipar la respuesta correcta; dispones de unos segundos entre ambas escuchas.
- La segunda vez que escuches, busca la palabra clave o la información concreta que te sirva para seleccionar la opción correcta.
- Tienes algunos segundos antes de pasar a la tarea 2. Utilízalos para revisar o completar los ítems de esta tarea.

PRUEBA DE COMPRENSIÓN AUDITIVA
TAREA 1

Instrucciones
Usted va a escuchar seis conversaciones breves. Escuchará cada conversación dos veces. Después debe contestar a las preguntas (1-6). Seleccione la opción correcta (a / b / c). Marque las opciones elegidas en la **Hoja de respuestas**. Tiene 30 segundos para leer las preguntas.

Conversación 1

1. Según la conversación...

a. Manuel pide un tiempo extra para terminar el trabajo.

b. la profesora sugiere que comiencen a distribuir el trabajo.

c. los estudiantes tienen otros trabajos con la misma profesora.

Conversación 2

2. El cantante afirma que la gira por Latinoamérica...

a. ha durado cuatro semanas.

b. terminará en Argentina.

c. empezó en Perú.

Conversación 3

3. Edu dice sobre el último libro de Juan Alba...

a. que le ha gustado mucho.

b. que le ha decepcionado.

c. que el tema no le ha sorprendido.

Conversación 4

4. Según la experta en medioambiente...

a. la mayoría de los ciudadanos cree que las medidas son necesarias.

b. son medidas efectivas en otros países.

c. estas medidas ya están dando buenos resultados en la ciudad.

Conversación 5

5. El cliente de la compañía de seguros...

a. no está contento con el trabajo realizado por el técnico.

b. amenaza con cancelar su póliza.

c. ya ha tenido antes otros problemas con la compañía.

Conversación 6

6. Según la grabación...

a. todos los gastos están incluidos en el alquiler.

b. Carlos no quiere decidir solo si quedarse con el piso.

c. Carlos está absolutamente seguro de que a su pareja le gustará el piso.

PRUEBA DE COMPRENSIÓN AUDITIVA
TAREA 2

Tipos de texto
Conversación entre dos personas (de entre 250 y 300 palabras) de los ámbitos personal y público.

Número de ítems
6

Qué tengo que hacer
Reconocer las ideas que se escuchan en una conversación y relacionarlas con las personas que participan en ella.

Nuestros consejos

- Lee atentamente las frases antes de escuchar la grabación y señala alguna palabra clave que pienses que será de ayuda en la comprensión.
- Recuerda que vas a escuchar dos veces la grabación. En una primera escucha, intenta captar la idea general y diferenciar bien lo que dice cada una de las personas. En la segunda, céntrate en las palabras clave para contestar correctamente.
- Ten en cuenta que es una conversación y las ideas no se presentan en orden lineal, aunque las frases siguen el orden de la conversación.

Instrucciones
Usted va a escuchar una conversación entre dos amigos, Álvaro y Bárbara. Indique si los enunciados (7-12) se refieren a Álvaro (A), a Bárbara (B) o a ninguno de los dos (C). Escuchará la conversación dos veces. Marque las opciones elegidas en la **Hoja de respuestas**.
Tiene 20 segundos para leer los enunciados.

	A. Álvaro	**B. Bárbara**	**C. Ninguno**
0. Se ha cambiado de casa.	☐	☐	☒
7. Pensaba que los alquileres eran muy caros cerca de su trabajo.	☐	☐	☐
8. Vive en su nuevo piso, cerca del trabajo.	☐	☐	☐
9. Una amiga suya también está buscando piso por la misma zona.	☐	☐	☐
10. Sugiere consultar internet para amueblar la casa.	☐	☐	☐
11. Ha estado de vacaciones.	☐	☐	☐
12. Va a celebrar su cumpleaños.	☐	☐	☐

PRUEBA DE COMPRENSIÓN AUDITIVA
TAREA 3

Tipos de texto
Entrevista radiofónica o televisiva (de entre 400 y 450 palabras) en la que se expone, describe o argumenta.

Número de ítems
6

Qué tengo que hacer
Escuchar una entrevista y responder a seis preguntas de opción múltiple, seleccionando una de las tres opciones de respuesta.

Nuestros consejos

- Lee atentamente las instrucciones, donde se menciona a quién se va a entrevistar, pues ello te ayudará a comprender el contexto.
- Las opciones que tienes que seleccionar están relacionadas con las respuestas de la persona entrevistada; sin embargo, es fundamental comprender las preguntas del entrevistador, ya que te ayudarán a entender mejor las respuestas.
- Normalmente, el entrevistador realiza seis preguntas, que corresponden a cada una de las opciones que tienes que seleccionar.
- El orden de las preguntas que tienes que responder suele coincidir con el orden en que se va desarrollando la entrevista.
- Recuerda que en todas las tareas de comprensión auditiva vas a escuchar la grabación dos veces. Por tanto, es mejor esperar a la segunda escucha para seleccionar la opción correcta. Cuando escuches la grabación por primera vez, céntrate en hacerte una idea global de los temas que se tratan.

Instrucciones
Usted va a escuchar una entrevista a un científico mexicano. Escuchará la entrevista dos veces. Después debe contestar a las preguntas (13-18). Seleccione la opción correcta (a / b / c). Marque las opciones elegidas en la **Hoja de respuestas**. Tiene 30 segundos para leer las preguntas.

13. Según Jorge Flores Valdés, hace cincuenta años los científicos...

a. no estaban interesados por la cultura.

b. tenían el mismo salario que los taxistas.

c. tenían que trabajar en varios sitios porque ganaban poco dinero.

14. Jorge Flores Valdés dice que la industria mexicana...

a. podría tener muchos beneficios si invirtiera en investigación.

b. no tiene capacidad para hacer investigación.

c. no tiene dinero para mantener laboratorios de investigación.

15. Según el científico, las empresas no invierten en ciencia porque...

a. la comunidad científica no es muy grande.

b. cada vez hay menos estudiantes de ciencias en las universidades.

c. hay otros sectores con mayor crecimiento.

16. Según Jorge Flores Valdés, la divulgación científica...

a. no se considera tan importante como otras acciones.

b. se realiza principalmente en revistas especializadas.

c. no se realiza en las universidades.

17. Jorge Flores Valdés considera que...

a. debería aumentar el número de niños y jóvenes en los programas de divulgación científica.

b. no hay ningún país donde se dé verdadera importancia a la divulgación.

c. las actividades de ciencia y tecnología no se sienten como parte de la cultura mexicana.

18. Jorge Flores Valdés cree que para el futuro de la ciencia es importante...

a. que las empresas tomen conciencia del valor económico que supone.

b. que la sociedad y los políticos tomen conciencia de su importancia.

c. que se invierta dinero de manera urgente.

PRUEBA DE COMPRENSIÓN AUDITIVA
TAREA 4

Tipos de texto
Monólogos cortos (de entre 50 y 70 palabras cada uno) de los ámbitos profesional y académico que narran o describen experiencias, o que expresan valoraciones, opiniones o consejos del hablante.

Número de ítems
6

Qué tengo que hacer
Escuchar seis mensajes breves y relacionarlos con seis de los diez enunciados posibles. Hay un enunciado que sirve de ejemplo.

Nuestros consejos

- Recuerda que solo debes seleccionar seis de los diez enunciados.
- En una primera escucha marca las respuestas de las que estés seguro y, si lo tienes claro, descarta los enunciados que no corresponden a ninguna de las personas.
- Concéntrate en localizar las frases que tienen el mismo sentido que los enunciados. Ten en cuenta que, al hablar todas las personas sobre el mismo tema, es posible que utilicen un vocabulario muy parecido.

Instrucciones
Usted va a escuchar a seis personas que dan consejos para elegir una carrera. Escuchará a cada persona dos veces.
Seleccione el enunciado (A-J) que corresponde al tema del que habla cada persona (19-24). Hay diez enunciados incluido el ejemplo. Seleccione solamente seis.
Marque las opciones elegidas en la **Hoja de respuestas**.

Ahora escuche el ejemplo.

Persona **0**
La opción correcta es la **F**.

Ahora tiene 20 segundos para leer los enunciados.

A.	Sigue tu vocación.	**F.**	Imagina que eres otra persona y dale un consejo.
B.	Estudia algo que te haga millonario.	**G.**	Haz alguna formación gratuita antes de decidirte.
C.	Especialízate en una cosa.	**H.**	Infórmate sobre las opciones laborales.
D.	Estudia algo relacionado con materias que siempre van a ser útiles.	**I.**	Busca el mejor curso en internet.
E.	Fíjate en los contenidos de los estudios y no en el prestigio de la institución.	**J.**	Consulta con tu familia para conocer su opinión.

	Persona	Enunciado
	Persona 0	F
19.	Persona 1	
20.	Persona 2	
21.	Persona 3	
22.	Persona 4	
23.	Persona 5	
24.	Persona 6	

PRUEBA DE COMPRENSIÓN AUDITIVA
TAREA 5

44

Tipos de texto
Conferencia, discurso o monólogo sostenido en el que se describen o narran proyectos o experiencias de los ámbitos público, profesional y académico (entre 400 y 450 palabras).

Número de ítems
6

Qué tengo que hacer
Escuchar un texto y responder a seis preguntas de opción múltiple, seleccionando una de las tres opciones de respuesta.

Nuestros consejos

- Lee atentamente las preguntas antes de escuchar, ya que puedes encontrar palabras clave que te ayuden a seguir el texto. Señálalas y presta atención a sus posibles sinónimos, porque muy probablemente te den la clave para encontrar la solución.
- Como en las anteriores tareas de esta prueba, escucharás la grabación dos veces. Intenta que la segunda escucha te sirva para comprobar las respuestas que das en la primera.
- Ten en cuenta que, al terminar el audio, todavía dispones de un minuto para pasar las respuestas a la hoja correspondiente.

Instrucciones
Usted va a escuchar en versión locutada a la presidenta de la ASEP (Asociación de Emprendedores de Perú), Camila González. Escuchará la audición dos veces. Después debe contestar a las preguntas (25-30). Seleccione la opción correcta (a / b / c).
Marque las opciones elegidas en la **Hoja de respuestas**.
Tiene 30 segundos para leer los enunciados.

25. Camila González dice que...

a. su familia la apoyó en sus inicios como emprendedora.

b. estuvo en contacto con emprendedores durante su infancia.

c. faltaba al colegio para trabajar en la tienda de su padre.

26. La emprendedora peruana dice que durante sus estudios universitarios...

a. tuvo una buena formación en emprendimiento.

b. trabajó en una multinacional dedicada a la tecnología.

c. su mayor deseo era ser emprendedora.

27. Camila afirma que...

a. es bueno practicar un deporte para contrarrestar el estrés que supone el emprendimiento.

b. la tenacidad es uno de los factores de éxito en el emprendedor.

c. cada vez disfruta menos del peligro que supone el emprendimiento.

28. Uno de los objetivos de la ASEP es...

a. generar puestos de trabajo para los emprendedores.

b. tejer redes de emprendedores para que puedan ampliar sus horizontes.

c. ampliar el número de emprendedores y emprendedoras en el Perú.

29. Camila González cree que...

a. si tienes muchas ganas de hacer algo, triunfarás.

b. es malo no hacer algo si tienes el deseo de hacerlo.

c. si eres valiente, cualquier cosa que empieces se convertirá en algo grande.

30. Uno de los consejos que da Camila a los que quieren emprender es...

a. que no vale la pena empezar algo que no te apasiona.

b. que es mejor comenzar en solitario y luego buscar un equipo para consolidar el proyecto.

c. que lo hagan junto a personas de otras disciplinas.

PRUEBA 3
EXPRESIÓN E INTERACCIÓN ESCRITAS

CARACTERÍSTICAS DE LA PRUEBA

- La prueba de Expresión e interacción escritas tiene dos tareas: una de expresión escrita y otra de interacción escrita.
- Debes redactar dos textos a partir de otros textos o de gráficos que se proporcionan.
- La duración es de 80 minutos.
- Cuenta un 25 % de la calificación total del examen.
- Debes escribir los textos a bolígrafo, en el espacio reservado para cada tarea en la Hoja de respuestas correspondiente.

INFORMACIÓN ÚTIL

- Lee bien las instrucciones para asegurarte de que entiendes qué tienes que hacer.
- Haz un esquema con las ideas principales y el vocabulario que puedas utilizar. Usa solo palabras cuyo significado conoces bien.
- Escribe textos claros y sencillos. Si intentas demostrar todo lo que sabes y utilizas estructuras complicadas, es posible que tu mensaje no se entienda bien.
- En la corrección de la prueba, los calificadores tienen en cuenta los siguientes aspectos: adecuación al género discursivo (es decir, si el texto que se presenta es de la tipología que se pide y se desarrollan los puntos de orientación dados), coherencia (estructura del texto, uso de conectores, puntuación...), corrección (ortografía y gramática), uso de vocabulario (si es adecuado a la situación planteada, si dominas expresiones idiomáticas o coloquiales, si utilizas vocabulario abstracto, etc.).
- Escribe una primera versión del texto (en el centro de examen te proporcionarán papel para hacer un borrador) y revísala. En una segunda versión, añade los conectores y marcadores discursivos necesarios para cohesionar el texto.
- Relee tu texto antes de escribirlo en la Hoja de respuestas. Cuenta las palabras para estar seguro de ceñirte a los límites establecidos.

EXPRESIÓN E INTERACCIÓN ESCRITAS
TAREA 1

45

Tipos de texto
Noticias, anuncios, ofertas, comentarios, retransmisiones deportivas, etc., que sirven de base para la redacción del texto que debes escribir.

Qué tengo que hacer
Escuchar un texto y tomar notas para, posteriormente, escribir una carta o un correo electrónico que recoja los contenidos relevantes y que exprese una opinión sobre ellos. Tu texto debe tener una extensión de entre 150 y 180 palabras.

 **Nuestros consejos**

- Lee atentamente las instrucciones para saber qué tipo de texto se pide y qué información debes incluir en él.
- Escucha atentamente el texto de entrada (lo escucharás dos veces) y anota las ideas principales. Piensa que el objetivo de la tarea es reaccionar a las ideas que escuches, valorándolas o respondiendo a ellas.
- Escribe un borrador del texto.
- No olvides usar las fórmulas de saludo y despedida adecuadas.
- Antes de escribir tu respuesta en la Hoja de respuestas, lee el borrador y comprueba que has tratado todos los puntos que se piden.
- Cuenta las palabras para asegurarte de que has respetado los límites establecidos.

Instrucciones
Usted está buscando trabajo y ha escuchado esta noticia sobre una oferta en la Antártida. Escriba un correo electrónico en el que se interesa por el puesto de trabajo y pide más información. En el texto deberá:

- Presentarse y exponer el motivo de su carta.
- Resumir brevemente su currículum y experiencia laboral.
- Explicar los motivos por los que le gustaría trabajar en el puesto.
- Pedir información sobre algún aspecto no mencionado.
- Solicitar una respuesta y despedirse.

Para ello, va a escuchar una noticia sobre esta oferta laboral.

EXPRESIÓN E INTERACCIÓN ESCRITAS
TAREA 2

Tipos de texto
Noticia breve de una revista, blog o red social.

Qué tengo que hacer
Redactar un artículo de opinión para un periódico, blog o revista en el que expongas las ideas principales y secundarias de manera clara, detallada y bien estructurada. Tu texto debe tener una extensión entre 150 y 180 palabras.

Se ofrecen dos opciones.

- Opción A: un artículo en el que se debe comentar un gráfico.
- Opción B: un artículo en un blog o una reseña.

Nuestros consejos

- Ambas opciones ofrecen un estímulo de entrada. Escoge la que te resulte más fácil a la hora de escribir por el tema tratado, las estructuras que deberás usar, el léxico que tendrás que utilizar...
- Escribe un borrador del texto. No olvides incluir una introducción y una conclusión final, así como seguir las pautas que se ofrecen para la redacción del texto.
- Antes de escribir tu respuesta en la Hoja de respuestas, lee el borrador y comprueba que has tratado todos los puntos que se piden.
- Cuenta las palabras para asegurarte de que has respetado los límites establecidos.
- No olvides que en esta prueba debes escribir con bolígrafo.

Instrucciones

Opción 1
Usted colabora en una revista cultural y tiene que escribir un artículo sobre las actividades artísticas que realiza la población española.
En el artículo debe incluir la información que aparece en el siguiente gráfico y analizarla.

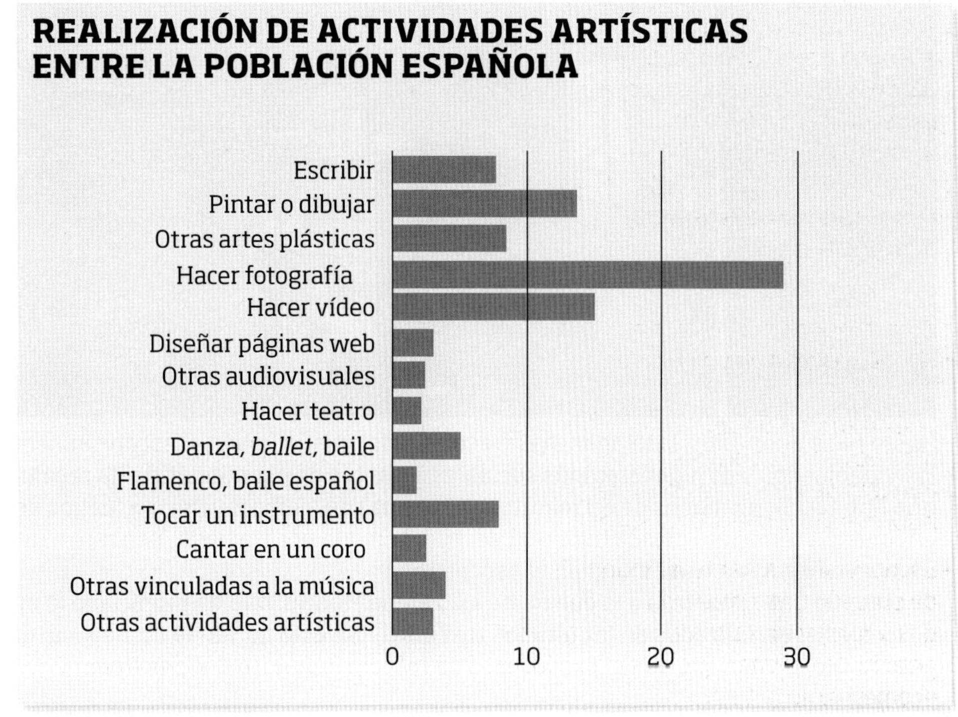

Fuente: www.mecd.gob.es

Redacte un texto en el que deberá:
- introducir el tema;
- comparar de forma general los porcentajes de actividades artísticas realizadas por la población española;
- destacar los datos que considere más importantes;
- expresar su opinión sobre la información que ofrece el gráfico;
- elaborar una conclusión.

Número de palabras: entre 150 y 180.

EXPRESIÓN E INTERACCIÓN ESCRITAS
TAREA 2

Opción 2

Usted tiene un blog sobre ocio y tiempo libre. Lea la siguiente noticia sobre los *escape rooms* y escriba un texto sobre ello.

Hasta hace unos años, la imagen más frecuente de un aficionado al escapismo era la de un huraño enganchado a los videojuegos. Los jugadores más sociables amantes de esta temática -la resolución de enigmas para lograr salir de una habitación en menos de 60 minutos- participaban, como mucho, en juegos de realidad virtual con otros "frikis" en línea. Sin embargo, desde hace una década, la moda por trasladar ese reto a una habitación real hizo que naciera un nuevo negocio a nivel mundial: el *escape room*.
Se trata de una tendencia a la que no ha sido ajena Madrid, que ha propiciado la apertura de más de una decena de locales especializados en los últimos tres años. "Se está abriendo un negocio de este tipo al mes en la capital", explica Diego Vázquez, que el pasado mes de febrero inauguró Enigma Room y ya tiene lista de espera de dos semanas.

Los clientes -grupos de hasta siete personas- entran a ciegas en salas temáticas que van desde el apartamento de un científico loco a los sótanos de un terrorista o la tumba de un faraón. Candados, jeroglíficos, notas y objetos se muestran ante ellos. El hilo es una historia misteriosa, intrigante. Mientras, una pantalla marca la cuenta atrás de 60 minutos.

Los grupos son muy variados, desde empleados de una empresa que acuden para reforzar el trabajo en equipo hasta familias o amigos que celebran allí una despedida o un cumpleaños.

Adaptado de: http://www.abc.es/plan-b/relajarse/abci-escape-room-fiebre-juegos-escapismo-madrid-201604282216_noticia.html

Redacte un texto en el que deberá:

- hacer una pequeña introducción sobre el origen del *escape room*;
- valorar el surgimiento de la moda del *escape room*;
- contar en qué consiste esta experiencia;
- elaborar una opinión sobre esta moda;

Número de palabras: entre 150 y 180.

PRUEBA 4
EXPRESIÓN E INTERACCIÓN ORALES

CARACTERÍSTICAS DE LA PRUEBA

- La prueba de Expresión e interacción orales tiene tres tareas: dos de expresión e interacción y una de interacción.
- La duración es de 20 minutos.
- Cuenta un 25 % de la calificación total del examen.
- Tienes un tiempo de preparación de 20 minutos para las tareas 1 y 2, durante el cual puedes tomar notas y escribir un esquema que puedes consultar (pero no leer) durante la prueba.
- Al inicio de la prueba, el examinador te hará una serie de preguntas de contacto. Su objetivo es romper el hielo y que te relajes, en caso de que estés nervioso.

INFORMACIÓN ÚTIL

- Durante la prueba habrá dos personas: un examinador, que será la persona con la que hables, y un calificador, que será la persona que evalúe detalladamente tu actuación. Lo normal es que esta última esté de espaldas a ti. Así son las normas que establece el Instituto Cervantes en cuanto a la posición que deben mantener las personas implicadas en el examen.
- Demuestra lo que sabes en español: si se te dan bien los verbos y su conjugación, o si tienes un vocabulario rico sobre el tema que te proponen, ¡demuéstralo!
- La pronunciación y la entonación son importantes: intenta expresarte con claridad para que el examinador entienda lo que quieres decir.
- Para preparar esta prueba, es conveniente aprender algunas frases y expresiones con las que comenzar, terminar y concluir un discurso. También puede ser útil repasar los conectores y los marcadores discursivos que te permiten enlazar ideas.

EXPRESIÓN E INTERACCIÓN ORALES
TAREA 1
VALORAR PROPUESTAS Y CONVERSAR SOBRE ELLAS

Tipos de texto
Lámina con una situación problemática y de cinco a siete propuestas para solucionarla o mejorarla.
Hay un ejemplo de intervención.

Qué tengo que hacer
Valorar las ventajas y los inconvenientes de una serie de soluciones propuestas para una situación problemática. Debes mantener un monólogo durante tres o cuatro minutos. A continuación, debes conversar con el examinador sobre ese mismo tema durante dos o tres minutos más. Tienes dos opciones para elegir.

Nuestros consejos

- Intenta estar relajado. De esta manera mostrarás todo lo que sabes hacer en español de una manera mucho más eficaz.
- Elige la opción con la que te encuentres más seguro y en la que dispongas de más recursos para mantener una conversación.
- Utiliza los marcadores del discurso para organizar el monólogo: **Para empezar**, **en primer lugar**; **por otro lado**, **para terminar**...
- Lee atentamente la información de los textos propuestos, ya que debes ceñirte al tema.
- Durante la conversación, si no entiendes alguna de las preguntas del entrevistador, pídele que la repita o te dé algún tipo de aclaración. Piensa que este recurso forma parte de las conversaciones en la vida real.

Instrucciones
Le proponemos dos temas con algunas indicaciones para preparar una exposición oral. Elija uno de ellos.
Tendrá que hablar durante 2 o 3 minutos sobre ventajas e inconvenientes de una serie de soluciones propuestas para una situación determinada.
A continuación, conversará con el entrevistador sobre el tema.

EJEMPLO DE TEMA: LA CONTAMINACIÓN ACÚSTICA

En su barrio hay un grave problema de contaminación acústica. Es un barrio céntrico de una gran ciudad, con mucho tráfico, mucho turismo y en una zona de ocio nocturno. En la asociación de vecinos se han reunido para hablar sobre el tema y buscar soluciones.
Lea las siguientes propuestas y, durante dos minutos, explique sus ventajas y sus inconvenientes. Tenga en cuenta que debe hablar, como mínimo, de cuatro de ellas. Cuando haya finalizado su intervención, debe conversar con el entrevistador sobre el tema de las propuestas.
Para preparar su intervención, al analizar cada propuesta debe plantearse por qué le parece una buena solución y qué inconvenientes tiene, a quién beneficia y a quién perjudica, si puede generar otros problemas, si habría que matizar algo, etc.

EXPRESIÓN E INTERACCIÓN ORALES
TAREA 1
VALORAR PROPUESTAS Y CONVERSAR SOBRE ELLAS

Los vecinos podríamos pedir subvenciones al Ayuntamiento para aislar nuestras viviendas de los ruidos del exterior.

Yo pondría multas a todos los vehículos que superaran los niveles de ruido permitidos y fomentaría el uso de coches eléctricos.

Yo pediría al Ayuntamiento que sustituyera el pavimento de las carreteras por uno que absorbiera el impacto del ruido de los coches.

Se deberían hacer campañas de concienciación ciudadana para informar de los efectos negativos del ruido sobre la salud y para fomentar un comportamiento respetuoso.

Deberían controlar la emisión de ruidos en los bares y las discotecas, y concienciar a los usuarios de estos locales sobre las molestias que pueden suponer para los vecinos.

Yo prohibiría los alquileres turísticos en nuestra zona, porque los turistas llegan y se van de noche y hacen muchísimo ruido con sus maletas, sus conversaciones...

EXPOSICIÓN

Ejemplo: A la propuesta de prohibir los alquileres turísticos le veo una desventaja clara...

CONVERSACIÓN

Una vez que haya hablado de las propuestas de la lámina durante el tiempo estipulado (2 o 3 minutos), el entrevistador le hará algunas preguntas sobre el tema hasta cumplir con la duración de la tarea.

EJEMPLO DE PREGUNTAS DEL ENTREVISTADOR

Sobre las propuestas

- De las propuestas dadas, ¿cuál le parece la mejor?

Sobre su realidad

- ¿Cree que en su barrio hay un problema de contaminación acústica? En caso afirmativo, ¿las autoridades toman algún tipo de medida?

Sobre sus opiniones

- ¿Cree que la contaminación acústica es un problema de salud al que no se le da la importancia que merece?

EXPRESIÓN E INTERACCIÓN ORALES
TAREA 2
DESCRIBIR LA SITUACIÓN DE UNA FOTOGRAFÍA Y CONVERSAR SOBRE ELLA

Tipos de texto
Lámina con una fotografía, un enunciado que describe la situación y pautas para la intervención.

Qué tengo que hacer
Describir una situación a partir de una foto y, a continuación, conversar sobre la misma con el entrevistador. Se ofrecen dos opciones.

 **Nuestros consejos**

- Recuerda que tienes 15 minutos para preparar las tareas 1 y 2. Durante la preparación de esta última, es importante que actives todo el vocabulario que conozcas relacionado con la situación de la fotografía.
- Debes mantener, en primer lugar, un monólogo sostenido durante dos o tres minutos en el que describas la fotografía. Intenta aportar el máximo número de detalles, aunque pienses que no tienen importancia.
- Durante la conversación, que tendrá la misma duración que el monólogo, el entrevistador te hará unas preguntas, pero si consigues hablar de lo que sabes, podrás guiar la conversación y conseguir que te haga preguntas a las que contestar con éxito.
- Si no sabes responder a alguna de las preguntas, puedes decir con tranquilidad que no tienes mucha experiencia sobre el tema y pedir que te haga otra pregunta.

EJEMPLO DE FOTOGRAFÍA: CELEBRACIÓN
Las personas de la fotografía están celebrando algo. Imagina la situación y habla de ella durante, aproximadamente, dos minutos. Estos son algunos aspectos que puedes comentar.

- ¿Dónde están las personas? ¿Por qué?
- ¿Qué relación tienen entre sí?
- ¿De qué crees que pueden estar hablando? ¿Por qué?
- ¿Qué crees que va a ocurrir después? ¿Cómo va a terminar la situación?

EXPRESIÓN E INTERACCIÓN ORALES
TAREA 3
CONVERSAR SOBRE UN ESTÍMULO ESCRITO O GRÁFICO

Tipos de texto
Una lámina con las instrucciones de la tarea y el estímulo para conversar: resultados de una encuesta sobre algún tema.

Qué tengo que hacer
Contestar a las preguntas de una encuesta y comparar tus respuestas con los resultados obtenidos en ella entre los habitantes de algún país de habla hispana.

Nuestros consejos

- Recuerda que esta tarea no la puedes preparar. En la sala de examen te darán a elegir entre dos opciones y tendrás que seleccionar una de ellas después de haber leído únicamente el título.
- Una vez seleccionada la lámina, tienes un minuto para leer su contenido. No la leas con detalle, ya que no tendrás tiempo. Durante la conversación con el entrevistador podrás tenerla delante para consultar la información.
- Ten en cuenta que aquí no tienes que hacer un monólogo, sino mantener una conversación informal, con las características propias de esta (superposición de turnos de habla, uso de marcadores discursivos orales, vocabulario coloquial, etc.).

Instrucciones
Usted debe conversar con el entrevistador sobre los datos de una encuesta, expresando su opinión al respecto. Deberá elegir una de las dos opciones propuestas.

EJEMPLO DE PROPUESTA: EL COMERCIO ELECTRÓNICO
Este es un cuestionario realizado por una empresa española para conocer los hábitos de los españoles al comprar por internet. Seleccione las respuestas según su criterio personal.

1. Antes de comprar un producto o servicio *online*, ¿qué fuentes de información tiene en cuenta?
- ☐ Amigos o familiares.
- ☐ Blogs y foros de opinión.
- ☐ Va a una tienda física.
- ☐ Redes sociales.
- ☐ Otras fuentes: ....

2. ¿Desde dónde realiza sus compras por Internet?
- ☐ Hogar.
- ☐ Trabajo.
- ☐ En movilidad.
- ☐ Puntos de acceso públicos.
- ☐ Escuela / universidad.
- ☐ Cibercafés / otros puntos de acceso privados.

3. ¿Desde qué dispositivo suele realizar sus compras por internet?
- ☐ Solo ordenador.
- ☐ Solo teléfono móvil.
- ☐ Solo tableta.
- ☐ Ordenador y teléfono móvil.
- ☐ Ordenador y tableta.
- ☐ Ordenador, teléfono móvil y tableta.

4. ¿Qué medio de pago prefiere en sus compras *online*?
- ☐ PayPal.
- ☐ Tarjeta de débito.
- ☐ Transferencia bancaria.
- ☐ Contrarreembolso.
- ☐ Tarjeta de crédito.
- ☐ Otros medios: ....

5. Indique cuál es, en su opinión, el aspecto más positivo a la hora de comprar por internet.
- ☐ Comprar desde cualquier lugar.
- ☐ Comprar a cualquier hora del día.
- ☐ Rapidez y facilidad en el proceso de compra.

EXPRESIÓN E INTERACCIÓN ORALES
TAREA 3
CONVERSAR SOBRE UN ESTÍMULO ESCRITO O GRÁFICO

Fíjese ahora en los resultados de la encuesta entre los españoles.

1. Antes de comprar un producto o servicio *online*, ¿qué fuentes de información tiene en cuenta? (en porcentaje múltiple)

- ☐ Amigos o familiares. **62 %**
- ☐ Blogs y foros de opinión. **54 %**
- ☐ Va a una tienda física. **49 %**
- ☐ Redes sociales. **33 %**
- ☐ Otras fuentes. **5 %**

2. ¿Desde dónde realiza sus compras por internet?

- ☐ Hogar. **98 %**
- ☐ Trabajo. **11 %**
- ☐ En movilidad. **6 %**
- ☐ Puntos de acceso públicos. **2 %**
- ☐ Escuela / universidad. **2 %**
- ☐ Cibercafés / otros puntos de acceso privados. **1 %**

3. ¿Desde qué dispositivo suele realizar sus compras por internet?

- ☐ Solo ordenador. **76 %**
- ☐ Solo teléfono móvil. **1 %**
- ☐ Solo tableta. **1 %**
- ☐ Ordenador y teléfono móvil. **13 %**
- ☐ Ordenador y tableta. **4 %**
- ☐ Ordenador, teléfono móvil y tableta. **5 %**

4. ¿Qué medio de pago prefiere en sus compras *online*?

- ☐ PayPal. **71 %**
- ☐ Tarjeta de débito. **51 %**
- ☐ Transferencia bancaria. **24 %**
- ☐ Contrareembolso. **24 %**
- ☐ Tarjeta de crédito. **20 %**
- ☐ Otros medios. **2 %**

5. Indique cuál es, en su opinión, el aspecto más positivo a la hora de comprar en internet.

- ☐ Comprar desde cualquier lugar. **22 %**
- ☐ Comprar a cualquier hora del día. **15 %**
- ☐ Rapidez y facilidad en el proceso de comprar. **11 %**

Comente ahora con el entrevistador su opinión sobre los datos de la encuesta y compárelos con sus propias respuestas.

- ¿En qué coinciden? ¿En qué se diferencian?
- ¿Hay algún dato que le llame especialmente la atención? ¿Por qué?

TRANSCRIPCIONES

Unidad 1
¿Me quiere o no me quiere?

DOSIER 01: LIGAR DESDE EL SOFÁ

1

–Pues, mira, llevamos juntos… no sé… ¿Cuándo nos conocimos? Hace año y medio más o menos. Y, bah, nos llevamos muy bien, pero yo no acabo de estar muy segura, ¿sabes? Es que… no sé, me parece que somos superdiferentes.
–Bueno, a veces las personas diferentes son las que más se atraen.
–Sí, sí, bueno. Pero, bueno, la verdad es que luego, cuando estamos juntos, nos lo pasamos genial y entonces… por ahí muy bien, muy bien. Pero, bueno, si yo ahora estoy mucho más metida en…, bueno, en internet que estoy todo el rato y con las redes sociales y estoy empezando a conseguir… bueno, me han hecho algunas propuestas de publicidad… Entonces, estoy ahí con eso todo el rato.
–Ah, muy bien.
–Y casi no tengo tiempo tampoco para quedar con él luego, ¿sabes?
–Bueno…
–Entonces… esto. Estamos que… que si somos diferentes, que si yo tengo que hacer muchas cosas, y él está supercentrado en los estudios también. Entonces, claro, tampoco nos vemos tanto, no sé.

2

–Oye, Julieta, tú y tu pareja os conocisteis por internet, ¿no?
–Sí, sí, en una… en un portal de citas de estos. Es una cosa rara porque yo de verdad creía que… creía que estas cosas, de verdad, no funcionaban, pero cuando llegué a la ciudad y empecé a trabajar en este lugar y como no conocía a nadie, dije "Bueno, pruebo. Total…".
–Claro.
–"¿Qué voy a perder?"
–Sí.
–Y… y… bueno, vi el perfil de él, vi un montón de perfiles… Y no sabía muy bien cómo funcionaba, y entonces vi el perfil de él y me gustó, me pareció simpático, atractivo, no sé. Igual estas cosas son rarísimas porque uno pone como… no sé… aficiones…
–Sí, se lo puede… claro, se lo puede inventar y tal, ¿no?
–Claro. Entonces yo… bueno… le escribí y enseguida conectamos así escribiendo y muy rápido él me dijo que nos viéramos…
–Pero, ¿habías tenido alguna anterior? ¿Algún contacto anterior con alguien?
–No, no, nada, nada, nada. De hecho, cuando él me dijo de quedar, estuve a punto de cancelar porque pensé: "No sé… A mí estas cosas…".
–Un poco extraño, ¿no?
–Sí. Extraño, extraño. Pero, bueno, al final dije: "Voy. ¿Qué pasa? No pierdo nada". Y…
–¿Y fue bien?
–Sí. Nos encontramos en un bar y enseguida nos pusimos a charlar y tuvimos así como una conexión increíble, empezamos a hablar de cosas de la vida como si nos conociéramos de siempre… superbién. Y…
–Sí, claro, porque a lo mejor cosas que viste en su perfil… de por sí ya eras proclive a…
–Pero…
–No, bueno, eso es suerte también, ¿no?
–Pero a veces uno se queda como medio duro en estas situaciones, que no sabe… como si fuera una entrevista de trabajo…
–Claro…
–Que no sabe muy bien qué hacer, qué decir…
–Ya…
–Y no, no. Fue muy bien…

3

–Pues yo conocí a mi marido en el instituto.
–¡Anda!
–Tenía yo… 15 años.
–De niños, niños.
–Niños. Y él, 16, imagínate. Éramos muy jóvenes y yo pensaba…, pues que sería el típico amor del cole.
–Claro, pasajero.
–Y mira, no. Llevamos 40 años juntos.
–¿40 años?
–40. Fuimos a la universidad juntos, también. Aunque, bueno, él no terminó la carrera.
–Ah, ¿no? ¿Por qué?
–No. Se tuvo que poner a trabajar.
–Ah, claro…
–Y en esa época, pues nos veíamos poco y fue una época… un poco difícil. Pero, bueno, lo superamos, nos casamos y, después, tuvimos a los mellizos.
–¡Anda, mellizos!
–Sí, sabes que los niños, los dos, son mellizos.
–Sí.
–Y, bueno, pues las cosas se complicaron un poco más…, pero, bah, nos acabamos organizando y…
–Claro. Tú no trabajabas.
–Sí, sí, sí, sí. Yo…, bueno, excepto los… unos meses cuando nacieron los…
–Cuando nacieron los peques, claro.
–Pero, bueno, mira… Somos muy diferentes, ¿eh? Y siempre hemos sido bastante diferentes, pero también tenemos muchas cosas en común.

TALLER DE USO 01

Mi abuelo paterno, después de la guerra civil española, tuvo que dejar el país en barco y llegó a México a finales de 1939. Aunque era estudiante de música, al principio trabajó como mesero en un café de la Ciudad de México, pero pronto se puso a trabajar de pianista en el mismo local. Mientras estuvo trabajando en el café, no dejó nunca de estudiar música y acabó dirigiendo una pequeña orquesta de aficionados.

TRANSCRIPCIONES
LIBRO DEL ALUMNO

Mi abuela era hija de una familia adinerada que quería casarla con un señor muy rico. Una tarde, cuando mi abuelo ya llevaba dos años viviendo aquí, mi abuela asistió a uno de los conciertos. Allí se conocieron y se enamoraron. Él no era rico; por eso los padres no estaban de acuerdo con la relación y, como mi abuela seguía sin querer casarse, empezaron a acelerar los planes de casarla con el otro señor.
Por su parte, mi abuelo decidió irse a los Estados Unidos para ganar dinero y poder regresar para pedir la mano de mi abuela. Como era difícil que mi abuelo consiguiera mucho dinero, ella les pidió a sus padres que la invitaran a un viaje a Estados Unidos con dos amigas para comprar todo el ajuar de novia y casarse con el señor rico. Mis bisabuelos al principio se negaron, pero como ella seguía insistiendo, al final dijeron que sí y mi abuela pudo ir a buscar a mi abuelo.
Al llegar a Estados Unidos, mi abuela encontró a mi abuelo que trabajaba para la radio y los dos se casaron en secreto. Sus amigas regresaron a México y contaron lo que había pasado. Al principio, mis bisabuelos se enojaron un montón, pero acabaron aceptando el matrimonio. Mis abuelos estuvieron viviendo un rato en Estados Unidos donde tuvieron a su primera hija y, cuando llevaban tres años viviendo allí, regresaron a México, donde mi abuelo trabajó de compositor y director de orquesta y tuvieron cuatro hijos más.

DOSIER 03: EL REENCUENTRO
VÍDEO

EL REENCUENTRO

–Perdone.
–Vaya, pero si eres tú.
–Pues sí, soy yo. ¡Estás igual!
–Tú también.
¡Rosario! Tenía exactamente el mismo aspecto de siempre. Incluso reconocí la chaqueta que llevaba. ¡Qué bárbaro! Cinco años sin vernos y vestía la misma chaqueta que antes.
–Acabo de llegar hace un par de días y ya no me voy más. Se acabó la aventura americana.
–Te debo carta, por cierto.
–No te preocupes; ahora ya me podrás decir las cosas cara a cara, o por teléfono.
Pero ¿qué cosas? ¿Qué cosas podría decirle? ¿De qué podría hablarle? Ni por carta, ni por teléfono, ni cara a cara. No se me ocurría nada que contarle a esa mujer estupenda con la que había vivido cuatro años.
–¿Qué tal te va la vida?
–Bien. Bueno... Sí, bien. ¿Y a ti?
–Muy bien. Ya ves. En pleno cambio.
Y, sin embargo, los primeros seis meses de nuestra relación habían sido un incendio. No en el terreno de la complicidad verbal: ahí nunca brillamos. Los dos éramos demasiado introvertidos, demasiado pasivos, demasiado callados. Debió de ser por eso por lo que fracasó la relación, años después.
–¿Sigues teniendo el mismo piso que antes?
–Sí. Y tú, ¿dónde vas a vivir?
–Oh, ahora, de momento, estoy en casa de mi hermana, pero me estoy buscando un apartamento. Quiero comprar algo.
Era la misma, exactamente la misma mujer que me volvió loco tiempo atrás, pero algo se había roto definitivamente. Y, sin embargo, aún la quiero. Nos queremos mucho los dos, como quieres a ese hermano con el que nunca sabes de qué hablar.
–Bueno, Tomás, me voy a tener que ir. A ver si un día quedamos y comemos.
A Rosario... la conocía bien, le pasaba lo mismo: estaba huyendo. Nos miramos, nos sonreímos y nos abrazamos estrechamente, con el dulce recuerdo de los abrazos de antaño. Que seas feliz, pensé; que seas muy feliz. Y después nos separamos, muy aliviados.

TALLER DE USO 03

Gómez sintió que un escalofrío caliente le recorría el cuerpo.
–Apúrese –dijo–. El tren sale dentro de 25 minutos.
–Voy para allá. Me tomo un taxi –dijo ella y colgó.
Gómez se fumó cuatro cigarrillos, se acercó al andén, ya toda la gente había subido y algunos parientes y amigos de los que viajaban se tomaban con estos de las manos a través de las ventanillas abiertas.
–Hola –dijo de pronto una voz, muy cerca de Gómez.
–Ah, ¿es usted?
–Sí, ¿usted también?
–Sí, dijo él. Apúrese. Este es el tren. Saque su pasaje y vamos a subir.
–No tengo plata –contestó ella–. ¿No me lo puede sacar usted?
–No –dijo él–. Solamente tengo dólares, y no hay tiempo para cambiarlos. El tren se va, ya es la hora.
–Devuelva su pasaje –propuso ella–. Después sacamos dos pasajes para mañana.
–Ya es tarde –dijo él–. Hasta diez minutos antes de la hora de salida se pueden devolver los pasajes, después no. Lo sé porque trabajé muchos años en el ferrocarril. Y además de todo, yo no tendría por qué pagarle un pasaje a usted.
El tren comenzó a moverse. Gómez besó a la mujer.
–Otra vez será –dijo.
–Sí, tal vez en otra ocasión –dijo ella.
–Sí –dijo él. Y corrió hacia el tren.

Unidad 2
¿Es verdad o es mentira?

DOSIER 01: ¿ESTAMOS BIEN INFORMADOS?
VÍDEO

¿ESTAMOS BIEN INFORMADOS?

–Estamos con Eduardo Martín de Pozuelo, escritor, periodista... para hablar de los medios de comunicación, para hablar de la información. Eduardo, ¿en el siglo XXI estamos bien informados?
–No estamos bien informados, estamos excesivamente informados. Y... con tal volumen de datos que llegan de manera

instantánea a todo el mundo por... a través de las redes sociales, además de la prensa convencional, radio y televisión, que es muy difícil que la ciudadanía pueda asimilar todo lo que sucede.
–Toda la información que recibe constantemente.
–Y de asimilarla de una manera correcta, correcta.
–¿Qué quieres decir: "asimilar la información de una manera correcta"?
–Pues que todo lo que está recibiendo sea exactamente lo que está ocurriendo y lo interprete correctamente, que eso sea... un hecho cierto y veraz.
–O sea, leemos y escuchamos...
–Leemos y escuchamos...
–... informaciones falsas.
–Muchísimas. Estamos en el mundo de los *fakes*.
–La gente lee lo que quiere leer o lee... o escucha lo que quiere oír, es decir, busca las fuentes que confirman sus opiniones. No contrasta, ¿no?
–No, básicamente... Sobre todo, ese es un fenómeno más español que generalizado en el mundo.
–Y en España la gente lee su periódico, el que tiene sus ideas...
–La gente busca el que confirma tus ideas y te satisface porque dice lo que crees que tienes que oír.
–Claro.
–Pero es que, además, cuando entras en los grandes buscadores de internet, que también son unas grandes herramientas para "reinformarse", etc., existen, y yo no voy a entrar en cuestiones técnicas, pero...
–Los algoritmos.
–Los algoritmos famosos, que te intentan satisfacer en tus propios gustos, con lo cual...
–Claro.
–... te metes en una especie de bucle...
–Te cuentan lo que quieres...
–... estás metido en un bucle del que no puedes salir. Sí puedes salir. Yo creo que... aquí hay un esfuerzo del ciudadano. O sea, hay un esfuerzo global de la ciudadanía. La ciudadanía tiene que armarse ante la desinformación, ante la mentira...
–Y ¿qué hay que hacer?, ¿qué hay que hacer para estar bien informado?
–Pues ser crítico con lo que se recibe. No creérselo todo de por sí.
–Poner en duda.
–Ponerlo en duda. Y entonces tratarlo de "recomprobar". ¿Cómo lo puedes recomprobar? Pues precisamente las redes sociales y los medios nos dan la posibilidad de encontrar otras opiniones sobre ese mismo hecho.
–Buscar varias opiniones sobre el mismo tema.
–Claro, claro que sí.
–Varias fuentes.
–Varias fuentes. Y a partir de ahí formarse uno el propio criterio. Yo recomiendo, de todas maneras, como periodista profesional, a la gente que lee prensa, a la gente que ve televisión, escucha radio... que se fije mucho a quién escucha, que se fije en los nombres más que en los medios, sí, que crea en las personas. Hay unas personas que informan mejor que otras. Unas que son más... Y con el tiempo se va...
–O sea, crees en los buenos periodistas.
–¿Yo? Claro. ¿Verdad que hay un cocinero que cocina mejor que otro, o un científico que...? ¿O un médico que quizás tiene más ojo clínico que otro? Como en todas las profesiones...
–Hay mejores periodistas...
–Pues hay mejores periodistas...
–... y peores periodistas.
–... y hay peores, como todo en la vida.
–Y hay periodistas más honestos y periodistas menos honestos.
–El periodista que no es honesto no es periodista. Una cosa es el periodismo y otra, la propaganda. El periodista es otra cosa. El problema que hay actualmente en el mundo, general: que se mezcla la información con la opinión.
–Con la opinión.
–Aquel viejo dicho de los periodistas: "No dejes que la verdad te estropee una buena noticia", ¿verdad? Eso se empieza a practicar ahora demasiado, ¿no? Pero, en cualquier caso, yo creo que sí que hay que confiar en los buenos periodistas porque hay muchísimos, y muchísimos incluso que arriesgan su vida por informar correctamente a la ciudadanía. Y, además, es importantísima la información, porque es uno de los pilares de la democracia. El ciudadano tiene el derecho y la obligación de estar correctamente informado.
–De estar bien informado.

DOSIER 02: PÁSALO

–¿Qué paso exactamente en el 11-M?
–Bueno, hubo un atentado terrible en unos trenes en Madrid y murieron... murió mucha gente, ¿no? ¿Cuánta gente murió?
–Pues casi 200 personas y... miles de heridos.
–Sí, fue terrible. Fue una matanza.
–Un desastre.
–Entonces, ¿quién organizó este atentado?
–Bueno, lo reivindicó Al Qaeda. Al Qaeda estaba muy instalada en España, o sea, tenía gente en España desde hacía tiempo...
–Sí, tenía células que... pues eso, que ideaban o programaban...
–¿Hace mucho tiempo que estaba en España?
–Sí, realmente...
–Sí, ¿no?
–Se dice que los atentados de las Torres Gemelas en Nueva York, en parte, fueron organizados y preparados en España. O sea, que España era una base para Al Qaeda.
–Ah, ¿sí?
–Sí, sí, sí, sí. Y muchas agencias internacionales habían avisado a España, pero el Gobierno español no hizo mucho caso y... bueno, no sé, no se investigó mucho antes de... de eso y bueno, sucedió la tragedia, ¿no?
–Bueno, al principio, de todas maneras, se apuntaba a ETA.
–Uy, sí, sí.
–De hecho, el ministro del Interior había hecho declaraciones que se sospechaba sobre ETA y... pero...
–Bueno, ETA, ¿sabes lo que... sabes lo que era ETA?
–¿Exactamente qué... qué es?
–Bueno, ETA fue una organización armada nacionalista que quería proclamar la independencia del País Vasco de España y estuvo activa muchos años, desde tiempos de la dictadura de Franco hasta 2018 y ahí se disolvieron.

–Ah, vale.
–Como... Bueno, ellos habían cometido muchos atentados... Había casi... más de 800 muertos...
–Sí, sí. Y tres mil y pico heridos...
–Podría... podría haber sido, pero no estaba muy claro..., pero como había elecciones, el Gobierno español quería disimular que no habían estado atentos y a ellos, como era un partido muy conservador, que le iba muy bien políticamente echarle la culpa a ETA, intentaron... intentaron hacerlo así.
–Claro. Y se les vio el juego. Rápidamente el pueblo lo vio claro, ¿no?
–Sí. La gente se dio cuenta de que el Gobierno estaba manipulando la información, que el Gobierno quería decir que era ETA, pero ya había pistas claras de que no era ETA...
–Ya sospechaba algo...
–Claro, había indicios ya que apuntaban hacia otro sitio, ¿no?
–Ya, claro...
–Hombre, yo, por ejemplo, esos días estaba en el extranjero y me daba cuenta de que el Gobierno español decía una cosa y la prensa internacional decía otra.
–Decía otra...
–Entonces, era muy raro, ¿no?
–Era muy chocante. Olía un poco mal.
–Sí.
–Sí, olía mal.
–Ya...
–Bueno y, además, claro... el Gobierno, ese Gobierno, el Gobierno de Aznar, del Partido Popular, había apoyado la invasión de Estados Unidos de Irak. Entonces, claro, ese Gobierno tenía miedo de que la gente relacionara el atentado con la participación de España en la invasión de Irak. Eso no les convenía nada, sobre todo porque esa misma semana había elecciones generales. Bueno y, de hecho, las perdieron.
–Sí, tres días después.
–Ya, ya. Ya entiendo.

DOSIER 03: NO ME LO CREO
VÍDEO

NO ME LO CREO

–Antes, cuando... digamos... pongamos unos veinte o treinta años antes, antes del mundo de las redes sociales, la gente se informaba por la radio, por la televisión... todavía no... hay épocas en las que incluso no había televisión, y la prensa escrita.
–Sí.
–En principio, eso estaba pasado por el tamiz de profesionales que trataban de comprobar, vamos a poner con... honestamente, la veracidad de lo que estaban contando y contarlo con una técnica...
–Y ahora no.
–No, ahora... ahora se recibe en bruto. La noticia llega, lo que sea, el suceso llega en bruto y, de hecho...
–Y se transmite.
–Se transmite y se cree y se multiplica, porque el propio receptor se convierte en "reinformador".
–A ver, explícame eso otra vez.
–Claro, el propio receptor de una noticia que le llega por WhatsApp. Nos llega; a ti te llega un WhatsApp, a mí me llega un WhatsApp.
–O por Twitter.
–O un Twitter. Y tú no sabes exactamente si eso que dice el Twitter que está sucediendo, alguien que ha hecho algo...
–... es verdad o no es verdad...
–Cien por cien no tienes la seguridad, pero ¿qué haces? Lo retuiteas otra vez y, sobre todo, el WhatsApp, por ejemplo, o Instagram, lo haces a los amigos, a la red de amigos; entonces, algo se multiplica y se puede convertir en esas verdades falsas, o esas mentiras que circulan, y bulos, que los hay de todo tipo, de hasta noticias completamente falsas a lo largo de la historia, que luego se va comprobando, pero ya es tarde...
–Claro, hay ejemplos importantes en la actualidad reciente...
–El ataque a Estados Unidos.
–El 11-S.
–Ahí en el 11-S se ha llegado a decir desde que no había judíos en las Torres Gemelas, cuando... Es un disparate absoluto, es una locura..., pero han pasado un montón de años y...
–O que lo había organizado la CIA.
–Bueno, sí, y que lo había organizado la CIA... y que... y mil historias, y hasta que hay... yo he visto hasta un vídeo en el que hay un platillo volante circulando alrededor, y... cosas muy extrañas; quiero decir que... y eso va multiplicándose y luego se genera la duda, queda esta duda de los aficionados a las conspiraciones y todo este tipo de cosas. Y ese es un mundo intoxicado en el que el ciudadano tiene que vivir. Y a la pregunta de si estamos mejor, o bien o mal informados, si tenemos en cuenta todo eso: estamos mal informados.
–Estamos mal informados.
–Mal informados.
–Entonces, Eduardo, ¿qué es eso de la "posverdad"?
–La posverdad, traducido fácilmente, es la mentira.
–Es la mentira de siempre.
–Es la mentira de toda la vida.
–¿Y quién crea la posverdad?
–Mira, una posverdad... una posverdad ya la inició... digamos... el concepto, Goebbels, el jefe de propaganda de los nazis, cuando decía: "Repite mil veces una mentira, que al final se creerán que es verdad". Ahora es muy fácil crear difamación y mentiras...
–Por las redes.
–... o sea, llamadas posverdad. Nadie comprueba cien por cien todo lo que lee.
–Lo leemos y nos lo creemos.
–Sí, básicamente hay un sentimiento de credibilidad...
–Y lo compartimos.
–Lo compartimos y, entonces, multiplicamos el efecto.
–Claro.
–Y entonces se crea... hay una potentísima falsa historia que puede ser muy destructiva.
–O sea que, de hecho, ¿somos más manipulables ahora?
–Sí, pero, fíjate, somos más manipulables... No solo estamos hablando de relatos y de historias y de noticias, pero es que esa posverdad, o mentira, la podemos llevar a otros extremos. La falsificación llega a todos los niveles, a temas de gran *calao*,

históricos, políticos, etc., o incluso a la vida privada de las personas.
–La vida de los famosos...
–La vida de los famosos, etc. Algunas webs ponen *fake*, ¿no?, ponen: "Esta foto es falsa"..., pero muchas no lo ponen. Pero la posverdad es una mentira repetida hasta la saciedad, hasta que la incultura hace que se crea que es verdad.

UNIDAD 3
Paisajes, caminos y vidas

DOSIER 01: UN PASEO POR LA SIERRA DE GUADARRAMA VÍDEO

UN PASEO POR LA SIERRA DE GUADARRAMA

–Me gusta mucho comenzar el día a orillas del embalse de Santillana, que me queda a cuatro kilómetros de casa; entonces es muy sencillo venir todas las mañanas y disfrutar cada día de un espectáculo diferente.
–¿Cada día es diferente?
–Cada día es diferente; depende de las condiciones atmosféricas: si hay más nubes, menos nubes, si están en el horizonte, si están aquí arriba... todo cambia.
–Pero hoy como está un poquito nublado no lo hemos visto bien, ¿no?
–Bueno, a ver, a mí..., para mí esto es una maravilla porque como venimos de días de mucho anticiclón, hoy es el día en que ha cambiado todo, ¿no?, y es un cielo mucho más otoñal y aquí, por la posición en la que sale el sol en el horizonte, los amaneceres son más bonitos durante el otoño y el invierno. Luego, cuando la primavera se alarga y entramos en el verano, que sale mucho más hacia el este, son más planos.
–¡Guau!, y hemos visto también peces que saltaban, ¿no?
–Sí, hay carpas y hay lucios. Bueno, son especies introducidas, pero son unos ejemplares enormes. Está permitida la pesca, con licencia.
–¿Se puede pescar?
–Sí.
–Allí, todo eso es La Pedriza...
–Todo eso es La Pedriza.
–...y eso es el Yelmo, ¿no?
–Ese pico redondito es el Yelmo, que es como la imagen más característica de esta parte de La Pedriza, porque luego hay otra posterior que tiene casi una orografía o una disposición geológica muy parecida a esta, ¿no? Y bueno, eso ya es el Parque Nacional de la sierra de Guadarrama.
–Este es el Castillo de Manzanares el Real, que es al que te quería traer porque es una de las joyas del Parque Nacional.
–Es una maravilla, ¿eh? Es medieval, ¿no? El castillo...
–Sí, se construyó en el año 1475, junto al emplazamiento de una ermita románica del siglo xiii, y aúna varios estilos arquitectónicos, tiene elementos góticos.
–Es precioso.
–Pues al final hemos cambiado el gorro por las gafas de sol, ¿eh?
–Sí, es que este otoño está loco, definitivamente.
–Ya, hace un calor que no es normal. Bueno, y ahora, ¿adónde me llevas?
–Pues ahora os voy a llevar a mi rincón preferido de la sierra, que os va a encantar, ya verás.
–Ah, fenomenal.
–Venga, vamos.
–Hemos dado un salto a la sierra; nos hemos venido de la vertiente sur a la vertiente norte...
–No me extraña que lo hayas escogido.
–Este es el monte de Canencia y es un bosque mágico porque está situado en el Sistema Central, que es una cadena montañosa que hay en el centro del país, pero conserva un bosque con restos de otras épocas, cuando el clima era más húmedo y más frío. Entonces aquí hay un montón de ejemplares vegetales que no deberían existir, como los tejos, los abedules, que son los que dan este color tan peculiar al otoño; hay robles, hay acebo...
–Ah, ¿eso son abedules? Yo pensé que eran chopos.
–No, son abedules. En las partes más altas de este monte hay también álamos temblones, pero estos en concreto son abedules.
–Y ¿cuándo descubriste tú este bosque? ¿Cómo lo descubriste?
–Pues habitualmente paseo con mis hijos por la sierra, vamos mucho a La Pedriza, y cuando les apetece nos alejamos un poquito más de nuestra casa y entonces descubrimos, hace unos cuantos otoños, este rincón, que es realmente, como decía antes, mágico.
–Es mágico.
–Es... es como... es el bosque protector, uno se siente aquí como en casa, no siente ninguna amenaza, porque en otras zonas de la montaña, pues a lo mejor ves llegar la nube, la tormenta, el viento...; sin embargo, yo aquí me siento como si estuviera en casa, relajado, como... Este es mi lugar en el mundo, realmente.

DOSIER 02: LA COLUMNA VERTEBRAL DE LATINOAMÉRICA

E 

–Oye, Verónica, estoy pensando hacer un viaje por América, por Sudamérica y... todavía no me he decidido por la... la ruta. Tú has hecho el Camino del Inca, ¿verdad?
–Sí, sí, lo hice hace algunos años.
–Y ¿qué tal?
–Bien, muy bien. Fue una experiencia hermosa.
–¿Sí?
–Sí, sí, sí.
–Pero... ¿es muy duro?
–Bueno, eh... si quieres, puedes ir desde Cusco en tren y llegas el mismo día, y si no, puedes llegar a hacer el Camino del Inca, que consiste en caminar cuatro días hasta las ruinas.
–Cuatro días...
–Sí.
–Y ¿se anda mucho cada día?
–Sí, se anda bastante. Recuerdo que el día difícil era el día dos y caminabas bastante, pero... es hermoso. El paisaje es muy lindo, vas recorriendo las montañas, caminas por la selva... Es... es muy hermoso, vale la pena.

–Pero... ¿muchas horas cada día, entonces?
–Sí. No recuerdo exactamente cuántas horas, pero esos cuatro días te dedicas a caminar.
–Solo a andar, ¿no?
–Sí...
–Es un camino que está en el medio de la naturaleza, así que más que nada disfrutas de eso: del verde, del olor de la tierra, el sonido de los pájaros...
–Ay, qué chulo, ¿no?
–Sí...
–O sea, naturaleza a tope.
–Sí, totalmente.
–Y, ¿es complicado andar por la selva? ¿Qué necesitas, un guía o algo?
–En general... la gente en Cusco contrata guías y los guías te acompañan en todo el recorrido. Entonces... te van explicando, contando... acerca de la cultura, del paisaje, de la naturaleza, la arquitectura... es... Sí, te recomiendo que contrates un guía.
–O sea, cuatro días y... ¿va mucha gente? Porque, claro, aquí en el Camino de Santiago a veces es como... ir ahí todo el mundo turistas, te vas encontrado con un montón de grupos...
–Sí, hay... hay muchos... mucha gente que hace el Camino del Inca, pero es un camino muy finito, muy pequeñito, entonces es como una hilera de gente caminando, pero alrededor es pura naturaleza.
–Y ¿la gente por qué lo hace? O sea... Pero ¿es más por aventura, por deporte o...?
–Y... depende la... la persona. Creo que... en general es gente que le interesa conocer las culturas que estaban antes de la colonización.
–No sé... ¿Qué recuerdo tienes de ahí, el más fuerte, de cuando hiciste el camino, qué es lo que más te impresionó?
–Lo que más me impresionó fue llegar a las ruinas porque después de caminar tres días en el medio de la naturaleza, eh... en un momento giras y aparecen ahí por la montaña...
–Impresionantes, ¿no?
–Sí, sí, sí, el Machu Picchu es impresionante. Es muy, muy hermoso.
–Qué chulo. Entonces... no sé... ¿me lo recomendarías?
–Sí, deberías hacerlo. Sin ninguna duda.

TALLER DE USO 02

–Bueno, ¿qué tal en Magencia? ¿Os gustó?
–Sí, nos encantó. Tenías razón.
–Ya...
–Qué bien que nos la recomendaras, porque es ideal para pasar tres o cuatro días.
–Sí...
–Como no es muy grande...
–No.
–Pero tiene bastantes cosas para ver.
–Desde luego.
–La verdad es que el paisaje es tan bonito... Y es supertranquila, perfecta para recorrerla a pie.
–Sí, es una pasada. Pero ¿la recorristeis entera?
–Bueno, casi sí...
–Y ¿qué ruta hicisteis?
–Pues, llegamos en barco al puerto de Romira...
–Bueno, pero el puerto de Romira tampoco tiene mucho que ver.
–No, pero como era casi de noche, decidimos quedarnos allí y alojarnos en el albergue.
–Ah, sí, ya me acuerdo del albergue. Yo no he estado, pero conozco a gente que sí.
–Al día siguiente, temprano, salimos hacia el lago...
–Ah, qué maravilla el lago. Es uno de mis lugares favoritos. Es precioso.
–Sí...
–Pero ¿y fuisteis andando? Porque es una buena caminata...
–Sí. Nos encanta caminar. No fuimos por la costa, sino por el interior. Salimos muy temprano.
–Claro.
–Y llegamos al río justo cuando salía el sol, y así vimos el amanecer desde el puente romano.
–Ah, qué bonito.
–Sí, increíble.
–Qué pasada, ¿no?
–Sí, sí, sí. Y luego caminamos a lo largo de la orilla durante cuatro horas.
–Ah, es que el paisaje es precioso, es una pasada.
–Sí...
–Y como es llano, pues tampoco cuesta mucho recorrerlo.
–No...
–Nosotros también lo hicimos. Bueno, y después, ¿qué más? ¿Qué más hicisteis?
–Pues, luego, no sé si recuerdas que... que puedes ir hacia San Millán, en el noroeste...
–Sí...
–O hacia San Carlos, cruzando el río.
–Sí, me acuerdo.
–Pues nosotros cruzamos el río y luego caminamos hasta San Carlos, que me encantó.
–Sí, es espectacular. Es precioso.
–Sí...
–Nosotros, de hecho, estuvimos allí tres días.
–Ah, ¿sí?
–Sí, sí, sí.
–Pues nosotros nos quedamos allí solo una tarde, y luego seguimos para el lago porque... porque teníamos ganas de dormir allí.
–Ya...
–Enfrente del agua... ¿sabes?
–Sí, eso es una maravilla.
–Sí, amanecer en el lago es... bah, no te lo puedo ni describir. Nos costó irnos, la verdad.
–Ya...
–Pero seguimos porque queríamos llegar al bosque de abedules, que es muy famoso. ¿Lo conoces?
–Claro, ¿no te acuerdas de la foto que te mandé?
–Ah, vale, vale, vale.
–Sí... ¡La hicimos allí!
–Sí, sí. ¡No me acordaba! Pues allí montamos la tienda de campaña y pasamos el resto del día, dormimos allí también.

–Ah, qué bien. Es muy buena elección.
–Sí...
–Y el tiempo, ¿qué tal? ¿Os hizo frío?
–No. No, no, no. Al día siguiente, desmontamos la tienda y fuimos subiendo por la ladera del monte. Llegamos a la cima, que fue agotador, la verdad.
–Sí, es cansado, pero la vista merece la pena. Es una pasada, se pueden ver las islas más cercanas...
–Sí...
–¿Las visteis?
–Es precioso, sí, sí. Pues... pues bajamos por el oeste y al llegar a la llanura montamos la tienda muy cerca del río, y allí nos quedamos el resto del día y la noche.
–Qué gozada.
–Buah, sí, sí, sí.
–Y ya el último día, de vuelta, ¿no?
–Sí, fuimos hacia el noroeste, hacia San Millán...
–Sí...
–... por el sendero que atraviesa el río.
–Sí, me acuerdo.
–La verdad es que fue otra caminata, así que...
–Ya...
–... llegamos agotados al pueblo y como nuestro barco salía a las 17.00 decidimos tomar un autobús a Romira.
–Ah, mejor en autobús.
–Sí, un autobús que te lleva por la carretera asfaltada. Y bueno, es que si no... es una pasada pegarse otra caminata, ¿sabes?
–Sí, los pies acaban destrozados.
–Buah, pues, fíjate, que cuando llegamos al puerto, había muy mala mar y se canceló la salida del barco.
–Vaya, qué mala suerte, ¿no?
–Sí, así que tuvimos que quedarnos una noche más allí.
–Ah, bueno, pues tampoco está tan mal.
–No...

DOSIER 03: UN MAR DE IDENTIDADES

–Oye, Carmen, pero entonces tú, ¿de dónde eres?
–Soy de San Francisco, California. Soy estadounidense.
–Pero hablas español perfectamente.
–Ay, gracias. Nací en los Estados Unidos, pero mi mamá es hispanohablante y mi papá angloparlante.
–¿De dónde es tu mamá?
–Es de México con papá español.
–Ah, qué interesante. Cuánta... cuánta variedad, ¿no?, tienes en la sangre.
–Sí.
–Pero tú te sientes más estadounidense...
–En cierta forma, sí, porque allí nací, nació mi hijo, nació mi marido y allí crecí... estudié; pero también me siento mexicana y española. Me siento multicultural.
–Ah, qué bueno. Por ejemplo, en México, ¿has pasado... has vivido en México?
–Jamás he vivido en México, pero... cada verano iba a visitar a mi abuela y a mi familia.
–O sea, que tienes mucho de la cultura mexicana en ti.
–En cierta forma, sí, pero en cierta forma es solo una parte.
–O sea, que eres muy... culturalmente eres muy norteamericana.
–Culturalmente... en cierta forma, sí.
–Y ¿qué tienes de España? ¿Qué has heredado de esta cultura de tu abuelo?
–Todo... pienso que todo. Yo no sé si todo..., pero... he heredado mucho... no... no sé cómo decirlo en palabras, en realidad, pero siempre España ha estado en mi corazón y en mi alma. Mi mamá me decía desde niña, siempre hablaba de España, hasta... cuando estábamos en México, siempre hablaba de España.
–Y, ¿cómo has integrado todas esas culturas en tu día a día, en una... en una sociedad norteamericana tan distinta a la española o a la mexicana?
–Es una parte de quién soy yo. Una cosa que me gusta es que, de vez en cuando, para el almuerzo como... como comida mexicana o como comida española, y siempre estoy pensando: "Si estuviera en México, ¿qué haría ahora? Si estuviera en España, ¿qué... qué haría ahora?".
–Y, por ejemplo, ¿cómo ... cómo has transmitido eso a tu hijo? ¿Culturalmente a él le ha llegado parte de esta cultura mexicana y española que... que tú tienes tan dentro?
–Yo quiero que tenga mucho orgullo en la herencia mexicana y española. Y especialmente ahora con el clima que tenemos en mi país, en los Estados Unidos, quiero que tenga mucha... mucho orgullo sobre el español, sobre su herencia de México, su herencia de España... Y a él siempre le gusta decir que él habla mejor el español que su papá, aunque lo entiende, pero no lo habla muy bien, pero...
–Y, claro, esto que comentas de la situación actual norteamericana... ¿te ha creado alguna vez un conflicto de... de... la diferencia entre culturas, el ser un poco de cada y vivir dentro de la cultura norteamericana, al fin y al cabo?
–Solamente... en el pasado no me ha... no he tenido conflicto, pero últimamente un poco más porque las cosas están un poco más difíciles... para los hispanohablantes... en los Estados Unidos. Hay un estereotipo que generalmente no es muy positivo, pero... una cosa que yo quiero hacer es cambiar ese estereotipo y tener orgullo en todo lo que soy.
–¿Crees que es posible cambiar ese estereotipo?
–No sé, pero... es como una gotita de agua. Cada quien puede... con cada gota pues se llena...
–Un vasito.
–Un vasito. Entonces, aunque sea solamente yo y quizá mi... mi hijo somos dos gotas de agua y con alumnos somos más gotas de agua.

TRANSCRIPCIONES LIBRO DEL ALUMNO

Unidad 4
En cuerpo y alma

DOSIER 01: OJO, CUIDADO

1

–¡Hola! ¿Qué tal?
–Mira, mejor, mejor. Ya sabes...
–Ya me enterado de que has estado un mes en el hospital.
–Un mes, sí, chico, un mes.
–Pero, ¿qué te pasó?
–Bueno, pues espantoso. Mira, es un accidente de esos tontos que pasan...
–Jo...
–Estaba... en la cocina, típico accidente de la cocina, y... venían invitados a comer, venían unos amigos a comer... y yo quería hervir unas patatas. Entonces, cogí una olla grande porque éramos muchos, cojo la olla grande llena de agua, la pongo, pongo a hervir las patatas y cuando quiero sacar las patatas, cuando quiero escurrir la olla...
–Sí...
–Se me viene toda el agua encima de las piernas.
–¡No... No...!
–Me quemé todas las piernas.
–¡Madre mía!
–Bueno y fue terrible. Me vino a buscar un helicóptero de los bomberos. Imagínate.
–¿En serio?
–Hombre, es que era muy serio. Un accidente grave...
–Bueno, claro.
–Y he estado un mes en la unidad de... de quemados del hospital, pero por suerte creo, bueno, va a quedar bastante bien.
–¿Sí? ¿No quedarán secuelas feas?
–No, no, no mucho. No mucho.
–Bueno, vaya, menos mal.
–Me libré de buena.

11

2

–Pues a mí una vez me explotó la... la cafetera del café.
–¿La cafetera?
–Sí.
–¿Una italiana?
–Sí, una italiana de estas, pero, bueno, fue culpa mía totalmente porque...
–¿Por qué? Cuenta, cuenta.
–Ja, ja. Es que... no le puse agua.
–¡Oh!
–Entonces, yo la rellené, eché el café...
–Ah...
–Lo cerré con todas mis ganas...
–Claro, el aire ahí...
–La puse en el fuego y me fui. Y cuando estaba en otra habitación, de repente oí: ¡Fffup, pug!
–Ja, ja, ja.
–Y volví a la cocina y había explotado... se había salido todo el café por todas las paredes, por el techo...
–Claro...
–Bueno, por todas partes.
–Ostras...
–Bueno, me pegué un buen susto. Lo bueno es que no había nadie en la cocina, entonces no fue...
–Y ¿cómo quedó la cafetera? Simplemente reventó, no...
–No, perfecta. He seguido haciendo café con ella. Y nunca más se me olvida ponerle agua.
–Ja, ja, ja. Tientas a la suerte.
–ja, ja, ja. Sí, sí.

12

3

–Pues, mira, te... te explico, te pongo en situación. Estaba en casa recogiendo los platos del lavavajillas.
–Sí...
–Y... yo no sabía que mi chica había comprado un pelapatatas nuevo. Y entonces yo metí la mano en la, en la cesta de los cubiertos...
–Ah...
–Y literalmente me rebané el dedo.
–Ah... Me lo estoy imaginando. ¡No...! ¡Ah!
–Sí, bueno, imagínate cómo... exactamente cómo hace el pelapatatas en la patata, pues así me hice yo en el dedo.
–¡Ah, qué horror! ¡Qué horror!
–Sí, sí, sí, me... bueno, se quedó un trozo de piel, de piel y carne fuera.
–Y te han puesto puntos, claro.
–Pues no.
–¡¿No?!
–Me pusieron estos... Pero, bueno, espera, te explico, porque aquello empezó a sangrar. Era incapaz de contener, de parar la hemorragia. Y por suerte, mi vecino del piso de abajo es... conduce ambulancias, y...
–Sí...
–Bueno, es ATS. Y... entonces le llamé corriendo: "Alberto, Alberto, sube, sube". "¿Qué te pasa, Luis, qué te pasa?". "Es que me he hecho una herida y no para de sangrar". "Ah, tranquilo, ya subo". Nada, fue llegar él y simplemente me subió el brazo como si estuviera...
–Ya, te lo puso ahí para arriba y ya está.
–Ja, ja, ja. Y ya está, pero paró al momento.
–Ja, ja, ja. ¡Qué guay! Bueno...
–Eso sí, me hizo un vendaje de mucha presión y me acercó con su coche al hospital, ¿no? Y ahí me pusieron... bueno, esas... son como unas tiritas muy duras...
–Sí, como de papel, ¿no? ¿O algo así?
–Sí, sí. No sé qué nombre tienen. Y hacen... hacen la vez de unos puntos. Y por suerte no pasó más, pero vaya susto.
–Bueno. Y, a ver, ¿cómo lo tienes ahora?
–Bueno, se nota un poco...
–Bueno, está bastante bien.
–Lo que sí noto es una sensibilidad especial ahí todo el rato, ¿eh?

DOSIER 02: ¿TE ENCUENTRAS MAL?
VÍDEO

CÁMARA OCULTA

1
–Ay, perdona. Verá, es que no me encuentro muy bien...
–¿Qué te pasa?
–No sé. Me cuesta respirar un poco...
–Uy, espera, espera un momento, un momento. Toma, bebe un poco.
–Vale, gracias.
–Estás temblando... No bebas de golpe, no bebas de golpe.
–Vale.
–¿Qué te pasa? Estás pálido...
–Que no sé, que se me está nublando un poco la vista y todo.
–Ven, túmbate, túmbate aquí. Échate para acá. Eso es. Túmbate. Así, sube los pies.
–Es que no sé qué me ha *pasao*, estaba corriendo...
–¿Qué notas? Pero ¿qué notas?
–No sé... que me... el pecho, me cuesta respirar. No veo nada.
–¿Sabes qué? El hospital de San Pablo está aquí al lado; voy a llamar...
–No, no, no...
–Uy, sí, sí...
–No, no te vayas, no te vayas...
–Si no me voy... Si me voy a quedar aquí, no te preocupes. Yo te acompañaré.
–Me pondré bien, pero es un momento, ¿vale?
–Espérate un momento. Voy a llamar a urgencias. Es un momento. Además... es que estás muy pálido. No me gusta nada, ¿vale?
–¡Que es broma! ¡Que mira a la cámara, mira, mira, nos están grabando! ¿No lo ves? ¡Que es broma!
–¿Cómo que es broma?
–Sí, mira, ¡saluda, saluda a la cámara!

2
–Ah... Ah...Oh... No puedo moverlo.
–Pero... ¿estás bien?
–¿Estás bien?
–Creo que me he roto algo.
–Pero ¿cómo? ¿Qué estabas...? ¿Corriendo?
–Sí, estaba corriendo y, de golpe, he apoyado el pie y ahora... Es que me duele un montón.
–Y no puedes caminar, a ver...
–¿Lo tienes hinchado o algo?
–Sí, sí, está hinchado, está muy hinchado, creo. Es como que hago así y no...
–Apóyate.
–No, yo creo que... no lo apoyes, no lo apoyes. Reclínate. ¿Quieres que llamemos a alguien?
–No, no hace falta, no... Solo... si me podéis ayudar a andar. Vivo aquí al lado. Estoy al lado de casa.
–Vale. Bueno, probamos.
–¿Te apoyas a nosotros?
–¿Lo cogemos así?
–¿Lo cogemos así? A ver qué pasa...
–Vale, gracias, ¿eh? A ver, espera, espera...
–¿Puedes apoyar?
–No, no puedo...
–A ver, prueba a apoyar, prueba a apoyar...
–Ueeeee... Mirad, mirad ahí, mirad, que es una cámara, que nos está grabando, ¡que es broma, chicos!

3
–¿Estás bien? ¿Te ahogas? ¿Mejor? ¿No? ¿Aquí? ¿Mejor? Ponte de pie, ponte de pie. No te sientes, ponte de pie, ponte de pie.
–Que estoy bien. Mira a cámara, allí, allí, allí. Es broma, mira, ¿ves?... Es de mentira... ¡Es de mentira!

TALLER DE USO 03

A 

1
–A ver... me dice usted que no come nada de carne...
–No, ni carne, ni pescado.
–Ni pescado. ¿Nada en absoluto?
–No, pero sí como huevos.
–Vale. Huevos... ¿Y lácteos...?
–No, es que soy intolerante a la lactosa.
–Intolerante a la lactosa... Ya... ¿Y legumbres? ¿Come usted a menudo legumbres?
–Pues de vez en cuando, pero... no mucho, no.
–No muchas... Entonces, ¿se alimenta sobre todo de fruta y verdura?
–Sí, pero como muy bien. O sea, me gusta cocinar y como casi siempre en casa. Y compro productos de calidad, ecológicos y todo eso... No compro nunca comida rápida.
–Bien...
–Todo, todo hecho en casa.

14

2
–Pues yo es que hago mucho deporte, ¿sabe? Y claro, necesito comer mucha, mucha carne, carnes magras, sobre todo, sin grasa, como pollo, conejo... y huevos, todos los días, dos huevos. Pescado... menos.
–¿Y además?
–Pues... leche, yogures y queso, también bastante, dos o tres raciones al día.
–Y muchísima fruta.
–Ajá... ¿Cuántas piezas de fruta?
–Igual cinco o seis piezas al día. Y frutos secos, a media mañana o a media tarde...
–Y también come algo de carbohidratos, ¿no?
–No, no, no, no. Eso no, ni patatas, ni pan, ni pasta... Y nada, nada nada de azúcar.

15

3
–Bueno, viendo sus análisis, viendo los índices de colesterol, de azúcar..., tendría que bajar de peso. Y bajar el consumo de carbohidratos. Porque usted... ¿cómo se alimenta?

–La verdad es que me organizo bastante mal. Como mucho fuera de casa, pico entre horas...
–Y... ¿desayuna bien?
–No, fatal. Me tomo solamente un café. Y luego a media mañana, pues me tomo un bocadillo, o un cruasán... cosas así.
–Ya... ¿Y al mediodía?
–Pues es que con mi trabajo no me da tiempo a ir a casa y la verdad es que como donde puedo. Un menú, una hamburguesa... Lo que sea. A veces incluso en el coche.
–Vaya... ¿Y por la noche?
–Ya le he dicho que me organizo mal, entonces... la mayor parte del tiempo tengo la nevera medio vacía, además vivo sola y es que no tengo tiempo ni de ir a hacer la compra.
–O sea, que come poca fruta y poca verdura.
–La verdad es que sí. Como poca fruta.
–¿Y productos frescos?
–Es que no me gusta mucho la fruta, tengo ese problema... Me compro algo en el súper, casi siempre algo cocinado, o llamo para que me traigan comida... al chino, al japonés... Y además soy muy golosa, me encanta el azúcar. Como muchísimos helados, chocolate, pasteles... Y tomo mucho café también.
–Bueno, pues, está claro que habrá que cambiar algunos hábitos..., ¿no cree?
–Pues sí. Voy a tener que proponérmelo firmemente...

Unidad 5
Increíble, pero cierto

DOSIER 02: EL CLIENTE SIEMPRE TIENE RAZÓN VÍDEO

ANÉCDOTAS

1.
–¿A que no sabes qué me pasó ayer?
–No, ¿qué pasó?
–Llamaron a las siete y media de la mañana, un cliente... y adivina qué quería.
–¿Desayuno?
–¡Una paella!
–¿En serio?
–Sí, sí, sí. A las siete y media de la mañana. Y bueno, lo típico: "Mire, señor, usted disculpará, pero el servicio de desayunos acaba de empezar. Paella no hay. A la una se abre el restaurante. Si usted quiere...". "No, no, la quiero ahora". "Pues, lo siento mucho, pero ahora no podemos servirle la paella".
–Imposible.
–Bueno, parece que me entiende y me cuelga el teléfono. Bien. A las ocho y media miro, suena el teléfono y era él otra vez.
–Mismo cliente.
–Cojo el teléfono: "Hola, ¿qué tal? Recepción". "Mire que soy el cliente de antes... Quiero una paella, ahora quiero la paella". "No, no, pero usted verá, le vuelvo a repetir, el restaurante está cerrado. No lo abrimos hasta la una y paella no servimos en desayunos".
–Muy insistente.
–Bueno, ¡no te puedes imaginar! Además... el hombre... ¿sabes?, como...
–Entonces no se le ocurre otra que decirme: "Pues muy bien, vaya usted a buscarme una paella a un restaurante de la calle".
–¿Con todo el morro?
–Además es que me dice: "¡Vaya usted!".
–"Usted"... Tú no puedes dejar la recepción a las siete de la mañana ni a las ocho.
–¡Ahí voy! Tú lo entiendes. Bueno, ¡pues él no lo entendía! No puede... yo no puedo dejar recepción sola. Y, además, es que de la misma forma que el hotel está cerrado, el restaurante...
–... lo mismo...
–... lo mismo en la calle, hasta la una...
–Cualquier restaurante que te vayas a encontrar...
–Efectivamente.
–... va a estar todo cerrado.
–Vale. Pues no lo entendía. Y así, a regañadientes, cuelga el teléfono y pensé: "Bueno, vamos a ver". Pues oye... te vas a reír. Casi a una hora, pasó una hora más o menos... y aparece un repartidor. Y adivina con qué.
–¡No puede ser! ¿Con la paella?
–Sí, señor, con la paella. "Hola, ¿qué tal? Que vengo a entregar una paella a un cliente". Y yo: "¡¿Cómo?!".
–¡Tremendo!
–"¡No me lo puedo creer!". El señor había encontrado una *app* de estas de veinticuatro horas que hacían paella y habían traído la paella para él, ¿qué te parece?
–¡Tremendo! ¡Qué morro, mira!
–El que la sigue la consigue, ¿sí o no?
–¡Pues buen provecho!
–Le tuve que dar el número de habitación y subió él. ¡Qué le voy a hacer!

2
–¿Te he contado lo que me pasó el verano pasado en un hotel?
–No, cuenta, cuenta.
–¿Te acuerdas de que me fui con mi marido a Costa Rica? Que nos fuimos unos días para desconectar... Bueno, un sitio precioso. Era un parque natural en un río, todo verde..., pues imagínate.
–¡Qué envidia!
–¡Imagínate! Y... y nada, todo perfecto, pero hubo una noche que estábamos a punto de irnos a dormir, entro en el baño y me encuentro una rana... ¡pero que no te puedes imaginar la rana!
–Pero ¡¿qué me dices?!
–Era gordísima... Mira, yo, desesperada, gritando por la habitación...
–¡Qué horror!
–... pidiéndole a mi, a mi... ¡Uy!, a mi... a mi marido que la cazara... Y... claro, porque yo estaba desesperadísima. Pero era imposible cazarla. Y era imposible y, nada, entro yo también... a ver si ya, quitándome el miedo de todo e intentando cazarla, pero imposible. Total...
–¿Y qué hicisteis?
–... que..., pues nada, era tarde y nos queríamos ir a dormir y dijimos: "Mira, cerramos el baño, nos vamos a dormir y ya está".

–Y que se quede ahí la rana.
–Exacto. Total, que llevamos durmiendo un rato y empiezo a oír: "Croack, croack, croack". Sí, por la noche no se oía otra cosa, solo se oía eso. Y claro, yo al principio decía: "¿Eso qué es?". Y claro, era la rana, obviamente, croando...
–Sí.
–... cada vez más fuerte. Se despierta mi marido también... Se volvió insoportable. Y nada, entonces decimos: "Mira, bajamos a recepción y...
–¡Hombre, claro!
–... y que nos lo solucionen, ¿no? Que la saquen de alguna manera".
–Sí, sí, que lo arreglen.
–Y nada, total, bajamos: "Ay, lo sentimos muchísimo, disculpen las molestias, de verdad... Pero, oiga, que la rana no hace nada, ¿eh?, que aquí es muy normal".
–¡No me lo puedo creer!
–Y claro, yo mirándole así... Total, ¡que nos dejaron la rana en la habitación!
–Pero ¿así porque... porque sí?
–¡No hicieron nada!
–¡Madre mía!
–Claro y...
–¿Entonces qué? No pudisteis dormir.
–No, pues nada, al final dijimos: "Mira, la sacamos sí o sí", y nos pusimos a intentar cazarla de todas las maneras y, al final, sí que pudimos cogerla y la sacamos al balcón y pudimos dormir. Pero, claro... ¿Tú te crees el del hotel?
–¡Qué fuerte!
–¡Se quedó tranquilísimo! Pero, bueno...

TALLER DE USO 02

–Pues te voy a contar una cosa que me pasó el otro día...
–Sí...
–Bueno, estaba en la recepción de mi hotel... Y había muchísimo lío: clientes que llegaban, clientes que se iban... Y además había un recepcionista nuevo, un chico en prácticas.
–Hmm.
–Y bueno... es... un cliente le pide las llaves del coche que... que había alquilado. El chico nuevo se las da y el otro, pues se va. Al poco rato aparece una pareja...
–Sí...
–Que ese día se casaban y celebraban la boda en el hotel.
–Ajá.
–¿Vale?
–Y... y me piden las llaves de su coche y yo, pues se las doy, porque estaban ahí..., pero cuando llegan al *parking*...
–Sí...
–Cuando van a llegar al *parking*, descubren que su coche, pues no está.
–Ostras.
–No está. Que las llaves eran del otro coche.
–Oh, qué fuerte.
–Y claro, no estaban ni su coche, o sea, no estaban ni las maletas... y lo peor de todo: no estaba el vestido de la novia.
–Jolín, qué palo.
–Claro, pero es que el nuevo le había dado las llaves al otro cliente.
–Hmm.
–Pero por suerte teníamos su número de móvil y pudimos localizarlo.
–Bueno, menos mal.
–Sí, la verdad es que los novios se llevaron un buen susto.
–Ya, ya, ya me imagino.

1

–¿Sabes lo que me pasó ayer en el turno de noche?
–No, dime.
–Pues, mira, estaba en recepción, y bueno, justo llaman de la habitación 304 diciendo que hay un ruido en la habitación, que no saben qué es, que no es normal... Y bueno, pues nada, yo subo a la habitación y al principio pienso que...
–Pero ¿quién era? ¿Una pareja?
–Sí, sí, sí, una pareja. La señora, además, estaba muy nerviosa. Y bueno, después de mirar un rato, me doy cuenta de que realmente sí que hay un ruido, y que el ruido viene de la maleta.
–¿Y qué tipo de ruido era?
–Pues así como... como una vibración.
–El móvil, seguro.
–Pues no. ¿Sabes lo que era?
–¿Qué?
–El cepillo de dientes, que se lo había dejado encendido.
–¿En serio?
–Uno de estos eléctricos, sí, sí.
–¿Y un cepillo de dientes vibra tanto?
–Pues este parecía que sí. ¿Y sabes qué es lo peor?
–Dime.
–Que los muy rácanos me tuvieron allí media hora dando vueltas y no me dieron ni una miserable propina.

18

2

–Pues hablando de hoteles, a mí me pasó una cosa increíble una vez. Llegamos a un sitio de la Costa Brava y llegábamos muy cansadas, con una amiga, porque habíamos hecho un viaje muy largo, en coche...
–Ajá...
–Y nada, llegamos al hotel, nos dan las llaves, subimos a la habitación, abrimos la puerta... y no había camas.
–Venga ya.
–Te juro, no había camas.
–¿Cómo que no había camas en la habitación?
–Estaban las mesillas, estaban las mesillas de noche y en el lugar de la cama, no había nada. Estábamos cansadísimas.
–Ya...
–Entonces yo llamo a la recepción y digo: "Oiga, que en la habitación tal, no sé, en la habitación 203...".
–Que no tiene cama...
–Que no tiene cama. Entonces el tío de la recepción, claro, es que ni me entendía. Al final le convenzo, que no hay cama, que no hay cama, que por favor, que estamos muy cansadas... Y... nos ponemos a esperar.

–Porque él te decía que había camas.
–No, él no entendía nada. Pero ¿qué dice esta mujer? ¿Cómo que no hay cama en la habitación? Total, que me dijo pues que nada, "que ya lo solucionamos, señora". Y con mi amiga, nos ponemos en el sofá a esperar. Y pasa el rato, pasa tiempo, pasa tiempo, vuelvo a llamar a la recepción y me dicen: "Sí, sí, que ya... ya... lo vamos a solucionar". Y al cabo de una hora, aparecen dos empleados del hotel con una cama.
–Porque vosotras estabais esperando en la habitación...
–En la habitación, claro.
–Vale.
–Pero estábamos ya a punto de dormir en el sofá, claro.
–No me extraña.
–¿A que es raro? Es raro...
–Sí, mucho.

DOSIER 03: CAMPING LA CUCHARACHA FELIZ

B 

1
–Perdone, disculpe... Creo que aquí hay un error. Me parece que es mucho para lo que hemos tomado, ¿eh?
–Pues es lo de esta mesa. Es la mesa 6.
–Pues... permítame, pero esto es un robo, oiga... No puede ser de ninguna manera. Es una barbaridad...
–A ver, a ver... Deme el *ticket*, que voy a ver si se han liado en la caja o algo...
–Bueno...
–Mmm. Perdone, caballero, mire, tenía usted toda la razón.
–¿Sí?
–Es lo de esa mesa de al lado.
–Claro...
–Sí, es que estamos un poco liados hoy y me han dado otra cuenta. Lo siento.
–Bueno... Ya me parecía a mí que no podía ser...
–Disculpe. Mire, ¿han tomado café? Paga la casa.
–Ah, bueno, vale. Gracias.

20

2
–Hola.
–Hola. ¿Qué tal?
–Bien... Mire, el otro día me llevé esto y mire cómo está. No sé...
–Ay, pues no sé... Estaba perfectamente cuando se lo llevó.
–Ya, ya, ya. Pero esta mañana lo empiezo a hinchar y nada, que no se hincha.
–Mire, aquí le han hecho un corte... Se habrá roto al transportarlo o lo habrá puesto en algún sitio donde había algo que lo enganchó...
–No, oiga, no, no. Le aseguro que... que no lo he tocado.
–¿Tiene usted la caja?
–¿Qué caja?
–Bueno, venía en una caja.
–Yo me la llevé sin caja...
–No puede ser.
–Hombre, me lo vendió usted misma... Y me lo dio sin caja, tal cual.
–No, no, no. No puede ser. Y además es que sin caja no se lo puedo cambiar...

3
–Esto es insoportable.
–Sí, yo no aguanto más. Qué vergüenza.
–Ayer hablé con ellos y nada...
–Ya, pero no puede ser. Tenemos que volver a decirles algo... ¿Vas vos o voy yo?
–Pues mira, no sé. Ve tú si quieres.
–Es que...
–Pero hay que ir y que nos digan algo.
–Bueno, sí. No sé, como quieras. ¿Voy yo? No sé.
–Perdonad, chicos. Son las 12 y necesitamos dormir. Bajan el volumen o vamos a ir a recepción porque las normas del camping son bastante claras...
–Vale, vale...
–Esto así no puede ser.
–No estamos gritando...
–Es que ya no podemos más, ¿eh?
–Vale, vale...

Unidad 6
Jóvenes y no tan jóvenes

DOSIER 01: LA EDAD DEL PAVO
VÍDEO

LA EDAD DEL PAVO

(¿Cómo os tratan los adultos en general?)

–Bueno, creo... A mí personalmente me tratan como si fuera un adulto, a lo mejor en algunos temas me tratan más como a un chico, pero en general como si fuera un adulto, como si fuera, sí, una persona mayor.
–Ya, ya no es como antes que... que te trataban como un niño y todo lo que te decían era castigarte y te corregían, ¿no?
–Sí, saben que somos más maduros, sí.
–Sí, pero hay cosas que sí que te ven como más pequeño de lo que... de lo que eres realmente.
–Sí, e inmaduro, un poco también.
–Sí, bueno, depende de la situación en la que estés y, obviamente, de la persona.
–Sí.

(¿Qué sueño os gustaría que se cumpliera?)

–Bueno, a mí me gusta mucho viajar y siempre me gustaron los EE.UU., así que me encantaría ir a Nueva York, a California, distintos estados de EE.UU., porque me encanta viajar.
–Para mí el sueño más inmediato, la verdad, sería que mi equipo de fútbol ganara la liga este año y espero que se cumpla, la verdad.
–Yo, de deporte, hago gimnasia rítmica y me gustaría también

quedar bien en las competiciones y hacerlo bien.
–Sí, a mí también me gustaría ganar la liga. También juego al fútbol, así que, sería otro sueño.

(¿Cuáles son vuestros planes y vuestras metas para el futuro?)

–Pues mi meta de futuro es verme en los treinta años con una carrera acabada ya, igual con una familia, con la vida ya... más hecha, ¿sabes?
–Sí, como que todos tus problemas ordenados y solucionados...
–Sí, estoy de acuerdo, tener una familia encaminada, aunque sea, tener amigos, una vida social buena, y haber acabado los estudios, una carrera...
–Por mi parte, me gustaría haber acabado la carrera de Arquitectura y convertirme en un buen arquitecto, eso espero.
–Sí, bueno. A mí, yo todavía no sé qué voy a estudiar, pero no sé si Economía o Física, cualquiera de las dos carreras me gustaría acabarla y tenerla acabada a los treinta años.
–Yo tampoco tengo clara qué carrera hacer, pero seguramente será entre Políticas o cosas más sociales.

(¿Cómo os lleváis con los adultos?)

–Yo personalmente con... con mis padres me llevo bien, tengo una buena relación. Hacemos muchas cosas juntos, creo que tenemos una buena relación, en general. Y con mis profesores, bueno, eh, tengo mis más y mis menos...
–Va dependiendo, ¿no?
–... y depende del profesor, hay algunos a los que les tengo más cariño, pero en general, bien. No, no me comporto mal.
–Yo, igual; como siempre, depende del día; con mis padres a lo mejor un día estoy muy bien... o... y con los profesores un día a lo mejor no vuelvo..., no quiero..., no me apetece volver al cole porque el día anterior tuve alguna...
–Ya, yo creo que los profesores también, depende del día, o si me ponen alguna mala nota y cosas así hay diferencias, y con mis padres también. Me llevo bien en general, pero a veces, hay días, que no.
–Sí, va dependiendo de nuestro ánimo también.
–Sí.
–Sí, yo creo que sobre todo a nuestra edad cualquier cosa...
–... nos afecta...
–... nos afecta demasiado.
–Sí, lo exageramos demasiado.
–Sí.

(¿Y si hay broncas con los padres, de qué vienen las broncas?)

–Pfff, de... ¿de qué no?
–De... bueno, de notas.
–De no recoger mi cuarto...
–Sí, de ser desordenado... de no estudiar...
–Sobre todo de cosas en plan de casa, de...
–Sí.
–¡Recoge la habitación!
–Sí, siempre.
–¡Limpia!... Y cosas así...
–Sí.
–... más que otra cosa.

(¿Qué cosas de la sociedad no os gustan? ¿Qué cosas os preocupan?)

–Puede sonar un poco egoísta, pero lo que más me preocupa ahora mismo es que, por ejemplo, dentro de unos años no pueda ir a esquiar por culpa del cambio climático.
–Sí, bueno, a mí me preocupa más que hace treinta años había mucha pobreza y... y esto no..., no mejoró, sino empeoró. Ahora hay más pobres y... que son más pobres.
–Y los ricos cada vez más ricos, ¿no?
–Sí, sí. Hay un quiebre social...
–... y un desnivel muy grande.
–Sí.
–A mí me preocupa mucho esto, pero también la violencia de género. ¿No creéis que es una cosa que ya tendría que estar... como muy pasado? Y todavía está muy presente cada día en las noticias.
–Sí, sí...
–Creo que la violencia, en general...
–Sí, sí, pero...
–... tendría que ser más... tendría que estar erradicada.
–Sobre todo lo que has dicho tú del desnivel, yo creo que también tiene un poco que ver, porque hay mucha más pobreza, entonces también a lo mejor hay más violencia.
–Sí, creo que la violencia en general hay que erradicarla, no solo la de género, que también, obviamente..., la... en general.

TALLER DE USO 01

1

–Mi espectáculo favorito. Nora, Pablo.
–Bah, eres muy pesado.
–Jolín, papá...
–Hombre, pero si es que siempre es igual, siempre estáis haciendo lo mismo...
–¡Si llevo diez minutos!
–Pero...
–Enganchados al jueguecito y al teléfono. No podéis vivir...
–Estoy hablando con María.
–No nos entiende. No nos entiende...
–Es importantísimo, seguro, lo sé, pero... ¿puedes dedicarte a otras cosas, como, por ejemplo, recoger un poco?
–Sí, que ya voy, ya voy... Te estoy escuchando.
–Yo he recogido. Tengo la habitación recogida y he hecho los deberes.
–Perfecto.
–La mía también. He hecho la cama esta mañana.
–La habitación está recogidísima, lo sé. Pero y... y... el comedor, ¿cómo está?
–Bueno...
–Bueno...
–Ahora lo recojo.
–No hemos terminado...

TRANSCRIPCIONES LIBRO DEL ALUMNO

23

2

–Pablo…
–¿Sí? ¿Sí?
–¿Has hecho los deberes?
–No, no, no, pero mañana los haré. Si es sábado…
–Bueno, pero si los haces hoy mañana no tendrás que hacer nada, que es domingo.
–Uy, buf, no, no, pero estoy cansado. Ya lo haré mañana.
–Y además estos libros, es que yo no te veo abrirlos jamás.
–Sí, si hago todos los deberes. Hoy no porque…
–Pero, mira, hay textos también. Yo no te veo leerlos jamás. Sí que haces ejercicios, pero…
–Ay, eres muy pesado.
–Vale, soy muy pesado, pero luego quien no aprueba eres tú, no yo.
–No, no. Mañana me pongo a hacer los deberes, de verdad.
–¿De verdad?
–De verdad.
–Confío en ti.

24

3

–Oye, papá…
–¡No!
–Papá, es que…
–¿Qué…?
–¿Nos puedes dar dinero?
–Sí, yo necesito algo de dinero porque me gustaría ir a un concierto.
–Sí y…
–Chicos, vosotros tenéis una paga y creo que…
–Ya, pero es que…
–Es el cumpleaños de Pilar y queríamos ir al cine…
–O sea, no os queda nada.
–No.
–No…
–Pero… te lo… te lo devolvemos la semana que viene. Adelántanoslo…
–Sí, sí… Lo descontamos de la paga de la semana que viene…
–Bueno, me parece bien. ¿Qué os parece 10 para cada uno, 10 euros?
–Mmm, es que con 10 euros…
–A mí no me da.
–Yo creo que 20 estaría bien.
–La entrada del cine, las palomitas…
–La del concierto…
–Tomar algo…
–Al final tendré que poner intereses… Bueno, está bien, 20 euros.
–Gracias.
–¡Gracias, papá!
–Adiós… Bueno, y no lleguéis tarde.
–Vale.

25

4

–Buenas noches.
–Hola…
–¿Qué tal?
–Bien…
–¿Lo habéis pasado bien?
–Es que…
–Sí…
–El bus se ha retrasado un poco y… no podíamos venir de otra manera.
–Es… es un poco tarde, pero es que la película…
–¡¿Es un poco tarde?!
–Era muy larga la película…
–¡Son las cuatro de la mañana!
–Y… y… y… luego…
–Ya, pero…
–Mira, yo no os quiero hacer entender lo que yo pienso cuando estoy aquí y vosotros no, pero…
–No, pero si te he enviado un WhatsApp, pero…
–Es que…
–Lo has recibido, ¿no?
–Es que da igual el WhatsApp…
–Es sábado… el metro va lento…
–Lo que quiero es que…
–Somos jóvenes… tenemos ganas de salir, papá…
–Si me parece muy bien, pero si vosotros os comprometéis a una hora…
–Es que no nos entiendes, no, no, no…
–… tenéis que llegar a esa hora. Si es una cuestión de confianza, al fin y al cabo.
–Pero no confías en nosotros.
–Sí, claro, yo confío en vosotros, en que si me decís una hora, llegáis a esa hora.
–Pero es muy difícil de calcular, papá… El metro, salir…
–Vivimos lejos…
–Te despides y…
–Y me lo estaba pasando muy bien.
–Sí.
–No volverá a pasar.

DOSIER 02: TREINTAÑEROS DE LATINOAMÉRICA

E 

–Inés, ayer fue tu cumpleaños, ¿no?
–Sí…
–Guau, ¿cuántos has cumplido?
–34.
–34… Jopé. O sea, que eres una treintañera.
–Eso parece.
–La verdad es que pareces más joven, ¿eh?
–Sí…
–Yo pensé que estabas a punto de cumplir 30. O sea, que ya los has cumplido… sí, ¿no?
–Me lo dicen. Me dicen que parezco más joven.
–La verdad es que para mí cumplir 30 fue un momento de cambio. Yo no sé si tú lo has vivido igual…

–Sí, coinci..., pero creo que fue por coincidencia de la vida, o sea, no porque cumpliera los 30, sino porque en ese momento fue una época de muchos cambios.
–¿En qué sentido?
–Pues... vivía en pareja y nos separamos y me fui a compartir piso con... no en un piso de estudiantes, sino con... con otras compañeras como yo, treintañeras, que trabajaban y que tenían su vida, solo que..., pues no... no nos podíamos permitir vivir solas, ¿no?, y compartíamos piso.
–Sí, pero yo no sé si a ti te pasó... porque en mi vida siempre, siempre ha habido muchos cambios, ¿no?, por la personalidad, pero yo noté que a los 30 los cambios... que uno empezaba a entrar como en fases más largas, ¿no? Por ejemplo, yo empecé... el trabajo actual, lo empecé a los 30 y llevo... bueno, llevo más de diez años en el trabajo actual. Y noté que eso era un cambio diferente a todo lo anterior, no sé...
–Sí, puede ser. La verdad es que yo también... el... el puesto que tengo ahora, la empresa en donde trabajo ahora... empecé a los 30. Entonces...
–Ah, ¿sí? ¿También?
–Bueno 30 y algo, pero también... en la treintena, digamos. Sí, y dejé mi trabajo anterior, empecé... una nueva aventura en el nuevo trabajo y... cumplí uno de mis sueños, o de cosas que quería, que era vivir sola.
–Ah, genial.
–Al final... sí. Después de compartir piso y... primero con estudiantes, luego en pareja... luego con otras compañeras y finalmente pude vivir sola... un año, solamente, pero...
–Bueno, pero es que esa sensación de independencia es fundamental, ¿no?
–Sí, fue brutal, sí, la verdad que sí. Me sentí muy bien haciendo eso.

DOSIER 03: SOY MAYOR... ¿Y QUÉ?

–Hoy estamos con Ramón Hernández, gerontólogo y experto en atención a la gente mayor. Y tenemos algunas preguntas que hacerle sobre este tema que ahora interesa tanto. La primera pregunta es, precisamente, por qué este tema es tan actual.
–Bueno, porque cada vez hay más gente mayor debido a la curva demográfica, el aumento de la esperanza de vida, las mejoras sanitarias... Además, actualmente la gente mayor participa de otra manera en la sociedad y en la familia. Antes, por ejemplo, una persona mayor se quedaba casa y tenía un papel más pasivo y dependiente. Hoy en día estamos viendo personas mayores que están defendiendo sus derechos e intereses. Por las pensiones, por ejemplo. Y organizan y acuden a manifestaciones... Esto era algo impensable hace unos años. Por eso tenemos que acabar con la imagen estereotipada que todavía hay sobre este grupo de personas en algunos ámbitos y fomentar su inclusión en la participación ciudadana.
–¿Por ejemplo?
–Pues en la publicidad y en los medios de comunicación. Es innegable el papel que los medios han tenido en la transmisión de una imagen, a veces negativa, de este grupo de edad.
–Sí.
–Se tiende a presentar a los mayores como enfermos, deprimidos, como personas inútiles, apáticas, sin proyección de futuro, etc. Y por eso es importante cambiar su imagen. Que sea más positiva y acorde con la realidad actual.
–Con la actual, claro.
–Y, muy importante también, debemos modificar el modo en que nos referimos ellos. Por ejemplo, usar el término "personas mayores" en lugar de "tercera edad" o "residencia para personas mayores" en lugar de "asilo" o "geriátrico"...
–Sí.
–En definitiva, los medios deben promover una imagen de la vejez activa.
–Y ¿qué otras propuestas pueden ayudar a desmontar los estereotipos sobre este colectivo?
–Bueno, es fundamental promover la educación intergeneracional. Se trata de crear programas educativos en los que participen miembros de diferentes generaciones para que se acorten las distancias entre las generaciones y que estas se conozcan y se entiendan mutuamente.
–Ajá.
–En muchos institutos de educación secundaria, ya existen actividades para que los adolescentes conozcan la realidad de los mayores. Que aprendan de ellos y viceversa. En talleres de historia, gastronomía, etcétera.
–Diferentes actividades... Y respecto a las asociaciones de mayores, ¿no piensa que han ayudado mucho a que las personas mayores puedan vencer el sentimiento de... de soledad que tienen a veces?
–Sí. Hay que reconocer la importancia que estas asociaciones han tenido, y tienen, al ayudar que las personas mayores más solas se encuentren acompañadas y socialicen, pero pienso que también es necesario que estas asociaciones se abran a su entorno social, que informen de sus actividades, haciendo que otros colectivos, qué sé yo, puedan participar en sus actividades y fomenten de esta manera la educación intergeneracional.

Unidad 7
Yo y mis circunstancias

DOSIER 01: SE BUSCAN VALIENTES
VÍDEO

SE BUSCAN VALIENTES

Se buscan valientes que expresen lo que sienten.
Se buscan valientes que apoyen y defiendan al débil.
Tú eres importante, tú sabes lo que pasa, eh, no mires a otro lado, no le tengas miedo al malo.

Se buscan valientes que ayuden y se enfrenten a Darth Vader y a algún gamberro más que con abuso siempre van.
Achanta, bravucón, y presta atención a la lección.

Pasa ya la hoja, que te quedas atrás.
El respeto en esta página yo ya subrayé.
Que la mochila si no hay libros no te debe pesar.
Sé valiente y no permitas lo que viste ayer.

Si hay alguien que se siente solo,
si hay alguien que han *dejao* apartado,
ahí ponte en su lugar, ¡yo ya estoy a su lado!
Tú ponte en su lugar y el bravucón, achantado.

¡Hey, chicos! La fuerza del valiente está en el corazón.
Se buscan valientes, se buscan valientes.

Hoy con valentía tiro yo para clase.
No es justo que a mi compañero esto le pase.
No confundas una broma con llegar al desfase.
Que parar la situación, bastante ya se pasó.

Nuestra rima es combativa, no la vas a callar.
¿A que si me pongo delante ya no vas a empujar?
Ya no estás solo, compañero, no te va a pasar *ná*.
Mirada al frente, una sonrisa y cabeza *levantá*.

Si hay alguien que se siente solo,
si hay alguien que han *dejao* apartado,
ahí ponte en su lugar, ¡yo ya estoy a su lado!
Tú ponte en su lugar y el bravucón, achantado.

Se buscan valientes que expresen lo que sienten.
Se buscan valientes que apoyen y defiendan al débil.
Tú eres importante, tú sabes lo que pasa, eh, no mires a otro lado, no le tengas miedo al malo.

¡Hey, chicos! La fuerza del valiente está en el corazón.
¡Hey, chicos! La fuerza del valiente está en el corazón.
Se buscan valientes, se buscan valientes.
Se buscan valientes...
Se buscan valientes que expresen lo que sienten.
Se buscan valientes que apoyen y defiendan al débil.

DOSIER 02: ROMPER EL TECHO DE CRISTAL

1
–Como cada año está a punto de aparecer la lista de la BBC con la selección de las 100 mujeres extraordinarias. Recordemos que en esta lista aparecen mujeres de todo el mundo que destacan por algún logro. Para hablar de algunas de estas mujeres, de sus trayectorias y logros, hemos invitado al programa a Celia Rodríguez, especialista en temas de género. Hola, ¿qué tal, Celia?
–Hola, buenos días.
–En listas anteriores aparecieron por supuesto mujeres de Hispanoamérica, podemos recordar, por ejemplo, a la periodista y bloguera mexicana Tamara de Anda. ¿Qué nos podrías contar sobre ella?
–Bueno, Tamara de Anda es mexicana, como bien has dicho, estudió Ciencias de la Comunicación en la Universidad de México y se hizo conocida en 2004 con un blog que se llamaba Plaqueta, fue un blog muy leído... Posteriormente, abrió otro blog que se llamaba Crisis de los 30... Ella además es periodista, trabaja en programas de radio y es una muy conocida activista que denuncia situaciones de racismo o sexismo de las que ha sido testigo. Por ejemplo, puedo contarte que en el año 2013 denunció una discriminación racista en una compañía aérea, en el año 2017 denunció un ataque de acoso del que ella misma fue víctima...
–¡Ella misma fue víctima!
–Sí, ella misma. Denuncia que el acoso a las mujeres es constante y entonces, bueno, decidió enfrentarse a personas que... que llevan a cabo este tipo de agresiones. Sus historias siempre son *trending topic* y generan muchísimo debate público. Como buena activista y buena comunicadora, ha recibido muchos ataques hacia sus campañas: muchos *trolls*, le envían mensajes con insultos, con amenazas... Pero ella no ceja en su intento de denunciar todo lo que ella considera injusto.

2
–Muy bien, Celia. Y ¿nos podrías hablar de otra mujer de esta interesante lista?
–Claro, mira, voy a hablarte de Melissa Márquez Rodríguez, que es una mujer transgénero de origen puertorriqueño. Melissa estudió Ingeniería de Computación y en 2015 decide trasladarse a San Francisco, concretamente a Silicon Valley. Entonces decidió enviar un correo electrónico a toda la empresa para notificarles que a partir de ese momento su nombre era Melissa, porque antes, oficialmente, era un hombre y estaba comenzando así su transición de hombre a mujer.
–Ah, muy valiente.
–Recibió una respuesta positiva por parte de toda la empresa. En estas empresas de Silicon Valley, donde ella vive y trabaja, las mujeres directivas son realmente una minoría y qué decir de las representantes latinas y afroamericanas. Por ello, Melissa fundó en el año 2017 el comité de diversidad de su empresa y está trabajando constantemente para conseguir la inclusión y una mayor participación de miembros de la comunidad LGTB, de latinos, de mujeres y de afroamericanos.
–Muy bien. Muy interesante. Gracias, Celia.

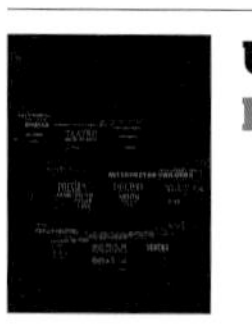

Unidad 8
El arte y la fiesta

DOSIER 01: EL ENTIERRO DE LA SARDINA
VÍDEO

EL ENTIERRO DE LA SARDINA

El entierro de la sardina se celebra el Miércoles de Ceniza. Con él termina el carnaval y comienza la Cuaresma, los cuarenta días que en la religión cristiana preparan la llegada de la Semana Santa. La ceremonia consiste en un desfile que parodia a un cortejo

fúnebre. El muerto es una inmensa sardina hecha de papel, cartón, madera y otros materiales. Aunque se llama "entierro", la sardina, en realidad, se quema.
–La tradición es lo que habéis visto: salir con la sardina por las calles de la ciudad y llegar a un sitio donde se la quema.
A la cabeza del desfile va alguien disfrazado de obispo o de otro representante de la Iglesia, y tras él las lloronas o plañideras, vestidas de luto, llorando por la muerte de la sardina.
–Somos unas lloronas porque se nos ha ido la sardina. Se ha muerto y nos la han *quemao*.
–Pobrecita. Y todos los años lo mismo, y se nos va. Y nos la vuelven a quemar.
La ceremonia implica a todo el pueblo, y cada peña tiene su función.
–Una peña es un conjunto de amigos que nos juntamos para las ferias, fiestas, ferias, tenemos nuestra ropa para ir todos iguales y pasarlo bien.
Al parecer, la quema o el entierro de la sardina simboliza el pasado que se deja atrás. Se quema o entierra lo negativo del pasado para afrontar el futuro con esperanza y energía.
Por eso, el entierro no es una ceremonia triste, sino alegre. El carnaval se despide en clave de broma y de parodia, de fiesta.
–Sí, porque es carnaval. Se parodia todo; todo el mundo se puede disfrazar de lo que no es, de lo que quiere ser y son días de fiesta.

DOSIER 02: EL ARTE DE LA FIESTA

1
–Oye, tenía ganas de verte.
–Ah, ¿sí?
–Sí, sí, sí. En noviembre vamos a ir de viaje a... a México.
Ah, ¿¡sí!?
–Y como sé que... la verdad es que no sé qué días son, pero... pero sé que es el Día de Muertos en... en México... se celebra allí en noviembre...
–Exacto. Sí, sí. El uno y dos de noviembre.
–Oye, y por qué no me explicas un poco cómo... cómo es, cómo se vive en México todo aquello...
–Pues es una fiesta fantástica.
–Sí...
–Para mí es la fiesta mexicana más bonita que hay porque en realidad es una fiesta, no solo de muertos, sino de vivos y muertos.
–Ah, ¿sí? ¿De qué se trata?
–Pues la idea... bueno... una fiesta que está basada en una tradición prehispánica. Eh... tú sabes que el producto más importante de la comida en México es el maíz.
–Ajá...
–Y la cosecha del maíz se hace a finales de octubre. Entonces, los pueblos prehispánicos hacían una gran celebración de la abundancia, una celebración de cosecha. Y era para celebrar con todos los vivos, pero también con todos los muertos. Entonces, la tradición dice que el día uno... la noche del uno al dos de noviembre, el alma de los muertos, de tus difuntos, puede volver del más allá. Y entonces, tú tienes que guiarlo hasta... hasta tu casa con veladoras, con... con flores, que son amarillas, así muy bonitas, y dentro de la casa se pone un altar de muertos, que es un espacio donde tú pones la comida favorita de... de tus familiares muertos...
–Sí...
–Se pone fruta, se pone incienso, agua, sal, si bebían alguna copita de algo también se pone...
–Ja, ja, ja.
–Más flores y más... y más velas. Entonces es como una fiesta para los sentidos. La idea es que ellos llegan a... a comer esa noche y al día siguiente, pues toda la familia se reúne y se alimenta de esa comida que dejaron los muertos.
–Claro, por lo tanto es una fiesta totalmente familiar, ¿no?
–Es muy familiar.
–Claro, claro...
–Es superfamiliar y es... es una fiesta..., pues de alegría, ¿no?

2
–Ah... Qué curioso... Y siempre habéis vivido con normalidad... esta fiesta, esa relación entre muertos... y vivos... ¿no? Aquí es como...
–Claro...
–Bueno, es algo muy delicado...
–Es muy diferente, ¿no?
–Muy diferente... ¿no?
–Pues, mira, en mi familia tenemos diferentes opciones. Mis abuelas, las dos son del norte y, como esto es una tradición prehispánica, en el norte no se celebraba. O sea, mis abuelas realmente no hacían nada. Por el contrario, mis abuelos eran del sur, uno de Yucatán y el otro del centro, de Tlaxcala. El de Tlaxcala realmente hacía una gran celebración; de hecho, convocaba a mi padre y a mis tíos para hacer el pan de muerto y se pasaban toda la tarde haciendo el pan de muerto para que por la noche estuviera listo.
–Ah...
–Y se ponía y además armaba una ofrenda espectacular. En la casa de mi abuelo materno se... se ponía la... la ofrenda también, pero había una particularidad. Y es que en Yucatán no gusta mucho la... la imagen de calaveras y esqueletos, que en el centro sí. Entonces allí no aparecían ni calaveras, ni esqueletos... nada.
–Anda...
–Que es una de imágenes más típicas, ¿no?
–Más icónicas, ¿no?
–Exacto.
–... de la fiesta de Muertos...
–Sí, pero en Yucatán, nada.
–¿Nada?
–No hay nada, no hay nada.
–Oye, y cómo... y... ¿cómo ha cambiado a lo largo de los años? Porque, claro, si esto es prehispánico... actualmente como se ha globalizado... las sociedades y todo esto... ¿cómo ha cambiado? ¿Se mantiene...?
–Sí... Yo creo que hay algo interesante. Esta... esta... esta celebración originalmente es prehispánica y, obviamente, con la llegada del cristianismo pues se agregaron algunos elementos mínimos del cristianismo: una cruz... eh... ya después con la tecnología, las fotos, se ponen las fotos de los familiares que han

muerto… y pues era una celebración muy… muy íntima, muy en familia. Después empezaron a poner ofrendas en los museos y en lugares públicos para homenajear a personajes importantes. Y en los últimos años, han empezado a hacer actividades mucho más grande, ¿no? Por ejemplo, en la plaza mayor, el Zócalo, ponen una megaofrenda con imágenes muy grandes con figuras de cartón y… hace… me parece un par de años o algo así, salió una película en la que aparecían… imágenes del Día de Muertos, imágenes de algo que no existía: una rúa, un carnaval o algo así y, desde entonces, lo están haciendo también.
–Qué curioso…
–Entonces… cada vez esto va a más y se están haciendo cosas superchulas.

DOSIER 03: MIRAR UN CUADRO

F 

Bueno, ¿qué tal? ¿Cómo están? Acérquense un poco, por favor. Nos encontramos delante de *La Venus del espejo*. Este cuadro lo pinta Velázquez alrededor del año 1648. Como ven, representa una mujer desnuda, la diosa Venus, la diosa de la belleza, tumbada sobre una cama de sábanas grises y protegida por una cortina roja. Se mira de espaldas al espejo, que sostiene Cupido, el dios del amor. Si se fijan bien, miren, verán que a través del espejo se ve el rostro de la diosa. ¿Lo ven?
Bueno, en la composición predominan las líneas diagonales y las curvas, y los colores son muy vivos. Se dan cuenta, ¿no?, están realzados. En primer plano vemos el cuerpo, que atraviesa el cuadro en la horizontal, y esta la rompe Cupido verticalmente, ¿sí? ¿Lo ven? Todo lo que estamos viendo sucede en un espacio muy reducido, estamos entrando en una escena muy íntima, muy cercana. Fíjense también en la luz, muy cálida también, ¿verdad?, refuerza esta sensación de cercanía, de privacidad. Este uso de la luz es típico de Velázquez, el genio del Barroco.
Bueno, ¿y qué quería representar el artista con este cuadro? ¿Lo saben? Bueno, vamos a ver, la pintura barroca no es fácil de interpretar, ¿eh? En este caso, lo que pretende hacer Velázquez es representar a la diosa como si fuera una mujer corriente, es decir, humanizar el mito. ¿Lo ven claro?
Parece que el tema mitológico podría haber sido una excusa para pintar libremente un desnudo sin que fuera censurado. Podría ser… Así que, a ver, tenemos a la diosa de la belleza, pero con una cara muy fea, fíjense en el reflejo, no es una mujer guapa precisamente, ¿no? ¿Y esto qué significa? Pues significa que en una misma persona están la belleza y la fealdad, y que el amor, la vanidad y la verdad están siempre relacionados, ¿hasta ahora me siguen? Por favor, cualquier cosa que no quede clara, me preguntan, ¿de acuerdo? El caso es que es en el Barroco cuando estos contrastes se hacen más extremos y Velázquez alude aquí a algunos tópicos literarios y filosóficos de la época. Bueno, este… este desnudo de Velázquez es fundamental en la historia del arte porque hizo que pintores posteriores pudieran pintar desnudos más libremente, sin tener que utilizar la coartada de la mitología, la religión o cualquier otro tema.
Y bien, ahora pasamos a…

G 

1
–Mira, Iñaki, *La venus del espejo*, de Velázquez.
–Anda, me recuerda a *La maja desnuda* de Goya…
–Sí…
–Pero con otra postura, ¿no?, al revés.
–Se parece mucho y además esta se está mirando la cara en el espejo.
–Sí. Tiene un punto inquietante, ¿no?, esa imagen del espejo, ella reflejada…
–Sí… se está mirando como embelesada, ¿no?
–Sí… Oye, ¿y te has fijado en el angelito, has visto qué peinado tiene?
–Sí, je, je…
–Parece un poco… punki.
–Me encantan las plumas y la cintita azul que lleva encima del pecho…
–Está guay…
–Parece una *miss*.
–*Miss* Angelito…
–Sí… Ja, ja, ja.
–Pero el cuadro es como muy tranquilo…
–Sí, tiene una atmósfera muy relajante…
–Sí, los colores…
–Esos trazos… vaporosos…
–Cómo se mira ella, cómo mira al angelito…
–Sí, es muy romántico, me da… me da buen rollo…
–Sí, da tranquilidad.
–Es como que… me tranquiliza. Sí.
–Creo que luego, cuando salgamos, voy a mirar en la tienda, a ver si tienen una reproducción para mi estudio.
–Vale, si hay, te la regalo.
–Venga…
–¿Vale?
–Acepto. Gracias.
–De nada.

2
–A ver… Remedios Varo, *Mujer saliendo del psicoanalista* se titula.
–¡Madre mía!
–Le pega un montón ese título, ¿eh?
–Menudo cuadro. Mira el cielo que tiene encima.
–Sí, sí.
–Son unos nubarrones… Pobre mujer, tiene muchos problemas, seguro.
–Sí, tiene mucho trabajo.
–Sí…
–Ese psicoanalista se va a hacer de oro.
–Sí, sí… Y esos cuernos, yo no quiero pensar nada… No quiero saber por qué ha ido, pero…
–Oye…
–Pero, vaya, tiene mala pinta.
–Sí, mira, mira esa cabeza que tiene agarrada por la barba… así…
–Sí, y luego tiene otros ojos justo debajo de los suyos, otra cara…

como si tuviera dos caras o...
–Sí, es muy raro...
–Sí, ahí la barba, es verdad... Es como un hombre, ¿no?, que tiene cogido por la barba.
–Sí, un espectro... Y ¿qué lleva en la cestita esa?
–Pues no sé, yo creo que son como raspas de... no sé...
–O llaves...
–Raspas de pescado o algo así... no sé.
–Es todo... De este no quiero ninguna reproducción para mi estudio.
–No, ¿verdad?
–No, me da muy mal rollo, me... me genera inquietud...
–Sí, es como...
–Me hace sentir... en tensión.
–Es como angustiante, ¿no?
–Sí, sí, sí. No...
–Como desasosiego...
–Sí...
–Agobio...
–Sí, sí. No... Venga, vámonos a ver otra cosa que...
–Sí.
–Ya me he cansado de este.
–Vamos.

Unidad 9
Investigación y desarrollo

DOSIER 01: CIENCIA PARA TODOS LOS PÚBLICOS
VÍDEO

EL ÓRGANO MAESTRO: PENSAR, SENTIR Y RECORDAR

Hola, me llamo Adrián y... bueno, seguro que vosotros, al igual que yo, alguna vez os habéis hecho la pregunta de... ¿cómo el humano, insignificante en el universo, ha sido capaz de conseguir cosas tan complejas como desarrollar teléfonos móviles o crear naves aeroespaciales? Bien, la respuesta está en esa complicada máquina a la que llamamos **cerebro**. Pero debo decir que esto no ha sido siempre así; ha ido cambiando y desarrollando su mejor versión con el paso de las generaciones. Como cuando actualizas tu móvil a uno mejor. Pero yo sé lo que tú quieres. Tú quieres saber cómo funciona. Bien, pues vamos allá.
Esta máquina está formada por pequeñísimas piezas llamadas **neuronas**, células con una forma un tanto especial, que son capaces de agruparse para formar redes y el tejido nervioso que luego forma todo el sistema nervioso. Estas conexiones que acabo de decir funcionan con el paso de una sustancia de una neurona a otra y con esto se generan impulsos eléctricos, sí, electricidad, como la que usa tu nevera. Además, estos relieves que todos conocemos se llaman **circunvoluciones** y proporcionan a la corteza cerebral, es decir, la parte que piensa, de una mayor extensión.
Bueno, y... sé que es difícil de imaginar, pero esas pequeñísimas piezas conforman todo tu cerebro, y a través de distintas conexiones y distintos patrones, tu cerebro es capaz de realizar todas las funciones que tiene, como, por ejemplo, decirte que tienes hambre, decirte que tienes hambre o decirte que tienes hambre.... Es que... yo siempre tengo hambre.
Bien, el cerebro está formado por el hipotálamo, el cuerpo calloso, el hipocampo, el neocórtex, el... Espera, esto es aburrido, así que me voy a saltar un poco los numerosos nombres de las partes y sus funciones, y me voy a ir a lo interesante y por lo que hemos destacado los humanos sobre las otras especies: cómo pensamos, recordamos y sentimos.
Bien, veamos las emociones con un ejemplo: vas caminando de noche y ves que un hombre te está siguiendo. El estímulo llega a tu retina, que lo transforma en un impulso; y va directo hasta el mismísimo cerebro. Entonces es cuando empieza a funcionar lo que conocemos como **sistema límbico**, la parte que se encarga de las emociones. El impulso eléctrico de la situación le llega en este caso a la amígdala, que compara este impulso con otros previos y determina, por ejemplo, que lo mejor es sentir miedo. Esta respuesta pasa al hipotálamo rápidamente, que empieza a generar unas hormonas que hacen una reacción en cadena hasta que estas glándulas liberan la conocida "adrenalina". Y nos ponen en alerta. También el miedo se lleva a la corteza cerebral, la parte que se encarga de pensar, para encontrar una solución lo más rápido posible como, por ejemplo, ¡salir corriendo!
Continuemos con la memoria. Esta tiene lugar en el hipocampo. Sin embargo, si no resulta algo impactante o relevante para nosotros, el hipocampo dirá: "Bah, yo paso", y se guardará en la corteza cerebral, pero no durará mucho tiempo si no la recordamos continuamente. Esto funciona de tal manera que si una situación, un viaje a Londres, por ejemplo, es muy relevante en ti, se creará un patrón de neuronas que guardarán esa información. Y cuando esas neuronas se activen, ese recuerdo te vendrá a la mente. De todas maneras, no será el mismo, ya que no se recupera toda la información y, por lo tanto, esos huecos se rellenan con información que tu propio cerebro se inventa. Apuesto a que esto te ha sorprendido.
Otra forma de recordar es a base de repetir; pero eso tú también lo sabías, pero seguro que no sabías que era porque cuantas más veces se repitan las mismas conexiones de neuronas, más fácil será recrearlas para recordar lo que quieres.
Terminemos con el pensamiento. Este se lleva a cabo... casi en todo el cerebro, pero especialmente en la parte más externa del cerebro, en la corteza cerebral; en específico, en una parte de delante llamada **lóbulo frontal**. Primero se recibe un estímulo, por ejemplo, tus deberes de matemáticas, y se lleva en forma de impulso hasta este lóbulo. Después, el impulso pasa por tres etapas: una, en la que se saca la idea de qué hay que hacer con ello, es decir, hacer los deberes. Otra, en la que se compara con patrones de neuronas similares previos, por ejemplo, los ejercicios realizados en clase. Y, por último, se asocian conceptos y se selecciona la información necesaria. Por ejemplo, la forma correcta de resolver el problema.

TRANSCRIPCIONES LIBRO DEL ALUMNO

Bueno, creo que yo ya he terminado de contar lo que quería, así que espero que por fin te hayas dado cuenta de lo fácil que es pensar y lo difícil que es hacer que pase. Y aunque parezca que sabemos mucho acerca del cerebro, sigue siendo uno de los grandes enigmas para la humanidad. Por lo tanto, necesitamos a gente para investigar, como, por ejemplo, ¿a ese? Bueno, a ese quizás no, pero ¿y tú?, ¿te animas?

Bueno, en conclusión: espero que hayas aprendido algo y recuerda siempre dejar tu *like* y, por supuesto, no olvides votarme con el *link* de abajo de la descripción. *Bye!*

DOSIER 02: LOS TRABAJOS DEL FUTURO

1

–Mira qué interesante: aquí hay una lista de profesiones que van a tener mucho futuro.
–A ver...
–Mira qué curioso: dice que la profesión de traductor. Es raro, ¿no?
–¿Estás segura?
–Sí.
–Bueno, con todo el tema de la traducción automática y todo esto...
–Sí, sí, pero aquí dicen que las aplicaciones hacen traducciones sencillas y... y automáticas, pero... pero que hay muchas cosas que no las pueden llegar a hacer.
–Bueno, por ejemplo...
–Pues por ejemplo...
–Supongo, literatura y cosas así que...
–Claro, claro... La poesía... es muy difícil que una aplicación pueda captar la intención de una imagen, de un poema, ¿no?
–O darle la vuelta...
–Y otra cosa curiosa que dicen es que... el tema del humor.
–Claro...
–Porque, claro, el humor en muy cambiante, ¿no? Algo que es gracioso esta semana a lo mejor ya no es gracioso la semana que viene, ¿no?
–Bueno, o en una lengua y en otra que habrá que adaptar la broma, a veces...
–Claro, claro, claro, claro... todas las referencias culturales que hay, la realidad cambiante, ¿no? No sé una referencia a algo que ha sucedido la semana pasada, ¿no? Que puede ser gracioso y... Y eso es muy difícil, claro, es lógico, es muy difícil que una aplicación lo pueda interpretar y... y traducir... ¿no?
–Me alegro...
–Bueno, lo que dicen es que si eres buen traductor no te va a faltar el trabajo.
–Pues mira, ya sé qué decirle a mi sobrina que estudie.

2

–Pues el otro día estuve leyendo sobre una de las profesiones con más futuro y con más demanda y es el... el de ciberabogado, ¿no?
–Y ¿eso qué es?
–¿Ciberabogado? Bueno... pues supongo que será una rama futura de la... de la abogacía porque en realidad hoy muchos abogados no están preparados para... para hacer frente a todo el tema del mundo digital, ¿no?
–Ah, vale, sí. Lo de que hay gente que cuelga vídeos en internet que...
–Sí, claro. Pero..., pero además estamos ante una vorágine de... de... de estafas de... de suplantadores de identidad, de uso ilegal de datos, de creación de bulos... en fin esto...
–Sí... de insultos a... a gente en Twitter...
–Claro, claro. Ahora mismo todo esto no... no... no está regularizado, ¿no? Y... bueno, los abogados pues van a tener que modernizarse, ¿no?, dando un paso hacia todo esto, que además, por una parte creo que es necesario, ¿no?, porque... porque es... es un mundo enorme, ¿no?, el de internet, ¿no?, el mundo digital.

3

–Oye, he leído que una de las profesiones de futuro es el especialista en pedagogía en línea.
–Sí, desde luego. Ten en cuenta que la gente cada vez estudia más cursos *online*.
–Ya, es verdad.
–Y, claro, no es lo mismo estudiar en una universidad o en una clase presencial que hacer un curso en línea. Todo está cambiando y está cambiando muy rápido. Fíjate en todas las plataformas que han salido para esto... que si Coursera, Udacity... ¡Hay montones!
–Sí. Hay mucha gente que no puede ir a clases presenciales.
–Y además, también es un mundo superdinámico en el que no solo están los profesionales de siempre.
–Ajá...
–También encuentras muchos *amateurs* que están en YouTube, que están en plataformas alternativas de *e-learning*... y que han montado unos cursos mucho más motivadores, mucho más eficaces y que realmente la gente está dispuesta a pagar por ellos porque funcionan.
–Sí, hay muchos que tienen muchísimos seguidores, ¿eh?
–Sí. Es que es normal. Al final lo que están consiguiendo es enseñar de una manera mucho más eficaz. Y en todo esto hará falta que la gente, los especialistas, tengan sus propios estudios, empiecen a desarrollar herramientas mejores..., y se vaya creando un cuerpo de conocimiento para formar a los profesionales. Lo que está claro es que no es lo mismo la educación en la que nos hemos educado nosotros y la educación del futuro, en la que lo digital cada vez pesará más. Y no es solo cuestión de entornos, es una cuestión de herramientas, de maneras de hacer, de relaciones también. No...
–Sí, además yo creo que es una forma mucho más divertida, además de eficaz.

DOSIER 03: LA COCINA DE MAÑANA

1

–He visto un reportaje superinteresante sobre la comida del

futuro, lo que vamos a comer dentro de 20 o 30 años. Y hablaban de... de que vamos a comer hamburguesas de laboratorio.
–Pero ¿para qué?
–Bueno, pues para evitar tener tanto ganado. Como la ganadería es... es un problema gravísimo para el medioambiente... y... cada vez somos más habitantes..., pues dice que tenemos técnicas para fabricar proteína animal, pero en el laboratorio.
–Pues, no sé..., pero sí... habiendo otras opciones como las de proteína vegetal..., lo veo más un capricho que una necesidad, ¿no? ¿A ti te parece bien?
–Bueno... pues, como a la gente le gusta tanto la carne...
–No sé... A mí me da un poco... me echa un poco para atrás.
–No te gusta. Te da un poco de asco, ¿no?
–No, no...
–Y otra cosa que decían en el reportaje este es que se va a sacar también muchas proteínas de... los insectos, o sea que... comeremos habitualmente insectos.
–Bueno, yo ya he probado alguna vez y...
–Ay, por favor. Eso sí que me da mucho asco a mí.
–Pero es como un langostino, pero de la tierra, ¿no?
–Sí, pero comerte una hormiga, una araña, un... ¡Ay! No sé. Qué asco. A mí eso me da mucho asco. No, no, no, no, no. Prefiero una hamburguesa de laboratorio muy limpita...
–Yo me quedo con los otros, que comen hierba.
–Bueno, pues tú comes insectos y yo como hamburguesas de laboratorio.
–Vale.

2

–¿Has visto estas cocinas nuevas?
–A ver...
–Mira qué pequeñas son.
–Y eso, ¿para qué?
–Son cocinas inteligentes. Lo hacen todo por ti.
–¿Cocinas inteligentes?
–Sí, mira, y pone que dentro de unos años las tendremos en casa...
–Uy... Yo... yo no soy muy partidario de esto, ¿eh?
–Pero ¿por qué? A mí me parece comodísimo.
–Pero... por... porque no. Porque a mí me gusta cocinar y me gusta ponerme en la cocina... Es... es relajante... como siempre se ha hecho...
–Pero, bueno, así comeremos mejor. Fíjate, podrán hacer la lista de la compra, prepararte una dieta... Vamos, yo creo que así sabes mucho mejor lo que debes comer.
–Uy, no, no. No, no, no, no, no. Yo creo que nos quitará creatividad. A mí me encanta, como lo hacía mi madre y mi abuela... Si siempre... siempre se ha hecho así.
–Pero, bueno...
–Siempre se ha hecho así...
–Pero, mira, además los desperdicios se reciclan y se pueden transformar..., es mucho más ecológico.
–¿Se transforman en qué? ¿En qué se van a transformar? ¿En qué? En...
–En compost.
–¿En compost?
–Por ejemplo.
–A mí no me... no me... no me parece lógico. Cocinar siempre se ha cocinado a la antigua usanza...
–Bueno, pero eso se va a quedar anticuado ya.
–Ya, ya..., pero, bueno, no sé...
–Hay que modernizarse...
–A mí me encanta cocinar, mira lo que te digo...

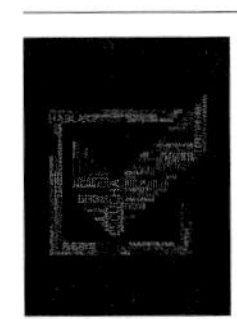

SECCIÓN DE PREPARACIÓN AL DELE

PRUEBA DE COMPRENSIÓN AUDITIVA

Tarea 1

Usted va a escuchar seis conversaciones breves. Escuchará cada conversación dos veces. Después debe contestar a las preguntas (1-6). Seleccione la opción correcta (a, b o c). Marque las opciones elegidas en la Hoja de respuestas. Tiene 30 segundos para leer las preguntas.

Conversación 1
Va a escuchar a una profesora y a un alumno.
–Manuel, ¿ya habéis decidido el tema de la exposición?
–Sí, sí, ya lo hemos decidido y el trabajo ya está repartido.
–Vale, pues entonces, teniendo en cuenta las pautas que os di, yo creo que ya podríais empezar a preparar la presentación.
–Vale... ¿Podríamos aplazarla unos días? Es que... tenemos entregas de otras asignaturas y nos coinciden justo en la misma fecha.
–No lo sabía, pues déjame que lo consulte y a ver si es posible...

Conversación 2
Va a escuchar un fragmento de una entrevista a un cantante.
–Humberto, cuéntanos, ¿cómo va la gira por Latinoamérica?
–Pues está siendo increíble. Ayer actuamos en Bogotá y fue fantástico, la gente conocía todas las canciones del último disco. Todavía me quedan varios conciertos en Perú, Chile y... el concierto de despedida, en Argentina, una tierra que... que amo. Después, pues vuelta a casa, a descansar un poquito y a volver, pasadas tres semanas, con... con fuerzas renovadas.

Conversación 3
Va a escuchar a dos personas hablando sobre un libro.
–Edu, ¿qué tal el último libro de Juan Alba?
–Bueno, no está mal, pero es una recopilación de cosas que ya había publicado en otros medios, de hecho, la mayoría ya me lo había leído.
–¿Y de qué habla?
–Pues un poco de todo: política, educación, los problemas sociales, el feminismo, que es un tema que toca mucho... Pero, bueno, la verdad es que escribe de lo que siempre escribe, suele ser muy crítico con lo que ve y habla de ello.

Conversación 4

Va a escuchar una entrevista a una experta en medioambiente.
–¿Qué opina de las medidas del Ayuntamiento para reducir la contaminación?
–Bueno, son medidas transitorias. De hecho, ya se han aplicado en otros países. No entiendo las reacciones negativas de muchos sectores.
–Se han aplicado, pero... ¿han demostrado ser efectivas?
–Es algo que está por ver, pero, de momento, si se da cuenta, en nuestra ciudad, estos días tenemos un cielo mucho más limpio.

Conversación 5

Va a escuchar a un cliente y a una trabajadora de una compañía de seguros.
–Buenos días, ¿en qué puedo ayudarlo?
–Pues... llamo por la avería de la cocina, el técnico tenía que haber venido hace dos días.
–Dígame su dirección, por favor.
–Sí, mire: calle Mayor, 28, 3.° A.
–Muy bien, tomo nota. En un plazo de tres días irá el técnico a su casa.
–¡¿Tres días?! Mire, llevo muchos años con ustedes, pero o viene el técnico hoy mismo o me daré de baja de su compañía. ¡Es intolerable!

Conversación 6

Va a escuchar a una propietaria de un piso y a un chico, Carlos, que está interesado en alquilarlo.
–Sí, tiene mucha luz y es un piso que me gusta. A ver, me interesa, pero me gustaría saber si la luz, el gas y el agua están incluidos en el precio.
–El agua sí, ya que se paga en la cuota de la comunidad. Los otros gastos corren por cuenta del inquilino.
–Eh... Voy a consultarlo con mi pareja, pero seguramente alquilaremos el piso.

Complete ahora la Hoja de respuestas.

Tarea 2

Usted va a escuchar una conversación entre dos amigos, Álvaro y Bárbara. Indique si los enunciados (7-12) se refieren a Álvaro (A), a Bárbara (B) o a ninguno de los dos (C). Escuchará la conversación dos veces. Marque las opciones elegidas en la Hoja de respuestas.
Tiene 20 segundos para leer los enunciados.

–¡Hola, Bárbara! ¿Qué tal?
–Pues, mira, vengo de una reunión de vecinos... ¡vaya rollo!
–Buf... ya me imagino... Eso es lo bueno que tiene estar de alquiler, que no tienes que ir a las reuniones de vecinos.
–Pues sí. Oye, por cierto, ¿te has cambiado ya de casa?
–Pues todavía no, pero he encontrado un piso muy cerquita del trabajo.
–Ah, ¡qué bien! Pero... ¿no habías descartado ese barrio por los precios?
–Sí, sí, sí. Si buscaba en otras zonas, pero es que he encontrado un chollo, algo que puedo pagar sin tener que gastarme la mitad del sueldo. Y... ya te digo, a dos minutos de la oficina, y no como ahora, que me tengo que levantar dos horas antes.
–¡Qué suerte, eso es pleno centro! Oye, ¿te acuerdas de mi amiga Natalia? ¿Te he hablado de ella?
–Creo que sí... ¿la de la tienda de muebles?
–¡Esa es! Pues lleva más de seis meses buscando algo por esa zona, algo que esté cerca de su trabajo también, pero no... no encuentra nada...
–Bueno, pues... si veo algo, te digo...
–Vale... sí, sí, porque a ella ese barrio le viene fenomenal, al lado de la tienda...
–¡Ah, mira! Pues necesito muebles, a lo mejor se los puedo comprar a ella.
–Tiene cosas muy chulas, pero mira también la web porque en la tienda no tiene sitio para todo.
–Ah, lo haré. Oye, por cierto, cambiando de tema, ¿qué tal estuvo el concierto del sábado?
–Pues estuvo superbién. Por cierto, que me encontré con Rebeca.
–Ah, ¿sí? Y... ¿qué tal está? La verdad es que tengo muchas ganas de verla... Hace... siglos que no nos vemos...
–Ya, si me dijo que a ver si quedábamos todos un día...
–¡Vale! Sí, genial.

Complete ahora la Hoja de respuestas.

Tarea 3

Usted va a escuchar una entrevista a un científico mexicano. Escuchará la entrevista dos veces. Después debe contestar a las preguntas (13-18). Seleccione la opción correcta (a, b o c). Marque las opciones elegidas en la Hoja de respuestas. Tiene 30 segundos para leer las preguntas.

–Doctor Jorge Flores Valdés, ¿podría hablarnos acerca del papel de la ciencia en México?
–Sí, mire, hace 50 años no había investigación científica en nuestro país. Antes, a los que intentaban hacer ciencia se los llamaba con ironía "ruleteros", así se los conocía en México a los taxistas, y los investigadores que hacían ciencia eran muy aficionados y no les alcanzaba lo que ganaban en sus centros de investigación; esto los forzaba a dar clases en varios colegios, y para ir de un lado a otro andaban en taxi. Todo eso implicó que la ciencia en México no fuera realmente parte de la cultura, y todavía no lo es.
–¿Y considera que la industria mexicana no está preparada para consolidar a los 3000 doctores que se gradúan cada año en su país?
–La industria mexicana está preparada, pero no quiere, no ha mostrado su deseo de hacerlo. Conozco muy pocas empresas con laboratorios de investigación. A pesar de que en algunos sectores la industria mexicana es realmente poderosa, no hay convicción, ni de los empresarios ni de los industriales, de que si innovan o hacen algún descubrimiento tecnológico interesante,

eso les dará muchísimo dinero.
–Ajá... ¿Cuál cree que es la causa de tanta indiferencia para invertir más en ciencia en su país?
–Inicialmente, creo que tiene que ver con que llegamos tarde, y en algún sentido la comunidad científica es pequeña; y por esto no se considera importante. Esto ha mejorado mucho en los últimos años, ya que, como se acaba de mencionar, egresan cerca de tres mil doctores en ciencias.
–¿Hay en su país algún plan para estimular la difusión y la divulgación científica?
–Bueno... la divulgación se considera una acción de tercer nivel, ya que como dicen: "El que no investiga, enseña; y el que no enseña, pues divulga". O sea, que de las tres funciones fundamentales de las universidades públicas mexicanas, ocupa el tercer lugar. Esto quiere decir que la divulgación no se considera una prioridad.
–Pero últimamente vemos algunas actividades para los más jóvenes...
–Sí, esto ha cambiado ahorita con programas como "Domingos en la ciencia". Aquí los niños y jóvenes tienen chance de estar en contacto con la ciencia. El otro día estuvimos sumando los asistentes a estas sesiones y anda como en 800 000, que no es un número despreciable, ¿eh? Entonces, hay que hacer esa actividad muy fuerte, porque en los países muy avanzados la gente toma esas cosas de la ciencia y tecnología como parte importante de su cultura, pero como en México estamos, en ese sentido, tan ajenos, es muy importante implementar un plan muy fuerte.
–¿Y cuál considera que es el futuro de la ciencia en su país?
–Pues, mire, yo creo que primero debemos lograr que la ciencia sea relevante para quienes toman las decisiones. Además, es necesario un plan de aumento de inversión en la ciencia, pero que sea sensato, porque si nos dieran de golpe un 1 %, la verdad es que no sabríamos qué hacer con ese dineral. Por último, y de gran relevancia también, habría que poner en práctica un número de acciones relevantes sobre divulgación de la ciencia para que esta sea apreciada por la sociedad mexicana como tal.

Complete ahora la Hoja de respuestas.

Tarea 4

Usted va a escuchar a seis personas que dan consejos para elegir una carrera. Escuchará a cada persona dos veces. Seleccione el enunciado (A-J) que corresponde al tema del que habla cada persona (19-24). Hay diez enunciados incluido el ejemplo. Seleccione solamente seis.
Marque las opciones elegidas en la Hoja de respuestas.
Ahora escuche el ejemplo.

Persona 0
Un poco de distancia ayuda a ver mejor un asunto. Así que, en una situación de incertidumbre, conviene mirar tu vida como si fuera la de otro y preguntarte: ¿qué tendría que hacer esa persona para salir del atolladero?

La opción correcta es la F.
Ahora tiene 20 segundos para leer los enunciados.

Persona 1
Lo más importante para elegir una disciplina es tomarse tiempo para escoger algo con lo que realmente uno disfrute, ya que este es el primer paso para ser un buen profesional. Estudiar algo solo por las opciones laborales que ofrece nos llevará a ser un profesional mediocre y a no estar satisfechos con la vida que llevamos.

Persona 2
Si verdaderamente no tenés vocación conocida, probá varias cosas. A veces nos termina gustando algo que no podíamos imaginar. No es mala idea hacer varios cursos... seleccioná los que no cuestan plata, te ayudarán a abrirte un camino o a descartar alguna posibilidad a la que le estuvieras dando vueltas.

Persona 3
Si tu objetivo es tener mejores perspectivas profesionales, tienes que valorar las oportunidades de empleabilidad que tiene un curso o un máster. Una buena forma de saberlo es hacer un poco de investigación: por ejemplo, puedes buscar cuántos de los estudiantes que hicieron la última convocatoria consiguieron un trabajo; y de los que lo consiguieron, ¿qué tipo de empleos eran? Siempre conviene buscar tus propias fuentes de información, por ejemplo, acude a las redes sociales e indaga en ellas.

Persona 4
Para elegir estudios, no pienses en profesiones, piensa en ser profesional. No conocemos las profesiones del futuro, pero es probable que las competencias valiosas sigan siendo similares. Algunas de estas competencias transversales y siempre útiles están relacionadas con la ofimática, los idiomas, las matemáticas, la estadística, la informática y la programación, las redes sociales y la gestión de contenidos en internet, las habilidades sociales y las ventas.

Persona 5
Aprende mucho de algo. Cuanto más sabes de algo, más te gusta. Una vez finalizada la fase de experimentación, conviene centrarse en una materia en lugar de seguir acumulando conocimientos superficiales sobre infinitos campos. Esta estrategia, además de ayudarte a aclarar tu vocación, también es útil para la entrada en el mercado laboral, pues te ayudará a definirte como profesional y a diferenciarte de la competencia.

Persona 6
Es un error pensar únicamente en el estatus que puede otorgar un título de una universidad determinada y no en lo que realmente te va a enseñar. Hay que preocuparse menos por lo bien que suene el nombre de los estudios, acreditación o titulación de que se trate, no hay que dejarse engañar por su validez aparente. Lo importante son los aprendizajes y

competencias concretas que realmente incluye una titulación.

Complete ahora la Hoja de respuestas.

Tarea 5

44

Usted va a escuchar, en versión locutada, a la presidenta de la ASEP (Asociación de emprendedores de Perú), Camila González. Escuchará la audición dos veces. Después debe contestar a las preguntas (25-30). Seleccione la opción correcta (a, b o c). Marque las opciones elegidas en la Hoja de respuestas. Tiene 30 segundos para leer los enunciados.

Desde muy chica tuve el ejemplo de grandes emprendedores en mi familia y siempre busqué la forma de apoyar, de aprender de ellos y crear mis propias experiencias. Cada vez que encontraba tiempo libre, buscaba dónde podía ayudar. Me acuerdo que durante el colegio falté a clases para salir y asistir a la inauguración del negocio de mi papá. Fui feliz de ser parte del nacimiento de la empresa en la que mi familia había puesto tanto empuje y esfuerzo. Por eso, la idea de crear nuevas experiencias y estar en constante contacto con las personas me encantó desde chica.
Durante mi último ciclo de universidad, comencé una empresa orientada al servicio y a la tecnología. Sin embargo, no la continuamos porque empezamos a trabajar en grandes empresas y no nos dimos el tiempo para emprender y seguir nuestros sueños. En esa época, queríamos tener la oportunidad de trabajar en multinacionales, ya que en la universidad nos habían formado con un currículum orientado hacia las grandes empresas, y no fomentaban el emprendimiento.
El emprendimiento es adrenalina pura. Es un deporte de riesgo y con cada experiencia aprendo a disfrutar más de esa incertidumbre. Si bien soy consciente de que el camino del emprendedor no es nada fácil, cuando uno trabaja acompañado y avanza con persistencia, esas dificultades van desapareciendo y, por ende, los resultados se vuelven más satisfactorios.
Nuestro compromiso desde la ASEP es potenciar las oportunidades, conectar a los emprendedores y las emprendedoras con los diferentes actores para que cuenten con un apoyo en su proceso de crecimiento. Asimismo, brindarles herramientas y apoyo desde la etapa temprana para que tengan mayor probabilidad de superar las dificultades. Finalmente, generar redes para que se asocien y puedan llegar a nuevos mercados.
Atrévete, porque lo peor es literalmente no intentarlo y quedarse con las ganas de hacer algo que hoy puede convertirse en grande, muy grande.
Da ese salto y emprende en lo que te apasione de manera responsable porque el camino no va a ser fácil, pero sí que valdrá la pena. Aprende mucho y conéctate con quienes ya hayan emprendido y/o estén comenzando a emprender, te darás cuenta de que no es tan solitario el camino como creías. Busca un equipo que te pueda acompañar en la aventura (¡y ojalá que sea un equipo multidisciplinar!) porque acompañado llegarás más lejos y el camino será incluso mejor. Pierde el miedo, emprender puede llegar a ser una de las mejores experiencias de tu vida.

Complete ahora la Hoja de respuestas.

PRUEBA DE EXPRESIÓN E INTERACCIÓN ESCRITAS

Tarea 1

Usted va a escuchar una noticia sobre esta oferta laboral.

El Instituto Antártico Argentino envía anualmente un equipo de especialistas (informáticos, ingenieros electrónicos y técnicos electrónicos) a las bases antárticas permanentes de Orcadas, Belgrano II, San Martín, Marambio y Carlini.

El personal designado para estas tareas formará parte de la Coordinación Científica del Instituto Antártico argentino, que se encarga de administrar todos los laboratorios antárticos. El contrato tendrá una duración de 18 meses, de los cuales se pasarán unos 13 en la Antártida.

Las tareas consisten en operar y verificar el funcionamiento del instrumental científico electrónico. En el caso particular de la base Carlini, estas tareas involucran, además, la administración de la red informática.

Las condiciones de vida en una base antártica exigen un esfuerzo dedicado a la supervivencia y a la convivencia. Todo el personal de la base coopera en las tareas generales de la base y con el cocinero: limpieza, picado de hielo para hacer agua, mantenimiento de las instalaciones, etc., paralelamente a las tareas técnico-científicas específicas. Debe mantenerse el espíritu solidario y la predisposición al apoyo entre los compañeros.

Las condiciones climáticas son duras. La noche polar dura entre 4 y 5 meses. Las comunicaciones con el continente son radiofónicas, telefónicas y/o por internet. La institución proporciona la ropa necesaria para permanecer en la zona.

Los candidatos deberán superar un examen teórico de conocimientos.

Interesados enviar *email* adjuntando currículum a institutoantartico@gob.ar. Repetimos: institutoantartico@gob.ar.

La prueba ha terminado.

Si quieres consolidar tu nivel **B2**, te recomendamos:

PREPARACIÓN PARA EL DELE